HONI SOIT QUI MAL Y PENSE

Paru dans Le Livre de Poche :

L'AVENTURE DES LANGUES EN OCCIDENT
L'AVENTURE DES MOTS FRANÇAIS VENUS D'AILLEURS
LE FRANÇAIS D'ICI, DE LÀ, DE LÀ-BAS
LE FRANÇAIS DANS TOUS LES SENS

HENRIETTE WALTER

Honni soit qui mal y pense

L'incroyable histoire d'amour entre le français et l'anglais

LAFFONT

à la mémoire d'André Martinet, le Maître et l'ami

ADJUTORIBUS GRATISSIMA

Ce livre a été le fruit d'une collaboration et d'une complicité exemplaires, à tous les stades de sa réalisation.

La relecture minutieuse, perspicace et passionnée par ma fille Isabelle Walter de chacun des chapitres m'a permis de nuancer, de préciser, de rectifier maints passages parfois un peu trop universitaires ou franchement abscons.

L'avis britannique indispensable de ma collègue et amie Jill Taylor, dont la première langue est l'anglais mais pour qui le français n'a plus de secrets, a apporté un autre regard, compétent et amusé, sur tous les mots échangés d'une langue à l'autre, et m'a permis de redresser inexactitudes et imprécisions.

Au stade de la fabrication, la patience, la disponibilité et le savoir-faire de Florian Debraine ont été un atout considérable pour donner forme à la maquette savamment conçue et finalement réalisée par mon fils Hector Obalk, imaginatif, rigoureux et sans concessions.

Que tous trouvent ici le témoignage ému de ma gratitude pudiquement dissimulée sous les deux mots latins qui ouvrent ce message.

Il est enfin un nom qui aurait dû figurer auprès du mien sur la couverture de ce livre, celui de mon mari, Gérard Walter : documentaliste persévérant, artiste du clavier, critique constructif, cartographe précis, première victime de mes « récréations » et accompagnateur joyeux de mes nuits blanches et studieuses. Sans lui, ce livre n'existerait pas.

PRÉAMBULE

Depuis bientôt mille ans, la langue française a eu des contacts si fréquents, si intimes et parfois si passionnels avec la langue anglaise qu'on est tenté d'y voir comme une longue histoire romanesque où se mêlent attirance et interdits, et où les premiers héros ont des noms qui sont plus célèbres dans l'histoire tout court que dans l'histoire des langues, comme par exemple Guillaume le Conquérant ou Jeanne d'Arc.

Ces deux personnages emblématiques ont pourtant leur place dans une histoire de ces deux langues car, sans le vouloir, ils ont orienté leurs destins. En effet, avec l'arrivée de Guillaume de Normandie et de ses barons en Angleterre au milieu du XIᵉ siècle, c'est la langue venue de France qui s'est imposée comme la langue de la cour d'Angleterre *(Dieu et mon droit)*, de sa noblesse *(Honni soit qui mal y pense)* et de son administration, reléguant l'anglo-saxon dans les usages populaires et sans prestige.

Le français avait ainsi conquis ses lettres de noblesse en Angleterre comme il l'avait fait en France, et cette situation se prolongera durant trois cents ans, pendant lesquels le français est resté la langue phare en Angleterre. C'est seulement au milieu du XIVᵉ siècle que l'anglais commence à s'imposer à son tour, et l'action de Jeanne d'Arc aura pour conséquence de mettre, quelques décennies plus tard, un point final à la prépondérance du français de l'autre côté de la Manche.

En boutant les Anglais hors de France, Jeanne d'Arc avait du même coup fait perdre à la langue française les chances d'expansion mondiale que l'anglais connaîtra beaucoup plus tard et l'on peut se demander ce qu'il serait advenu du destin de ces deux langues si l'intervention de Jeanne d'Arc n'avait pas eu lieu, car le roi d'Angleterre, Henri V, qui était déjà comte du Maine, duc de Normandie et de Guyenne, aurait été couronné à Reims et serait aussi devenu roi de France en lieu et place du petit dauphin, fils du roi de France Charles VI et modeste roi de Bourges. Le français aurait ainsi pu devenir la langue des deux pays réunis en un seul royaume.

Sur le plan de la politique linguistique, on pourra toujours argumenter et contester le rôle négatif de la Pucelle d'Orléans, mais l'histoire conjointe du français et de l'anglais semble en tout cas s'arrêter net après Jeanne d'Arc.

En fait, elle ne faisait que commencer, mais il faut alors quitter l'histoire externe des langues pour entrer dans le domaine de leur structure interne.

L'anglais se laisse envahir

La langue anglaise avant la conquête normande avait tous les caractères d'une langue purement germanique. Elle était arrivée avec le flot des envahisseurs venus du continent au milieu du Ve siècle et avait supplanté les idiomes celtiques précédents, dans un pays qui avait déjà connu pendant quatre siècles l'occupation romaine. Cette langue germanique de l'Ouest avait ensuite été fortement influencée par les apports scandinaves venus du Nord, à la faveur de l'invasion des Vikings, qui avaient même régné sur une grande partie du pays pendant près de deux cents ans.

Plus tard, c'est un bouleversement complet que l'on constate dans cette langue d'origine germanique après les trois siècles qui séparent la venue des Normands de l'épisode de Jeanne d'Arc. L'anglais ressemble alors étrangement au français car des masses de mots français avaient si bien pénétré en anglais qu'ils font aujourd'hui encore de l'anglais la plus latine des langues germaniques.

Une longue histoire à épisodes

Les contacts entre les deux langues, intimes à partir du milieu du XIe siècle, semblent remonter bien plus loin dans le temps si l'on se souvient que, de part et d'autre de la Manche, les lieux où sont nés l'anglais et le français ont connu les mêmes envahisseurs : les Celtes, puis les Romains, puis les premiers Germains, et enfin d'autres populations germaniques venues du Nord, les Vikings. En quelque sorte une rencontre virtuelle avant la vraie rencontre, et qui constitue l'objet des cinq premiers chapitres de cet ouvrage : AVANT LA RENCONTRE HISTORIQUE, L'APPORT CELTIQUE, L'APPORT DES ROMAINS, INVASIONS GERMANIQUES, LA LANGUE DES VIKINGS. Le sixième chapitre (TROIS SIÈCLES D'INTIMITÉ) montre l'attrait vivifiant qu'a exercé le français sur la langue anglaise, en donnant souvent naissance à des mots trompeurs, les « faux amis » mais aussi à des masses de « bons amis ». Ces « bons amis » ont été regroupés au milieu du livre sous la forme d'un « pseudo-dictionnaire » repérable grâce à un filet gris, visible sur la tranche de l'ouvrage.

Mais toutes les bonnes choses ont une fin et il faudra bien reconnaître que cette histoire d'affinité entre les deux langues n'a pas été sans heurts (UN SIÈCLE D'HOSTILITÉS). Les deux langues se développent alors selon des voies séparées (DEUX LANGUES QUI S'AFFIRMENT) mais elles se retrouveront bientôt sous d'autres cieux (À LA DÉCOUVERTE DU NOUVEAU MONDE : L'ANGLAIS PREND LE LARGE — LE FRANÇAIS PREND LE LARGE).

Il est alors temps de retrouver l'histoire des deux langues sur leur lieu de naissance (LE TEMPS DES GRANDS DICTIONNAIRES) et de constater qu'un retournement de tendance s'amorce. C'est alors le français qui, surtout à partir du XVIIIe siècle, se sent irrésistiblement attiré par l'anglais : une passion qui a mis des siècles à se manifester, mais qui n'est au fond qu'un juste retour des choses.

De son côté, l'anglais est devenu un moyen de communication privilégié dans le monde moderne, où l'on constate en même temps l'émergence d'un vocabulaire de portée internationale (MONDIALISATION ET VOCABULAIRE) et dont la base — peut-être en témoignage de cette histoire d'amour séculaire — est constituée en très grande partie par la langue qui est à l'origine du français, le latin, une langue que l'on croyait morte.

Avec ses quatre index permettant de retrouver les mots, les gens et les lieux rencontrés au cours de cette histoire, avec ses encadrés récapitulatifs ou anecdotiques, avec ses cartes qui invitent au voyage et ses récréations faites pour se détendre un peu, cet ouvrage se voudrait aussi un témoignage d'amour pour les deux langues qui en sont les héroïnes et un plaidoyer pour leur enrichissement réciproque.

AIDE À LA LECTURE

Conformément à la tradition,
- la forme des mots est en italique. Ex. : *laque*
- le sens des mots entre guillemets. Ex. : « vernis »
- la graphie des mots entre chevrons simples. Ex. : <laque>
- les sons distinctifs (phonèmes) entre barres obliques. Ex. : /lak/.

Chaque fois qu'apparaît à l'intérieur d'un chapitre le dessin d'un petit bateau qui vogue sur l'eau : c'est que le

lecteur est invité à changer de langue (anglais ou français) en traversant la Manche, ou l'océan Atlantique. Bon voyage.

AVANT LA RENCONTRE HISTORIQUE
☞ *entre le français et l'anglais*

En principe, la vraie rencontre entre le français et l'anglais remonte seulement à 1066, date de la victoire de Hastings, où le roi d'Angleterre Harold a trouvé la mort, laissant la voie libre à Guillaume de Normandie, qui deviendra à son tour roi d'Angleterre.

RÉCRÉATION

BÂTARD OU CONQUÉRANT ?

Les Anglais appelaient naguère Guillaume de Normandie « le Bâtard » et les Français l'ont toujours appelé « le Conquérant ».
Qui avait raison ?

RÉPONSE : Les deux. En effet, Guillaume de Normandie était bien le fils illégitime du duc de Normandie Robert le Diable et d'Arlette, fille d'un peaussier de Falaise (Calvados), ce qui donne raison aux anciens livres d'histoire en Angleterre. Mais Guillaume succédera tout de même à son père, qui l'avait fait reconnaître comme son héritier un an avant de mourir. Il fut ensuite vainqueur de Harold, son cousin, en 1066, et, en envahissant l'Angleterre, il deviendra effectivement « le Conquérant ».

En réalité, les langues anglaise et française s'étaient déjà rencontrées, si l'on peut dire, avant même leur naissance, puisque leurs origines lointaines étaient communes : toutes deux appartiennent à la grande famille indo-européenne. La notion de famille indo-européenne regroupant une dizaine de branches date de la fin du XVIIIe siècle. Tout avait commencé avec la communication à une société savante asiatique d'un lord anglais, William Jones, alors juge en Inde, qui avait démontré la parenté linguistique entre le sanskrit, le

LA FAMILLE INDO-EUROPÉENNE EN EUROPE

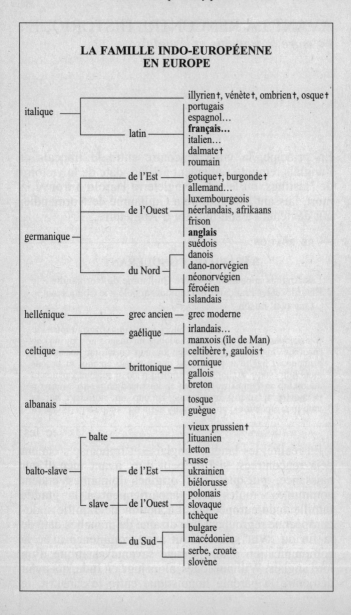

italique			illyrien†, vénète†, ombrien†, osque†
		latin	portugais
			espagnol…
			français…
			italien…
			dalmate†
			roumain
germanique		de l'Est	gotique†, burgonde†
		de l'Ouest	allemand…
			luxembourgeois
			néerlandais, afrikaans
			frison
			anglais
		du Nord	suédois
			danois
			dano-norvégien
			néonorvégien
			féroéien
			islandais
hellénique		grec ancien	grec moderne
celtique		gaélique	irlandais…
			manxois (île de Man)
		brittonique	celtibère†, gaulois†
			cornique
			gallois
			breton
albanais			tosque
			guègue
balto-slave	balte		vieux prussien†
			lituanien
			letton
	slave	de l'Est	russe
			ukrainien
			biélorusse
		de l'Ouest	polonais
			slovaque
			tchèque
		du Sud	bulgare
			macédonien
			serbe, croate
			slovène

grec et le latin. Par la suite, on a pu établir la liste des langues qui dérivent d'un « tronc commun », d'abord de façon parallèle, puis avec des divergences plus ou moins sensibles et on a pu les regrouper sous forme de tableau général. On retrouvera dans l'encadré de la page 16 une grande partie des langues indo-européennes d'Europe, dont quelques-unes, indiquées par le signe †, n'ont pas survécu.

Celtes, Romains, Germains

Au cours du premier millénaire avant J.-C., de part et d'autre de la Manche s'étaient en effet succédé des populations porteuses de langues appartenant à la grande famille de l'indo-européen : les Celtes (avec le gaélique et le brittonique), puis les Romains (avec le latin), avant l'arrivée, au milieu du Ve siècle après J.-C., des Germains (qui parlaient diverses variétés de langues germaniques).

Chacune de ces invasions successives devait laisser des traces dans l'anglais, langue germanique apportée par les Angles, les Saxons et les Jutes, comme dans le français, langue d'origine latine apportée par les Romains, mais avec des effets prodigieusement différents.

Si les vestiges des langues celtiques sont fort peu sensibles dans les deux langues (assez réduits en français et insignifiants en anglais), le contact avec les Romains, qui ne causera aucun bouleversement linguistique en Angleterre, avait au contraire conduit les Gaulois à adopter le latin. Et à l'inverse, un peu plus tard, l'arrivée des Germains (Saxons, Angles et Jutes) aboutissait à l'implantation définitive de leur langue en Angleterre alors qu'en Gaule la langue germanique des Francs n'a finalement exercé une nette influence que dans la moitié nord du pays, où le latin hérité des Romains se perpétuera, sous des formes considérablement modifiées.

Les temps anciens

Remontons encore le cours du temps jusqu'à la
période précédant l'arrivée des premiers Indo-Européens qu'étaient les Celtes : nous nous trouvons dans
une période assez obscure et aussi peu connue de part
et d'autre de la Manche. Seuls des noms de lieux et de
peuples nous donnent quelques indications.

Alors que le vieux nom d'*Albion* pour désigner
l'Angleterre n'est attesté que depuis Pline l'Ancien (23-
79 après J.-C.) et garde tout son mystère, le nom de
Britannia par lequel Jules César nommait cette grande
île située au nord de la Gaule était connu depuis longtemps comme celui du pays où vivaient les *Pretani* ou
Priteni, nom que Jules César avait reproduit sous la
forme *Britanni*. D'où venait ce nom ? On sait seulement
qu'au IVᵉ siècle avant J.-C., les Grecs les appelaient
Prittanoi, qu'ils traduisaient comme « les tatoués[1] ».

De l'autre côté de la Manche, le pays conquis par
Jules César au milieu du Iᵉʳ siècle avant notre ère était
connu sous le nom de *Gallia*, dont le sens rappelle les
difficultés de communication qui peuvent naître entre
des gens de langues différentes : lorsque leurs voisins
ne parlaient pas une langue germanique, les Germains
les nommaient au moyen d'un mot formé sur la racine
*walh « étranger », d'où la forme latine *Galli*, attestée
en latin dès le IIᵉ siècle avant J.-C. pour nommer les
Gaulois, et qui reprenait ainsi le nom employé par les
Germains pour désigner ceux dont ils ne comprenaient
pas la langue. On retrouve la même racine sous *Wallonie* (Belgique) et sous *Wales* « pays de Galles », où le
/w-/ initial s'est maintenu sous sa forme primitive, alors
qu'il a été rendu par /g/ dans le latin *Gallia*.

---

* Un astérisque devant une forme linguistique indique qu'il s'agit d'une
forme reconstituée, non attestée.

┌───┐

RÉCRÉATION

UNE NOIX VENUE D'AILLEURS ?

Le mot anglais **walnut** désigne la « noix ». Pourquoi ? Donnez la bonne réponse :

    1. le bois du noyer est aussi dur qu'un mur (**wall** en anglais)
    2. les noix viennent des îles **Wallis**
    3. les noix étaient des fruits exotiques, venus de loin

RÉPONSE : 3. Originaire de Perse, la *noix* a été connue dans le monde latin vers le Vᵉ siècle avant J.-C. Sous *wal-*, il faut reconnaître la même racine que dans *Wales* « pays de Galles », *Wallonie* ou *Gaule*, étymologiquement « pays des étrangers ».

└───┘

Avant les Celtes

Les plus anciens occupants des îles Britanniques, tout comme ceux de la Gaule, n'étaient pas des Celtes mais des peuples qui, au néolithique — en gros entre 5000 et 2500 avant J.-C. — occupaient un vaste territoire qui allait de l'Espagne à l'Irlande, et dont la présence est attestée par des monuments de pierre brute restés mystérieux.

C'est du néolithique que datent les mégalithes — *menhirs* « pierres levées » et *dolmens* « tables de pierre » — que l'on peut encore observer de nos jours aussi bien en France, par exemple dans les alignements de *Carnac*[2], qu'en Angleterre, dans l'impressionnant site de *Stonehenge*, où les pierres sont disposées en arc de cercle. Mais, dans les îles Britanniques comme en Gaule, la présence humaine remonte bien au-delà du néolithique (entre 50 000 et 250 000 ans)[3].

Les noms de lieux, vestiges des langues disparues

Nous sommes bien incapables de savoir comment parlaient ces peuples de la période pré-celtique puisque

CARNAC ET STONEHENGE

Des mégalithes se retrouvent tout le long des côtes de l'Atlantique, sur un très vaste territoire qui va du Portugal jusqu'en Norvège. Parmi les plus grandes concentrations de dolmens et de menhirs, les plus impressionnantes sont celles de *Carnac*, en Bretagne (Morbihan), et de *Stonehenge*, dans l'Angleterre méridionale (plaine de Salisbury).

Des études récentes semblent établir que la disposition de l'ensemble de *Stonehenge* en cercles concentriques, tout comme celle de *Carnac*, était conçue dans le but de préciser la date des solstices, des équinoxes et des éclipses[4].

Dans les deux cas, la datation par le carbone 14 permet de les situer à une époque très reculée : entre 2400 et 1700 avant J.-C. pour *Stonehenge*[5] et entre 3000 et 1500 avant J.-C. pour *Carnac*[6].

Les noms par lesquels on les désigne, un nom germanique pour *Stonehenge* (probablement « pierre suspendue ») et un nom celtique pour *Carnac* (où le suffixe *-ac* évoque sans hésitation les milliers de toponymes gaulois en *-ac*[7]), sont à l'évidence indo-européens, donc bien postérieurs à leur édification, attendu que les premières attestations des Indo-Européens en Europe de l'Ouest remontent seulement au milieu du Ier millénaire avant J.-C.

les premières inscriptions retrouvées sont largement postérieures à cette époque. En Grande-Bretagne, elles datent souvent de l'invasion celtique (vers le IVe siècle avant J.-C.).

Seuls quelques noms de montagnes ou de cours d'eau évoquent le souvenir de langues plus anciennes, mais ils sont rares. Tels pourraient être par exemple :

Itchen et *Wye*, qui sont des noms de cours d'eau
Humber, nom d'un fleuve de la région d'York (mais une autre étymologie favorise une origine celtique, avec le sens de « bonne rivière »[8])
Colne, nom d'une rivière du Lancashire, et que l'on trouve aussi, sous la forme *Calne*, dans le Wiltshire[9].

Le nom des monts *Cheviot (Cheviot Hills)* dans le Northumberland, d'origine inconnue, est peut-être à rapprocher du nom des Cévennes, mais cette origine commune reste hypothétique.

— RÉCRÉATION —

VIEUX NOMS EN BRITANNIA

1. *Hibernia* • 2. *Mona* • 3. *Cambria* • 4. *Caledonia*
• 5. *Monapia*

C'est ainsi que les Romains nommaient (dans le désordre) l'***Écosse***, l'***Irlande***, l'île de ***Man***, l'île d'***Anglesey***, le ***pays de Galles***.
Rendez à chacun son nom moderne.

RÉPONSE : 1. l'Irlande (*Ireland*) 2. l'île de Man (*Man*) 3. le pays de Galles (*Wales*) 4. l'Écosse (*Scotland*) 5. L'île d'Anglesey (*Anglesey*)

Enfin, on se perd en conjectures sur l'origine du nom de la *Tamise* (en anglais *the Thames*), peut-être « rivière noire » ou « rivière » tout court.

Par opposition à ce que l'on constate en Grande-Bretagne, où l'identification de leur étymologie est difficile parce qu'elle remonte sans doute à la nuit des temps, les hydronymes — ou noms de cours d'eau — et les oronymes — ou noms de montagnes — pré-gaulois sont particulièrement nombreux en France, à commencer par les quatre grands fleuves, la *Seine*, la *Loire*, la *Garonne* et le *Rhône*, qui ont effectivement des noms pré-indo-européens. Cela est vrai également des noms de rivières, comme on peut le voir, par exemple, dans ceux de nombreux affluents de la *Loire :* l'*Allier*, la *Sauldre*, le *Cher*, l'*Indre*, la *Creuse*, la *Vienne*, le *Clain*, la *Sèvre* nantaise[10].

RÉCRÉATION

ORONYMES GAULOIS, OU PRÉ-CELTIQUES ?

Voici cinq noms de montagnes situées en France : ***Pyrénées, Alpes, Jura, Vosges, Cévennes***. Il y en a un d'origine grecque : ***Pyrénées***, où l'on reconnaît, dans ***pyr-***, le grec ***puros*** « feu », ***Pyrénée*** étant peut-être le nom de la fille d'un roi mythique de Narbonne[11]. Sur les quatre autres, deux sont d'origine pré-indo-européenne. Lesquels ?

RÉPONSE : 1. Le nom des *Cévennes*, où l'on retrouve la même racine pré-indo-européenne *keb-*, *kem-* « hauteur arrondie » que dans *Chamonix*. 2. Le nom des *Alpes*, formé sur une autre racine pré-indo-européenne, *alp-* « hauteur ». Les noms des *Vosges* et du *Jura* sont probablement d'origine celtique.

L'APPORT CELTIQUE

☞ *Ces Gaulois, qu'on appelle Celtes de l'autre côté de la Manche*

C'est du milieu du Ier millénaire avant notre ère que datent les premières traces des Celtes dans le pays que les Romains appelaient *Britannia* — l'actuelle Grande-Bretagne, qui, comme on l'a déjà vu, était aussi connue sous le nom d'*Albion* — ainsi que dans celui qu'ils nommaient *Gallia*, la Gaule. De cette époque lointaine, il reste surtout des noms de lieux, dont certains se retrouvent parfois aussi bien en Grande-Bretagne qu'en France, comme *Appleby* en Angleterre et *Appetot* en Normandie (tous deux signifiant « la ferme aux pommes »), ou encore *York* et *Évreux*.

RÉCRÉATION

YORK ET ÉVREUX :
ÉVOCATION D'UN ARBRE SACRÉ ?

La ville d'*York*, dans le nord de l'Angleterre, et celle d'*Évreux*, en Normandie, gardent dans leur nom le souvenir de la vénération que les Celtes portaient à un même arbre. De quel arbre s'agit-il ?

RÉPONSE : De l'*if*. Les deux noms sont formés sur la racine celtique *eburo* « if », qui en français a évolué en *Évreux*. L'évolution phonétique est plus tortueuse dans le cas de *York*, pour lequel on a toutefois le témoignage de Ptolémée qui, au IIe siècle après J.-C., y fait allusion en nommant ce lieu *Eburakon*. En vieil-anglais, on trouve quelques siècles plus tard la forme *Eofor*, à laquelle les Vikings ont ajouté la terminaison *vik* « village », d'où le nom de *Jorvik*, attesté au Xe siècle, et la forme moderne *York*[12].

Les cours d'eau de Grande-Bretagne

Alors qu'en Gaule, comme on vient de le voir, les hydronymes sont très souvent pré-celtiques, ils sont au contraire assez souvent celtiques en Grande-Bretagne[13].

Parmi beaucoup d'autres (cf. carte des HYDRONYMES ET TOPONYMES CELTIQUES EN ANGLETERRE, p. 26), on trouve par exemple le fleuve *Tweed*, qui sépare l'Angleterre de l'Écosse, et dont le nom remonte à une racine celtique ou pré-celtique signifiant « fort, puissant ». Ce nom de tissu de laine cardée est, depuis le XIXe siècle, connu dans le monde entier.

LE TWEED : UNE ERREUR DE LECTURE

Entre le fleuve *Tweed* et le drap de laine cardée de fils croisés de deux couleurs d'origine écossaise que l'on appelle le *tweed*, le lien est bien ténu. À l'origine, le nom de ce tissu était *twill* (ou *tweel* en Écosse). C'est par une erreur de lecture de *tweel* que ce mot est devenu *tweed*, peut-être en raison de la proximité du *Tweed*, fleuve côtier au sud-est de l'Écosse. De son côté, le *twill* est aussi en français le nom d'un tissu, mais il désigne une soie légère[14].

Pour le fleuve *Humber*, on a déjà vu qu'un doute subsiste sur son origine, souvent attribuée au celtique, avec le sens de « rivière ».

Ouse est sans doute d'origine celtique et signifie tout simplement « eau ».

Trent : littéralement, le nom de ce fleuve des Midlands évoque un chemin, un sentier, qui, souvent inondé, s'est finalement transformé en cours d'eau. Le fleuve est encore aujourd'hui réputé pour ses crues de printemps[15].

Avon : d'un mot celtique signifiant simplement « cours d'eau », ce nom est connu dans le monde entier grâce à la petite ville de *Stratford-upon-Avon*, lieu de naissance de Shakespeare, mais il existe de nombreux autres *Avon*.

De leur côté, *Tamar*, qui sépare le Devon du Cornwall, *Tavy*, dans le Devon, *Tame*, à l'est de Birmingham, *Teviot* en Écosse, affluent du Tweed, sont des noms à rapprocher de celui de la *Tamise* (en anglais *Thames*).

Tous semblent signifier simplement « cours d'eau »,
peut-être plus précisément « cours d'eau sombre »[16].

Frome est un nom de cours d'eau que l'on trouve à
plusieurs endroits en Grande-Bretagne, par exemple dans
le Dorset. Il vient d'un mot celtique qui signifie « beau,
impétueux ».

Exe est également le nom d'un fleuve d'origine celtique,
qui a donné son nom à *Exeter*, ville romaine fortifiée
(*castra*) sur le fleuve Exe, d'où *Execestre*, puis *Exeter*.

Les noms des lieux habités

En Grande-Bretagne, les noms de lieux habités d'origine celtique sont assez peu nombreux à l'est de l'île,
mais ils se densifient à mesure que l'on se dirige vers
l'ouest, où ils se sont mieux maintenus après l'arrivée
des Saxons. Ils sont prédominants dans le pays de Galles et dans le Cornwall *.

Les noms de lieux celtiques reprennent parfois le nom
de la tribu qui vivait dans la région : *Devon*, par exemple, correspond au nom de la tribu des *Dumnonii* (en
vieil-anglais *Defnas*) et la ville de *Leeds*, dans le
Yorkshire, tire son nom de celui de *Ladenses*, qui signifie « ceux qui vivent près du fleuve tumultueux[17] ».

Certains noms de villes reprennent un nom celtique
ancien, comme *Dubras* pour *Douvres* (angl. *Dover*)
dans le Kent. Dans ce dernier cas, il s'agit d'un nom de
fleuve signifiant tout simplement « les eaux[18] ».

D'autres, comme *Carlisle*, au nord de l'Angleterre,
témoignent de l'apport, après l'arrivée des Romains,
d'anciens éléments celtiques (on y reconnaît la racine
cair « ville fortifiée », qui est la même que celle de *car-*
dans *Carnac*).

Les plus curieux sont les noms hybrides, ceux qui
mêlent des formes celtiques à des formes germaniques,
comme par exemple :

Lichfield, où *lich* « bois gris » est d'origine celtique et *field*
« champ », d'origine germanique ;

---

* On a choisi de garder son nom anglais pour cette région, afin de lever
l'ambiguïté qui pourrait naître de l'homonymie avec la Cornouaille en Bretagne.

HYDRONYMES ET TOPONYMES CELTIQUES
EN ANGLETERRE

Outre les noms de villes et de cours d'eau d'origine celtique, on a aussi fait figurer sur cette carte certains noms hybrides, comme *Manchester* (celtique + latin) ou *Lichfield* et *Cheetwood* (celtique + germanique).

    Chatham (Kent), où *chat-* est un mot celtique qui signifie « bois, forêt » et *ham* un mot germanique (cf. l'anglais *hamlet* « petit village ») ; dans *Cheetwood*, on retrouve la même racine celtique signifiant « bois » que dans

Chatham, avec une insistance redondante sur ce sens puisque *wood* correspond aussi à « bois », mais en germanique.

D'autres noms, comme *Manchester*, mêlent celtique et latin : on y reconnaît le latin *castra* sous -*chester*, tandis que *Man-* pourrait représenter un ancien *mamm* celtique désignant une colline en forme de mamelon[19].

Un alphabet unique en son genre

Dans tout l'ouest des îles Britanniques — Irlande, Écosse, île de Man, Hampshire, Devon et Cornwall — on trouve des pierres porteuses de curieuses inscriptions : au lieu d'être gravées, comme d'habitude, sur la partie plate de la pierre, elles sont constituées de multiples encoches faites sur ses arêtes. Les plus anciennes de ces inscriptions mystérieuses datent du IVe siècle après J.-C. et les plus récentes du VIIe siècle. On les connaît sous le nom d'inscriptions *ogamiques*, et elles auraient gardé tout leur mystère si certaines d'entre elles — celles du pays de Galles, en particulier — n'étaient pas accompagnées de leur équivalent en alphabet latin.

On a ainsi pu reconstituer un alphabet dans lequel les consonnes correspondent à de longues entailles partant de l'arête, soit perpendiculairement vers la droite, soit perpendiculairement vers la gauche, soit en biais de part et d'autre de l'arête. Quant aux voyelles, elles sont figurées par des encoches beaucoup plus petites, souvent réduites à des points sur l'arête elle-même.

Comme cet alphabet se décompose en quatre groupes de cinq lettres, on a pensé qu'il avait pour origine un code gestuel utilisant les cinq doigts de la main et qu'il aurait ensuite été traduit sous forme écrite[20]. Sur les pierres, l'écriture se lit de bas en haut, mais il existe aussi des commentaires ogamiques manuscrits, qui, eux, se lisent de droite à gauche[21].

L'ALPHABET OGAMIQUE

Cet alphabet, dont l'origine mythique remonterait à un certain Ogma (d'où Ogam), lui-même apparenté au dieu gaulois Ogmios, dieu de l'éloquence[22], se compose de 20 caractères classés en 4 groupes : un groupe de cinq voyelles, constituées par des points, et 3 groupes de 5 consonnes (longues entailles à droite de l'arête, à gauche de l'arête, ou en biais, de part et d'autre de celle-ci).

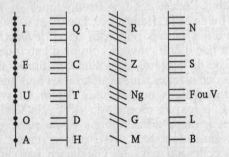

On remarquera l'absence de la consonne *P*, homologue de *B*, et la présence d'un signe particulier pour la consonne nasale vélaire *Ng*.

Ces inscriptions ogamiques sont le plus souvent des inscriptions funéraires toujours très brèves et qui indiquent presque toujours uniquement le nom du défunt ou de la défunte, parfois suivi, ou précédé de *maqi* « fils de » ou de *inigena* « fille de »[23].

Noms gaulois en France

De cet alphabet celtique, on ne trouve nulle trace en France, où, en revanche, c'est par milliers que se comptent les noms de villes ou de villages d'origine gauloise[24].

RÉCRÉATION

DES TRAITS ET DES POINTS... COMME EN MORSE

Ces traits et ces points, qui pouvaient être marqués sur l'arête d'une pierre, et qui rappellent la notation du morse, sont la version en écriture ogamique des noms (latins) de deux pays dont il est beaucoup question dans cet ouvrage.

Vous pouvez les déchiffrer facilement en vous aidant de l'alphabet ogamique ci-dessus (mais attention au sens de la lecture !) :

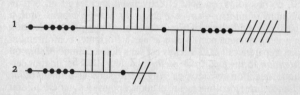

RÉPONSE : 1. *Britannia* 2. *Gallia*

Parmi les noms désignant des hauteurs, il faut remarquer celui des *Ardennes*, formé sans doute sur l'adjectif celtique *ardu*, qui a l'intérêt de se retrouver en Angleterre dans la célèbre forêt connue sous le nom de *Forest of Arden*, dans les Midlands. On l'associe volontiers au souvenir de Shakespeare, dont la mère se nommait Mary Arden et qui a situé l'une de ses pièces *(As you like it)* précisément dans la *Forest of Arden*.

D'autres noms d'origine celtique se retrouvent de part et d'autre de la Manche : par exemple *Chambord* et *Chambéry* en France, et *Cambois* en Angleterre. Dans ces trois noms figure la racine celtique *cambo* « courbe », un trait du paysage que l'on retrouve sur le terrain : le château de *Chambord* enjambe le Cosson, affluent de la Loire, qui amorce une courbe à cet endroit ; *Chambéry* se situe sur un méandre de la Leysse entre le massif des Bauges et la Grande-Chartreuse ; *Cambois*, dans le Northumberland, rappelle la courbe que dessine la baie à cet endroit.

Citons aussi, en Grande-Bretagne, *Carham* (Northumberland) « hameau près des rochers » face à

Caillavet (Gers), *Cailloux* (Rhône), *Cailhau* (Aude) ainsi que *Chaillot* (Seine-et-Marne) en France, auxquels on peut ajouter la colline de Chaillot, à Paris. Tous ces noms sont formés sur la racine que l'on trouve en celtique sous la forme *cal-, car-* « pierre ».

DES BOVINS SUR LE PLATEAU DE MILLEVACHES ?

Si, de nos jours, on peut effectivement apercevoir un certain nombre d'animaux sur ce plateau du Massif central situé à 1000 mètres d'altitude, très venté et au climat plutôt rude, cela n'a certainement pas dû être le cas à l'origine, contrairement aux apparences : *Millevaches* est sans doute comme *Melun* ou *Meudon* formé à partir de *mello* « hauteur » qui est un mot celtique que l'on retrouve en Angleterre sous la forme *Mellor* (Lancashire) « colline nue », et auquel pourrait avoir été adjoint — mais ce n'est qu'une hypothèse non vérifiée — l'adjectif latin *vacius* « vide »[25].

En résumé, *Millevaches* correspondrait à « hauteur déserte ».

Vestiges celtiques dans la langue courante

De part et d'autre de la Manche, on l'a vu, c'est en abondance dans les noms de lieux que l'on peut repérer la présence de traces des langues celtiques primitives.

Cela est plus rare dans le vocabulaire commun. Remarquons toutefois que c'est au celtique que les langues germaniques ont emprunté le nom du plomb (angl. *lead*) ou du fer : *Eisen* en allemand, et **isern*, **irern* en vieil-anglais, devenu *iron* en anglais moderne, viennent tous deux du celtique **isarno*. Cet emprunt semble remonter au temps où Germains et Celtes avaient eu des contacts fréquents sur le Continent.

Il est bien possible que l'anglais *leather* et l'allemand *Leder* « cuir » aient aussi été des emprunts au celtique. On les rattache à une racine indo-européenne **pel, ple* que l'on retrouve dans le latin *pellis* « peau », le celtique se distinguant des autres langues indo-européennes par l'absence de /p/[26].

Signalons encore quelques rares survivances de formes celtiques dans la langue anglaise actuelle : par exemple le suffixe *-ric*, dans *bishopric* « évêché », qui remonte au celtique *rig* « roi », que l'on retrouve en Gaule dans *Ver-cin-géto-rix* « très grand roi des guerriers » et qui a peut-être servi à créer le nom d'*Astérix* « roi des étoiles ». On peut en reconnaître sans peine la transcription en caractères ogamiques ci-dessous, où la consonne *x* est réalisée par la succession *cs*.

Après l'arrivée des populations germaniques en 450 après J.-C., quelques autres emprunts au celtique ont survécu en anglais : *bin* « benne, mangeoire », aujourd'hui « coffre », ou *coomb* « combe, vallon », dont on retrouve les homologues *benne* et *combe* en français, ainsi que l'adjectif *dun* « sombre », qui semble aussi être d'origine celtique (gaulois *dubnos*).

Au VIIe siècle, avec l'évangélisation de l'Angleterre du Nord par les missionnaires irlandais, de nouveaux termes celtiques de la vie religieuse allaient s'introduire dans la langue des populations déjà germanisées. La plupart d'entre eux ont aujourd'hui disparu de l'usage, à l'exception remarquable de *cross* « croix de pierre », qui allait remplacer le mot *rod*, alors familier en anglais pour désigner la croix[27], *rod* désignant aujourd'hui une simple baguette. L'irlandais n'avait été pour ce mot *cross* que l'intermédiaire de la forme *crux*, précédemment empruntée au latin.

C'est un chemin inverse qu'a suivi le mot *clock* « horloge », apporté dans la langue anglaise par les moines irlandais. Ce mot celtique (irlandais *cloc*), emprunté par le latin tardif sous la forme *clocca*, s'était aussi répandu sur le Continent en donnant naissance au français *cloche*, alors que le mot latin pour désigner la cloche était *campana*[28]. L'histoire de ce mot celtique se prolonge de façon inattendue dans le mot anglais *cloak* « manteau ample », dont l'origine est le mot *cloche*, sous sa forme *cloque*, ce vêtement ayant une forme évasée comme une cloche.

Des traces du gaulois en français

De l'autre côté de la Manche, les traces du gaulois dans la langue courante sont nettement plus nombreuses qu'en anglais, même si l'on hésite souvent à attribuer une origine gauloise à des termes pré-latins[29].

On les trouve surtout dans le vocabulaire de la forêt et de la campagne. Ainsi, sont d'origine gauloise certains noms.

ARBRES ET ARBUSTES
bouleau, bruyère, chêne, vergne, sapin, coudrier[30]...

POISSONS
alose, brochet, tanche, limande, lotte...

ANIMAUX TERRESTRES
bouc, chamois, blaireau, mouton...

ACTIVITÉS AGRICOLES
glaner, charrue, soc, sillon...

PAYSAGE RURAL
lande, boue, bourbe, glaise, talus[31]...

Le char gaulois et son abondante descendance

Les Romains ne connaissaient pas les grands chariots à quatre roues qu'utilisaient les Gaulois pour leurs déplacements avec armes et bagages : les mots *carpentum* « char à deux roues » et *carrus* « char à quatre roues » sont des emprunts du latin au gaulois. Passé en français, le mot *carrus*, devenu *char*, a ensuite donné naissance à de multiples dérivés : *charrette, charretée, charretier, charreton, charron, charroi, charrier...*

À partir de la même base, le latin avait lui-même produit *carruca*, d'où *charrue*, terme par lequel on désignait l'instrument de labour muni d'un avant-train à roues, qui était en quelque sorte une charrue « de luxe », par comparaison avec la charrue romaine *aratrum* (en français : *araire*), plus rudimentaire et qui, elle, était dépourvue de roues[32].

Le verbe *charger* remonte à la même racine, par l'intermédiaire du bas-latin *caricare*. Le latin classique était *onerare*, d'où l'adjectif *onéreux*, dont le sens a ensuite évolué de « qui pèse lourd » vers « qui coûte cher ».

« TO CARRY » : UN VERBE VENU DE FRANCE ?

Oui, l'anglais l'a bien emprunté à la langue venue de France, mais sous sa forme normande *(carrier)*, la forme française étant *charrier* « transporter ».

Le *char* gaulois reparaît bien plus tard en français sous la forme *carrosse*, de l'italien *carrozza*, au XVIe siècle, et sous la forme *carriole*, venu de l'ancien provençal, également au XVIe siècle.

Au XVIIIe siècle, *caricature* est emprunté à l'italien *caricatura*, du verbe *caricare* « charger », pour désigner un dessin exagérant un trait caractéristique d'un personnage, pour attirer le regard et faire rire[33].

Enfin, on ne saurait oublier que *carrière*, dans le sens de « profession », est aussi le lointain descendant du *char* gaulois car le mot, emprunté à l'ancien provençal *carriera* « chemin pour voitures », vient du latin de basse époque *via carraria*, qu'on pourrait traduire par *voie carrossable*, ce qui nous ramène encore au char gaulois.

Et ce n'est pas tout, car voici réapparaître le *char* gaulois, mais cette fois sous la forme *car*, à la fin du

XIXe siècle : un emprunt à l'anglais, mais que l'anglais tenait du normand du Moyen Âge. Un peu plus tard viendra *cargo*, abréviation de *cargo boat*, que l'anglais avait lui-même précédemment emprunté, cette fois à l'espagnol.

┌─ RÉCRÉATION ─────────────────────────────────────┐

QUE SIGNIFIENT CES MOTS
D'ORIGINE GAULOISE ?

Parmi ces six mots...   Trouvez celui qui désigne...
1. *breuil*   A. une pierre plate
2. *coudrier*   B. un poisson
3. *lauze*   C. un petit bois, puis un champ
4. *alose*   D. un noisetier
5. *cervoise*   E. une plante aquatique, genre cresson
6. *berle*   F. une boisson

RÉPONSE : 1.C • 2.D • 3.A • 4.B • 5.F • 6.E

└──┘

Enfin, dans le même ordre d'idées, le terme gaulois *benne* « chariot gaulois à quatre roues » a traversé les siècles pour passer dans la langue familière, au XIXe siècle, sous la forme *bagnole*, où l'on reconnaît le même suffixe que dans *carriole*.

┌─ RÉCRÉATION ─────────────────────────────────────┐

BLAIREAU, GLAISE, VANDOISE

Blaireau, glaise, vandoise : quel est le trait commun à ces trois mots ?

Pour vous aider, voici un indice : ces trois noms d'origine gauloise peuvent être rapprochés par leur étymologie, *vandoise* étant le nom d'un poisson blanc d'eau douce.

RÉPONSE : C'est la couleur blanche, car le nom du *blaireau* vient de l'adjectif *blair* « blanc » (qui existait en ancien français), cet animal ayant des taches blanches sur la tête ; *glaise* remonte au gaulois *gliso marga* « marne blanche » et *vandoise* est formé sur le gaulois *vindo* « blanc ».

└──┘

Mais la domination celtique allait bientôt décliner, aussi bien en *Britannia* qu'en *Gallia*, du fait de l'expansion de l'Empire romain.

L'APPORT DES ROMAINS

☞ *Le plus beau cadeau des Romains : le latin*

Une première tentative, sans lendemain, de conquête de la Grande-Bretagne par Jules César, en -55 et -54, fut suivie près d'un siècle plus tard (+ 43) par l'occupation partielle du pays par les légions romaines de l'empereur Claude : la nouvelle province romaine comprenait à peu près l'Angleterre et le pays de Galles actuels, avec une plus grande romanisation des régions du Sud et de l'Est, où les Romains avaient construit des routes pavées, dont quatre très importantes à partir de Londres. La plus renommée, *Watling Street*, allait du sud-est de l'île au nord du pays de Galles, de *Dubris* (Douvres) à *Deva* (Chester) en passant par *Londinium* (Londres) et *Verulamium* (Saint-Albans) [34] (cf. carte BRITANNIA, PROVINCE ROMAINE, p. 38).

Au début du IIe siècle (vers + 122), afin de se défendre contre les attaques des Pictes et des Scots dans le Nord, l'empereur Hadrien avait fait ériger des fortifications sur 117 km, de l'embouchure de la Tyne jusqu'au Solway Firth, le *mur d'Hadrien*. De larges pans en subsistent encore de nos jours. Il fut doublé en 140 par le *mur d'Antonin*, construit plus au nord, à travers la partie la plus étroite de l'île, entre le Firth of Clyde et le Firth of Forth. Mais les tribus du Nord devaient finalement le détruire et, vers 181, contraindre les Romains à faire retraite jusqu'à la frontière précédente, matérialisée par le mur d'Hadrien.

Cette résistance farouche des populations autochtones explique en partie pourquoi seuls les Midlands et le bassin de Londres avaient été vraiment romanisés. C'est là que des villes importantes avaient été créées, qui

— RÉCRÉATION —

BRITANNIA, PROVINCE ROMAINE

Sur cette carte figurent six noms de villes d'Angleterre au temps de l'occupation romaine : *Dubris, Londinium, Verulamium, Deva, Eburacum* et *Luguvalium*. Quelles sont ces villes ?

Vous avez le choix entre : *Saint-Albans, Douvres, York, Londres, Carlisle* et *Chester*.

RÉPONSE :
Dubris = Douvres
Londinium = Londres
Verulamium = Saint-Albans
Deva = Chester
Eburacum = York
Luguvalium = Carlisle.

Mur d'Antonin
(140 après J.-C.)

Mur d'Hadrien
(122 après J.-C.)

Luguvalium

Eburacum

Deva

Watling Street

Verulamium

Londinium

Dubris

avaient probablement été les seuls lieux de diffusion de la langue latine.

Des villes fortifiées, mais aussi des fermes

Ce latin, on le retrouve d'ailleurs de façon plus ou moins transparente dans de nombreux noms de lieux, comme par exemple :

> *Lincoln*, où *coln* est le latin *colonia* mais où *Lin-* représente un mot celtique, *lindo*, que l'on retrouve dans le gallois *llyn* « lac »[35] ;
>
> *Stratford*, où *strat-* est « la route pavée » romaine et *-ford* le mot d'origine germanique *ford* « gué ».

Il est par ailleurs un vestige du latin qui mérite qu'on y insiste en raison de sa grande fréquence d'emploi : la forme latine *castra*, qui désignait à l'origine le camp militaire et qui a finalement été utilisée pour nommer n'importe quel village entouré d'un mur de défense. En Angleterre, on ne compte pas moins de 70 toponymes créés sur cette base, qui apparaît sous différentes formes (cf. carte des VILLES ROMAINES EN GRANDE-BRETAGNE, p. 41) :

> *-chester*, comme dans *Chester, Chichester, Colchester, Dorchester, Rochester, Winchester...*
>
> *-cester*, comme dans *Gloucester, Leicester, Worcester...* On pense que cette graphie reflète la prononciation française au Moyen Âge,
>
> *-caster*, comme dans *Doncaster, Lancaster*, où l'on diagnostique une prononciation scandinave[36].
>
> On la trouve encore, de façon plus condensée, et plus dissimulée, sous la forme *-eter*, comme dans *Exeter*.

Un autre élément latin apparaît aussi très souvent dans les toponymes : *vicus*, qui désigne la « ferme », soit sous la forme *wick*, comme dans *Gatwick* et *Chiswick*, près de Londres, soit sous la forme *wich* : *Woolwich* ou *Greenwich*.

GREENWICH ET VAUVERT : QUEL RAPPORT ?

Depuis que le méridien de *Greenwich* a été internationalement adopté comme origine des longitudes, *Vauvert* n'évoque, en tout cas dans l'esprit des Français, que l'expression *au diable vauvert*, qui n'a rien de savant puisqu'aujourd'hui elle signifie seulement « très loin » tandis que *Greenwich* est la référence obligée au degré zéro de longitude, à partir duquel se calcule l'heure de tous les pays du monde.

Pourtant, il existe bien un lien entre *Greenwich* (dont l'étymologie est « havre vert ») et *Vauvert* (« val vert »). Il passe, si l'on peut dire, par la Méridienne, car le roi de France, Louis XIII, ayant décidé en 1637 de prendre comme longitude zéro le méridien de Paris, Louis XIV avait fait construire un observatoire — l'actuel Observatoire de Paris — concrétisant ce nouveau méridien sur un emplacement alors nommé *Vauvert*, au-delà de la rue d'Enfer et de la rue Saint-Jacques.

La liaison entre la couleur verte et la Méridienne ne s'arrête pas là, car la coïncidence veut que Louis XIII avait, trente ans auparavant, décidé que toutes les cartes de France seraient établies en partant de la Méridienne qui passait en plein Atlantique, dans les îles Canaries, à *Valverde* « vallée verte », elle aussi[37].

Le latin, là où on ne l'attend pas

Dans la langue quotidienne existent aussi des formes dont on ne se douterait pas qu'elles sont d'origine latine, des formes déjà présentes en vieil-anglais et qui avaient probablement été empruntées au latin par les Anglo-Saxons avant même leur arrivée en Angleterre. L'une d'entre elles a abouti en anglais à *chap*, qui est l'abréviation d'une forme aujourd'hui désuète, *chap-man* « marchand », et l'autre à l'adjectif *cheap* « bon marché », ainsi qu'au nom d'un quartier de Londres, *Cheapside*. La forme latine était *caupo* et désignait le cabaretier, le boutiquier. Curieusement, le mot n'a laissé aucune trace dans les langues romanes mais il est présent dans les langues germaniques (cf. également *kaufen* « acheter », en allemand) ainsi qu'en finnois, où

kauppa signifie « boutique, magasin » et où il s'agit
probablement d'un emprunt.

CARTE

VILLES ROMAINES EN GRANDE-BRETAGNE

Cette carte permet de localiser les villes dont le nom repose sur
des formes latines comme *castra* « camp militaire, ville fortifiée » (Lancaster, Manchester...), *vicus* « ferme » (Gatwick,
Greenwich...), *colonia* « colonie » (Lincoln)...

Le latin tel qu'en lui-même

Si le latin n'a pas laissé en anglais de traces aussi
importantes qu'en français, il est tout à fait remarquable
que l'on trouve en revanche en anglais, depuis le
Moyen Âge jusqu'à nos jours, un grand nombre de mots

ayant conservé leur forme latine d'origine : *Magna Carta* et *Habeas Corpus* en sont deux exemples typiques.

Le document que l'on nomme *Magna Carta* (1215) est la « Grande Charte » limitant les pouvoirs du roi, un texte d'une soixantaine d'articles, considéré depuis le Moyen Âge comme un acte fondateur de la Constitution anglaise. Un autre texte important du droit anglais est l'*Habeas Corpus* qui, en usage depuis le XIIIe siècle (mais voté en 1579), garantit qu'aucune incarcération ne pourra s'effectuer sans justification légale devant un tribunal[38].

En dehors de ce latin en quelque sorte institutionnel, il faut ajouter un très grand nombre de mots latins passés tels quels en anglais, alors qu'en français leurs formes latines d'origine n'apparaissent que sporadiquement (ex. *corpus* ou *in fine*).

Un livre récent (1999) souligne l'abondance des expressions latines dans l'anglais actuel. Dans un seul numéro du *Herald Tribune* (19 juin 1996), l'auteur en a relevé près d'une cinquantaine comme, par exemple, à côté de *consensus* et *ultimatum*, qui sont aussi restés en français, des dizaines d'autres formes latines comme *momentum* « vitesse acquise, dynamisme », *vacuum* « vide », *ratio* « proportion, rapport entre deux grandeurs », *moratorium* « moratoire »[39], etc.

Il est en outre curieux de constater, pour les substantifs latins que l'on retrouve à la fois en anglais et en français, que l'anglais a été le plus souvent beaucoup plus fidèle à la forme latine d'origine :

ANGLAIS	FRANÇAIS
aegis	égide
appendix	appendice
asylum	asile
caduceus	caducée
data	données
delirium	délire
dilemma	dilemme
enigma	énigme
formula	formule
genius	génie

museum	musée
pauper	pauvre, indigent
vertigo	vertige

— RÉCRÉATION —————————————————————

DES SIGNES DU ZODIAQUE FIDÈLES AU LATIN

En anglais, les signes du zodiaque ont tous gardé leur forme
latine. À vous de retrouver leur traduction en français :

1. ***Aquarius*** • 2. ***Aries*** • 3. ***Cancer*** • 4. ***Capricorn*** •
5. ***Gemini*** • 6. ***Leo*** • 7. ***Libra*** • 8. ***Pisces*** • 9. ***Sagittarius*** •
10. ***Scorpio*** • 11. ***Taurus*** • 12. ***Virgo***

RÉPONSE : 1. Verseau (21 janvier) • 2. Bélier (21 mars) • 3. Cancer (22 juin) • 4. Capricorne (21 décembre) • 5. Gémeaux (21 mai)
• 6. Lion (23 juillet) • 7. Balance (23 septembre) • 8. Poissons
(19 février) • 9. Sagittaire (22 novembre) • 10. Scorpion (23 octo-
bre) • 11. Taureau (21 avril) • 12. Vierge (23 août)

1992 : *annus horribilis*

Mais il y a plus. On se souvient du discours de la reine
Elizabeth II en 1992, lors d'un banquet à la City de
Londres, évoquant cette année qui avait été marquée
par l'incendie du château de Windsor, ses problèmes
fiscaux et les frasques sentimentales de la jeune génération de la famille royale. Elle s'était exprimée ainsi :
« 1992 n'est pas une année à laquelle je repenserai avec
un plaisir sans mélange. Selon l'expression de l'un de
mes correspondants les plus compatissants, elle est
devenue une *annus horribilis*[40]. »

Cette expression a ensuite eu un certain succès en
Angleterre et à l'étranger, comme l'attestent les relevés
de 1996 et 1997 dans la presse de langue anglaise
(*Herald Tribune, The Times, Time, Business Week, Pre-
miere*), française (*Le Point, Figaro-Magazine*) ou portugaise (*Veja*)[41].

Formes latines en anglais, inconnues en français

Alors qu'on a du mal à trouver des mots latins — sous
leur forme d'origine — présents en français mais incon-

nus en anglais, tels que *lapsus, infarctus* ou *hic* (dans des expressions comme *voilà le hic* « le point difficile » ou *il y a un hic* « un ennui imprévu »), à l'inverse, ce sont des masses de mots latins qui se présentent immédiatement à l'esprit lorsque l'on cherche des mots de cette langue que l'anglais a adoptés mais qui n'existent pas tels quels en français.

Les quelques exemples suivants n'en donnent qu'une idée très approximative :

acumen « flair, perspicacité »

alumnus (et surtout son pluriel *alumni*) « ancien élève, ancien étudiant »

caveat « avertissement, notification d'opposition » (dans un procès)

census « recensement »

circa (précédant une date) « vers, approximativement », souvent abrégé en *c*.

climax « point culminant, apogée »

emporium « grand magasin, centre commercial »

fiat « décret, ordonnance »

impetus « force d'impulsion, élan »

ignoramus (n.) « ignare »

millennium « millénaire »

omen « présage »

magnum opus « œuvre maîtresse »

per capita « par tête, par personne »

per diem « indemnité journalière »

paraphernalia « attirail, objets divers ».

Ce dernier mot, du latin médiéval, est un emprunt au grec, avec le sens de « biens de l'épouse » en dehors de la dot. Aujourd'hui, ce substantif désigne en anglais un ensemble d'objets hétéroclites, alors qu'en français, seul l'adjectif *paraphernal* a subsisté, uniquement comme terme de droit, et seulement avec son sens étymologique.

ON NE PRÊTE QU'AUX RICHES

Dès qu'on voit une terminaison en *-um* ou en *-us*, on pense que le mot a pour origine le latin classique (comme *museum* ou *versus*), mais quelquefois les apparences sont trompeuses. Voici quatre mots anglais dont un seul existait en latin :

octopus « pieuvre » • *focus* « foyer, point de mire » • *caucus* « réunion à huis clos des responsables d'un parti politique » • *conundrum* « énigme » (souvent avec un calembour dans la solution).

Quel est ce mot ?

REPONSE : *focus*, qui est aussi à l'origine du français *foyer*. En revanche, *octopus* est un terme savant reposant sur la forme latinisée du grec *oktôpous* « à huit pieds ». — *caucus* est un mot probablement venu de l'algonquin, langue amérindienne — *conundrum* est un quasi-latinisme plaisant, dû à l'imagination des étudiants d'Oxford.

Enfin, la force d'attraction de l'anglais est telle de nos jours que des formes latines, fréquentes en anglais, comme *versus* « face à, contre » ou *item* « élément d'un ensemble » sont de plus en plus utilisées en français. Tel est aussi le cas du mot latin *campus*, par exemple, qui avait abouti à *champ* en français. Il a été adopté, d'abord aux États-Unis, mais sous sa forme latine, pour désigner l'ensemble des bâtiments d'une université. Le mot *campus* est ensuite apparu en français avec ce même sens, pour la première fois à la fin du XIXe siècle (1894)[42]. On peut en dire autant de *ratio*, de plus en plus employé pour indiquer le rapport, exprimé en pourcentage, entre des valeurs économiques ou financières.

L'anglais, langue germanique, a finalement réussi le tour de force d'enrichir le français de termes... latins.

Le français, langue latine

Cette langue latine, alors qu'elle n'avait pas réussi à s'implanter dans l'usage de la population de l'Angleterre, avait au contraire connu en Gaule une expansion qui s'était généralisée au cours des siècles qui ont suivi l'arrivée des Romains.

L'occupation du pays s'était faite en deux temps, avec tout d'abord, vers 120 avant J.-C., la fondation de la première province romaine (*Provincia narbonensis*) et, sur le plan du lexique, l'apparition des doublets *province* et *Provence*.

Dans cette partie méridionale de la Gaule, la latinisation, qui avait été précoce, avait également été profonde et durable, mais il faudra attendre l'arrivée de Jules César avec ses légions en 58 avant J.-C. pour que l'ensemble de la Gaule devienne romaine. Contrairement aux Celtes de *Britannia*, les Gaulois apprendront vraiment le latin.

Peu à peu le latin s'impose

À commencer par les nobles, qui enverront volontiers leurs enfants à Autun recevoir l'enseignement des savants, un enseignement qui se faisait en latin. Les Gallo-Romains — nobles d'un côté, marchands de l'autre — deviendront donc progressivement des latinophones, à l'exception des gens de la campagne, qui resteront plus longtemps fidèles au gaulois. On dit que saint Irénée, évêque de Lyon mort en 210 après J.-C., savait encore le gaulois, langue qu'il utilisait souvent dans ses prêches, et volontiers avec sa propre mère. Plus de trois cents ans s'étaient pourtant écoulés depuis l'arrivée des Romains en Gaule.

Le latin devait ensuite gagner les campagnes à la faveur de l'expansion du christianisme, dont c'était devenu le moyen de diffusion usuel. Et aux environs du Ve siècle après J.-C., on peut estimer que le gaulois n'était plus parlé en Gaule.

Mais auparavant, ce latin, présent sur le terrain depuis plus de six siècles, avait déjà sans doute tellement évolué dans les usages des Gallo-Romains bilingues que ce n'était plus vraiment du latin : le français était en train de naître.

C'est alors que d'autres événements, portés par les grandes invasions, allaient bouleverser le cours de l'histoire et imprimer leur marque sur la physionomie de cette langue française sur le point de voir le jour.

L'arrivée de populations germaniques, et en particulier l'implantation des tribus franques au Ve siècle après J.-C., allait, à la suite de la conversion de Clovis, non seulement infléchir l'évolution de ce latin déjà très altéré, mais aussi donner bientôt leur nom au pays (la *France*) et à sa langue (le *français*).

INVASIONS GERMANIQUES
☞ *Une nouvelle langue d'un côté,*
une langue transformée de l'autre

Alors qu'en Gaule le latin avait eu progressivement raison du gaulois, les relations entre les langues en présence avaient été fort différentes en Angleterre, où, au cours des trois siècles d'occupation romaine, seule une partie réduite de la population celtique — les habitants des centres urbains et certains artisans[43] — avait appris le latin. Si bien que lorsque les Romains furent contraints d'abandonner leur colonie britannique, vers 410, la langue celtique y était sans doute encore pratiquée hors des grandes villes.

C'est environ quarante ans plus tard qu'une nouvelle vague d'envahisseurs (les Angles, les Saxons et les Jutes), non plus de langue latine mais de langue germanique, devait cette fois bouleverser complètement la situation culturelle et linguistique du pays.

La diversité des langues germaniques

Tout comme le latin, le gaulois ou le grec, les langues germaniques font partie de la grande famille indo-européenne (cf. LA FAMILLE INDO-EUROPÉENNE EN EUROPE, p. 16). On ne connaît pas le germanique commun d'origine, mais la comparaison des langues attestées permet de distinguer trois branches, en raison de la différenciation qui s'était opérée par la suite : le germanique du Nord, le germanique de l'Est et le germanique de l'Ouest[44].

Le germanique du Nord regroupe les langues scandinaves : danois, norvégien, suédois, islandais.

Le germanique de l'Est est essentiellement représenté par la langue des Goths, ultérieurement divisés en

Ostrogoths et Wisigoths. À ce même groupe linguistique appartenaient aussi les Burgondes, qui ont seulement laissé leur nom à la Bourgogne et à quelques noms de lieux, ainsi que les Taifales ou encore les Lombards, finalement installés en Italie du Nord et dont le nom est une contraction de *Longobard* « à la longue barbe ».

TABLEAU DES LANGUES GERMANIQUES

À l'intérieur de la grande famille indo-européenne, les langues des Anglo-Saxons et des Vikings appartiennent à la *branche germanique*, qui se subdivise à son tour en trois groupes principaux :

- LANGUES GERMANIQUES DE L'EST
  gotique, vandale, burgonde (sans descendance)
- LANGUES GERMANIQUES DU NORD
  danois, norvégien, suédois, islandais...
- LANGUES GERMANIQUES DE L'OUEST
  haut-allemand : allemand, luxembourgeois, schwytzertütsch, alsacien, yiddish, saxon...
  bas-allemand : néerlandais (flamand), afrikaans
  anglo-frison : **anglais**, frison

Les Vikings d'Angleterre et de Normandie parlaient donc des langues germaniques du Nord (**danois**, **norvégien**) et les Anglo-Saxons, des langues germaniques de l'Ouest (**anglais**).

Bien que le germanique de l'Est n'ait laissé aucune descendance parmi les langues actuelles, nous avons la chance de le connaître grâce à la traduction du *Nouveau Testament*, rédigée en gotique au IVe siècle par l'évêque Wulfila. Ce document est d'autant plus intéressant qu'il est le seul texte écrit permettant de se faire une idée de ce que pouvait être une langue germanique à date ancienne.

Les tribus germaniques en Grande-Bretagne

Le germanique de l'Ouest est le groupe linguistique qui a le plus proliféré. C'est celui qui a donné naissance à la langue des Angles et des Saxons, qui, partis du Continent, peupleront l'Angleterre vers le milieu du Ve siècle. C'est à la même branche germanique de l'Ouest qu'appartiennent la langue des Francs et celle des Alamans, qui joueront toutes deux un rôle important en Gaule, de l'autre côté de la Manche.

Venus du Continent, des Saxons, des Angles et des Jutes, ainsi que quelques bandes de Frisons allaient, à partir de 450 après J.-C., déferler sur la Grande-Bretagne et s'installer dans le sud et l'est du territoire : de celtophone, l'Angleterre allait de ce fait devenir progressivement germanophone, tandis que les parlers celtiques se réfugiaient dans l'Ouest et le Nord (pays de Galles, Cornwall, Irlande, Écosse...).

L'ANGLO-SAXON, C'EST LE VIEIL-ANGLAIS

Il est une appellation qui, de nos jours, étonne et fait sourire les habitants d'Outre-Manche et d'Outre-Atlantique, celle de se voir qualifier d'*Anglo-Saxons* : c'est que, pour eux, les seuls Anglo-Saxons sont les Angles et les Saxons qui, au Ve siècle, avaient envahi l'Angleterre, et l'*anglo-saxon*, très précisément la langue que nous nommons le *vieil-anglais*.

La fragmentation dialectale primitive

Peu à peu allaient se constituer de petits royaumes. Au Moyen Âge, on en comptait sept : *Northumbrie, Mercie, Wessex, Sussex, Essex, East-Anglie, Kent*, qui avaient donné naissance, sur le plan linguistique, à la constitution des trois grands dialectes attestés en vieil-anglais :

- le *saxon occidental* ou *West-Saxon* (Wessex),
- le *kentois* (Kent),

• et l'*anglien*, ce dernier regroupant
- le *mercien* (entre la Tamise et le Humber)
- et le *northumbrien* (au nord du Humber).

CARTE

IMPLANTATION DES TRIBUS
VENUES DU CONTINENT

Venus du Danemark, les **Jutes** s'installent principalement dans le Kent, alors que les **Saxons** se fixent dans les régions dont le nom garde encore vivant leur souvenir (*Sussex*, Saxons du Sud — *Wessex*, Saxons de l'Ouest — *Essex*, Saxons de l'Est). Les **Angles** occupent une vaste zone allant des bords de la Tamise jusqu'aux Basses Terres d'Écosse *(Lowlands)* [45].

Ce peuplement diversifié explique en partie la diversité des dialectes du vieil-anglais : *saxon occidental, kentois, mercien* et **northumbrien** (ces deux derniers composant l'**anglien**).

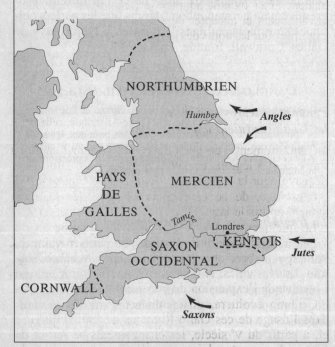

Une norme semble s'être établie assez tôt dans la région primitivement occupée par les Angles, ce qui pourrait expliquer que ce soit précisément le terme de *Angli* qui, dans les textes latins, désigne tous les envahisseurs germaniques quels qu'ils soient. Le territoire qu'ils occupaient était nommé *Anglia*, et leur langue, *englisc* (d'où *English*)[46].

Bède le Vénérable, qui écrivait au VIIIe siècle et qui est considéré comme « le père de l'histoire anglaise », intitulera d'ailleurs *Historia Ecclesiastica gentis Anglorum*[47] son ouvrage relatant l'arrivée des envahisseurs dans la grande île.

Les habitants de cette île, après avoir parlé des langues celtiques, et après avoir échappé à l'emprise du latin, allaient ainsi bientôt adopter la langue des nouveaux envahisseurs et accepter de suivre leurs traditions, par exemple pour les noms des jours de la semaine (cf. p. 54).

Pendant ce temps en Gaule... les Gaulois avaient appris le latin

Contrairement à ce qui s'était produit pour l'anglais, l'arrivée des légions romaines, porteuses du latin, sera décisive pour la constitution de la langue française.

C'est que, de ce côté de la Manche, les Gaulois avaient appris le latin.

En quelques siècles, le gaulois avait, comme on l'a vu, lentement disparu de l'usage pour laisser place au latin, tout d'abord chez les nobles et les marchands, surtout dans les villes, et finalement dans les campagnes à l'époque de l'expansion du christianisme[48].

Ce latin évoluera, différemment selon les régions, dans l'usage de ces Gallo-Romains devenus bilingues et, à partir du Ve siècle, les changements se feront de façon plus spectaculaire, sous l'effet conjugué de la

---

RÉCRÉATION

LES JOURS DE LA SEMAINE

Dans les noms anglais des jours de la semaine, on retrouve les noms de certains dieux germaniques :

Tuesday « jour de Tiw » (dieu germanique correspondant au dieu romain Mars, tout comme dans *mardi*)

Wednesday « jour de Woden, ou Odin » (qui correspond au dieu Mercure, tout comme dans *mercredi*)

Thursday « jour de Thor » (qui correspond à Jupiter, tout comme dans *jeudi*, et dont on retrouve la même racine dans *thunder* « tonnerre »)

Friday « jour de Freija » (qui correspond à la déesse Vénus, tout comme dans *vendredi*).

Parmi les trois autres jours de la semaine, *Sunday, Saturday, Monday*, quel est :

1. celui qui est strictement germanique ?
2. celui qui est un hybride latino-germanique ?
3. celui qui est un calque du latin ?

RÉPONSE : 1. *Sunday* (dimanche) est strictement germanique : c'est, mot à mot, le « jour du soleil ». 2. *Saturday* (samedi) est formé sur le nom du dieu romain Saturne, suivi du mot d'origine germanique *day* « jour ». 3. *Monday* (lundi) est un calque du latin *lunae dies*, « jour de la lune » (*moon* + *day*).

---

chute de l'Empire romain (476) et des invasions dites « barbares ».

Le vrai sens du mot barbare

La chute de l'Empire romain correspond dans les livres d'histoire à l'époque dite des grandes invasions « barbares », qualificatif dont il convient de rappeler l'origine car il a depuis longtemps perdu son sens premier, qui se limitait strictement au domaine linguistique[49].

Si les linguistes tiennent tellement à ajouter des guillemets au mot « barbare », c'est pour rappeler que ce mot (en latin *barbarus*) vient du grec *barbaros*, nom que les Grecs donnaient aux populations qui ne parlaient pas le grec. Ce mot est une espèce d'onomatopée imitant de façon caricaturale la façon de parler des étrangers, incompréhensible puisqu'on ne pouvait y distinguer que *brbr*... une succession de sons sans signification. Les Grecs appliquaient ce terme en particulier aux Mèdes et aux Perses, et ce n'est qu'après les guerres médiques (vers 500 avant J.-C.) que ce mot a pris également le nouveau sens de « brutal, sauvage ».

Dans les premiers temps, les Romains qualifiaient aussi de barbares toutes les populations qui ne parlaient ni grec ni latin, c'est-à-dire tous les étrangers. Plus tard, on a confondu sous ce même terme les diverses tribus dont la langue était germanique, et c'est peut-être en raison des ravages provoqués par les grands mouvements des hordes venues de loin, déjà perceptibles en Europe dès le milieu du IIIe siècle après J.-C., que le sens péjoratif l'a définitivement emporté.

QU'EST-CE QU'UN BARBARISME ?

En français, le sens primitif du mot *barbare* est seulement resté dans le terme *barbarisme* qui, en grammaire, désigne une forme n'existant pas dans une langue à une époque donnée : *remolir*, par exemple, est considéré comme un barbarisme en français du fait que cette forme n'existe pas en face de *démolir*, contrairement à *refaire*, forme qui est considérée comme parfaitement naturelle, en face de *défaire*.

Les migrations des peuples germaniques

Le mot *barbare* reste donc attaché à l'époque de la chute de l'Empire romain, et évoque celle des migrations erratiques de nombreuses populations germaniques aux noms évocateurs et parfois mystérieux : Cimbres, Teutons, Goths, Suèves, Vandales, Marcomans, Alamans, Angles, Saxons, Jutes, Francs, Taifales, Chauques...

On a du mal à suivre les déplacements continuels de ces populations germaniques, d'autant plus que de nouveaux arrivants venus des steppes de l'Asie centrale —

les Huns et les Alains — allaient déferler à leur tour sur le continent européen dès le milieu du Ve siècle. Mais ni les Alains ni les Huns ne se sont implantés durablement sur le territoire et leurs langues n'ont laissé aucune trace dans les langues autochtones. On sait seulement que les Alains parlaient une langue iranienne tandis que les Huns parlaient une langue de la famille altaïque, à laquelle appartiennent aussi le turc et le mongol.

NOMS DE PEUPLES GERMANIQUES
DANS LES TOPONYMES

Souvent difficiles à reconnaître en raison de l'évolution phonétique, qui brouille les pistes, de nombreux noms de peuples germaniques ont donné naissance à des noms de lieux. En voici quelques exemples sur le territoire français :

PEUPLE	COMMUNE	(DÉPARTEMENT, CODE POSTAL)
les Alamans	*Aumagne*	(Charente-Maritime, 17770)
les Angles	*Anglesqueville*	(Seine-Maritime, 76740)
les Burgondes	*La Bourgonce*	(Vosges, 88470)
les Francs	*Franxault*	(Côte-d'Or, 21170)
les Germains	*Germainsvilliers*	(Haute-Marne, 52150)
les Goths	*Goux*	(Gers, 32400)
les Marcomans	*Marmagne*	(Saône-et-Loire, 71710)
les Saxons	*Saisseval*	(Somme, 80540)
les Suèves	*Schwoben*	(Haut-Rhin, 68130)
les Taifales	*Tiffauges*	(Vendée, 85130)
les Vandales	*Gandalou*	(Tarn-et-Garonne, 82100)

En ce qui concerne la vague venue des steppes, on ne trouve aucune attestation du passage des Huns dans les noms de lieux, mais les toponymes *Allain* (Meurthe-et-Moselle), *Allaines* (Somme) ou *Allainville* (Eure-et-Loir) perpétuent le souvenir d'un séjour des Alains dans cette région.

Des langues germaniques en France

Au contraire, les langues des populations germaniques ont non seulement joué un rôle de premier plan dans l'élaboration du français qui était en train de se construire une personnalité à partir de formes évoluées du latin, mais certaines d'entre elles se sont maintenues sur le territoire jusqu'à nos jours. Tel est le cas de la langue des Alamans, qui survit dans l'alsacien, et du francique lorrain, ou *Lothringer Platt*, qui peut encore s'entendre dans une partie des départements de la Moselle et du Bas-Rhin. Dans le nord de la France, une autre variété de langue germanique s'est perpétuée, le flamand, lui-même issu d'une variété du francique, qui était la langue de Clovis et celle de Charlemagne. C'est le francique qui jouera le plus grand rôle dans la nouvelle personnalité du français.

Pourquoi le germanique ne s'est-il pas imposé partout ?

Une question se pose à ce propos : alors que la langue germanique des Angles et des Saxons semble s'être aisément implantée en Grande-Bretagne, pourquoi Clovis et ses fils, en soumettant les populations de la Gaule romanisée, n'ont-ils pas réussi à imposer leur langue germanique à tout le pays ? Le nombre insignifiant des Francs par rapport à celui des Gallo-Romains (on l'a estimé à 5 % de la population totale) pourrait peut-être expliquer en partie cette anomalie. Il faut en outre souligner l'importance de l'Église, dont la langue liturgique était le latin et qui avait gardé son influence intacte après la conquête franque. Le baptême de Clovis n'avait fait que renforcer la position de ce latin dont le prestige était séculaire et qui était depuis longtemps la langue de l'administration et de l'armée.

Pourtant, si la langue des Francs n'a pas réussi à se répandre en France face au latin, elle a en revanche exercé une influence considérable sur la langue à base latine qui était en gestation depuis l'arrivée des

Romains et qui allait justement prendre un nom germanique : le *français*.

Des noms de personnes

À cette même époque, un changement s'est aussi produit dans le système anthroponymique de la Gaule. Jusque-là, on était resté au système latin, qui s'était substitué au système gaulois, et qui le plus souvent ne comportait pas moins de quatre éléments :

un *praenomen*, ou prénom	par ex. *Publius*
un *nomen* (ou gentilice) : nom de la *gens*	par ex. *Cornelius*
un *cognomen* : nom de famille	par ex. *Scipio*
un *agnomen*, ou surnom	par ex. *Africanus*

Rappelons que *Publius Cornelius Scipio Africanus* était le nom du général romain qui en 202 avant J.-C. avait reçu le surnom d'*Africanus* pour avoir mis fin à la 2ᵉ guerre punique par sa victoire sur Hannibal à Zama.

Ce système romain très lourd a ensuite été battu en brèche, d'une part sous l'influence du christianisme, qui valorisait le nom de baptême, d'autre part sous celle des populations germaniques, dont la coutume était aussi de ne donner qu'un seul nom par individu (par exemple *Thibaud* ou *Rodrigue*). C'est ce système germano-chrétien qui prévaudra en France jusqu'au XIIIᵉ siècle, date à laquelle on fait remonter l'hérédité patronymique.

RÉCRÉATION

QUELQUES PRÉNOMS GERMANIQUES

Outre des prénoms très usuels comme Bernard ou Gérard, on peut citer de nombreux autres prénoms germaniques, un peu moins fréquents ou très célèbres. Parmi ceux qui suivent, un seul n'est pas d'origine germanique. Lequel ?

Albert • Charles • Godefroy • Médard • Thierry •
Danielle • Édith • Edwige • Mahaut • Mathilde

RÉPONSE : *Danielle*, qui est un prénom hébreu (« juge » + « dieu »)

Des noms de lieux

Les noms de lieux gardent aussi des traces indélébiles, mais parfois difficiles à repérer, de leur origine germanique, comme, parmi beaucoup d'autres : *Gravelines* (Nord), *Hagondange* (Moselle), *Ouistreham* (Calvados), *Molsheim* (Bas-Rhin), *Neauphle* (Yvelines) dont la plupart sont formés à partir d'un nom propre et d'un suffixe germanique.

Certaines racines germaniques ont été particulièrement prolifiques, comme on peut le constater par le grand nombre de toponymes formés sur la racine germanique *baki* « cours d'eau », racine que l'on retrouve sous différentes graphies : *-bach, -baix, -bois*. Cette même racine a pris la forme *-bec* dans les toponymes d'origine scandinave en Normandie.

Des noms communs

Mais l'apport le plus significatif des langues germaniques anciennes au français est sans doute celui que l'on constate dans les formes lexicales adoptées à cette époque et qui se sont maintenues jusqu'à nos jours[50].

En dehors des noms de couleur toujours cités, comme *bleu, brun, blanc, blond, gris, fauve*, on trouve quantité de mots concernant :

LA VIE RURALE

  falaise, marais, mare, fange
  bois, bûche, grappe, gerbe, jardin
  blé, gruau, framboise, morille
  aulne, roseau
  mésange, freux, caille, chouette, héron, crapaud...

LA VIE DOMESTIQUE

  cruche, huche, flacon, hanap
  beignet, soupe, bacon, gigot
  housse, poche, fauteuil

LES VÊTEMENTS

  robe, sarrau, harde, bretelle
  coiffe, toque, guêtre
  écharpe, gant, moufle

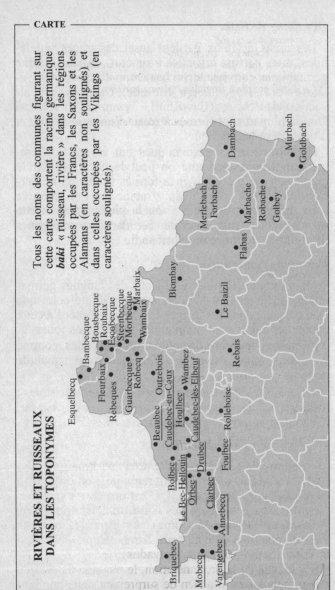

CARTE

RIVIÈRES ET RUISSEAUX DANS LES TOPONYMES

Tous les noms des communes figurant sur cette carte comportent la racine germanique *baki* « ruisseau, rivière » dans les régions occupées par les Francs, les Saxons et les Alamans (en caractères non soulignés), et dans celles occupées par les Vikings (en caractères soulignés).

Esquelbecq
Bambecque
Bousbecque
Roubaix
Escobecque
Steenbecque
Morbecque
Marbaix
Wambaix
Fleurbaix
Rebèques
Guarbecque
Robecq
Outrebois
Blombay
Dambach
Merlebach
Forbach
Marbache
Robache
Golbey
Murbach
Goldbach
Flabas
Le Baizil
Rebais
Beaubec
Caudebec-en-Caux
Houlbec
Wambez
Caudebec-lès-Elbeuf
Rolleboise
Foulbec
Bolbec
Le Bec-Hellouin
Orbec
Drubec
Clarbec
Annebecq
Briquebec
Mobecq
Varengebec

LA VIE EN SOCIÉTÉ

hameau, bourg, fief

maçon, échanson, chambellan, échevin, maréchal « valet s'occupant des chevaux » (cf. *maréchal-ferrant*), *sénéchal* « serviteur le plus âgé », *marquis* « gouverneur d'une province frontalière (d'une *marche*) »

LA GUERRE

guerre, trêve, flèche, champion (dont le premier sens était « combattant »)

DES SENTIMENTS

honte, orgueil, émoi...

Des verbes et des adjectifs

Un grand nombre de verbes, la plupart encore très vivants, accompagne ces noms. En voici une petite liste, qui est loin d'être exhaustive :

garder	*regarder*	*lorgner*
grogner	*rechigner*	*trépigner*
guérir	*choisir*	*éblouir*
broder	*broyer*	*gratter*
téter	*lécher*	*héberger*
marcher	*trotter*	*galoper*
trébucher	*tomber*	*soigner*

En dehors des couleurs déjà signalées, et qui qualifient plus souvent des objets que des êtres humains, d'autres adjectifs se rapportent plutôt à des traits de caractère. Qu'on en juge par ces quelques exemples : *déluré, revêche, félon, hardi, taquin, fourbe, madré*, mais aussi *blafard, hâve, laid, frais, riche...*

« Trop » : un cas particulier

L'histoire de ce mot est celle de transformations successives. On fait généralement remonter son origine au francique *thorp* « village » [51]. C'est une forme que l'on identifie sans peine dans des noms de lieux comme *Le Torp-Mesnil* (Seine-Maritime), *Le Torpt* (Eure) ou, avec un peu plus de mal, sous *Tostes* (Eure, Calvados) et *Tôtes* (Seine-Maritime, Calvados).

Sur le plan de la prononciation, le passage de *thorp* à *throp*, puis à *trop* n'a rien de surprenant dans une lan-

gue où *formaticum* a abouti à *fromage* et *berbix* à *bre-
bis*. Ce phénomène porte en linguistique le joli nom de
métathèse.

Du côté sémantique, l'évolution a connu divers épisodes. Le sens ancien « village » s'est maintenu dans
l'allemand *Dorf* « village » (cf. la ville de *Düsseldorf*,
à l'origine « village sur la Düssel »). En français, on est
ensuite passé du sens de « village » à celui de « ensemble des habitants du village », puis à celui de « groupe
de personnes marchant ensemble », d'où le substantif
troupe et son dérivé *troupeau*.

Cette notion de grande quantité était présente en
ancien français, sous la forme de *trop*, qui a connu à la
fois un élargissement de sens (en passant de l'idée de
grande quantité à celle de trop grande quantité), et un
changement de classe grammaticale puisque *trop* est un
adverbe en français. Il faudrait plutôt dire qu'il *l'était*
puisque récemment, si l'on en juge par son emploi
comme adjectif dans les usages des jeunes : *lui, il est
trop* signifie « il est impressionnant », et plutôt dans un
sens favorable[52].

Des traces dans la prononciation et la grammaire

Il faudrait enfin ajouter que l'influence germanique
ne s'est pas limitée au lexique. Elle s'est également
manifestée dans la prononciation, en particulier dans le
cas des mots en *h-*, comme *huche, haie, hameau, haine*,
où la non-liaison et la non-élision témoignent encore
aujourd'hui de la présence ancienne d'un véritable *h*
prononcé, comme c'était le cas dans la langue des
Francs.

En outre, le fait que les toponymes comportant
l'adjectif devant le nom sont particulièrement nombreux dans le Nord (*Neuville, Francheville...*) alors que
l'ordre inverse domine dans le Midi *(Villeneuve, Ville-
franche...)* apporte une confirmation de la forte
empreinte germanique dans les régions contrôlées par
les Francs à date ancienne.

Retour au latin

En définitive, du VIe au VIIIe siècle, c'est donc un latin déjà très évolué et abondamment teinté de germanique qui se parle dans le nord de la Gaule, tandis qu'en Grande-Bretagne ce sont des dialectes germaniques qui se partagent la presque totalité du terrain. Entre les deux pays, les chemins semblent donc diverger définitivement, et pourtant les contacts vont alors se trouver activés d'une façon inattendue.

Constatant l'état de dégradation où se trouvait le latin parlé en Gaule, Charlemagne avait jugé indispensable d'y remédier sans tarder, en faisant venir... justement d'Angleterre, dans l'abbaye de Saint-Martin-de-Tours, un grand savant, Alcuin, disciple de Bède le Vénérable, avec mission de redonner vie à ce latin que les Français semblaient avoir oublié.

C'est un Anglais qui remet le latin à la mode

La chose était possible car, à la suite de l'évangélisation de la Grande-Bretagne, dès la fin du VIe siècle, et à partir de deux centres de diffusion, le Kent, autour de Cantorbéry, et le Nord, grâce aux moines d'Irlande, le latin avait prospéré dans les abbayes de Grande-Bretagne, où scribes et copistes l'avaient maintenu dans sa forme originelle. Si bien qu'au VIIIe siècle, l'Angleterre était sans doute l'un des pays d'Europe qui avait atteint le plus haut degré de culture. Bède le Vénérable, moine bénédictin, était un des premiers lettrés anglais à avoir eu une influence sur la culture de l'Occident latin, et Alcuin (735-804) l'avait suivi dans cette voie en promouvant la « Renaissance carolingienne », d'abord à Aix-la-Chapelle, puis à Saint-Martin-de-Tours, où l'enseignement était dispensé, en latin, à des disciples souvent venus de loin.

Les conséquences de cet enseignement sur la langue française en formation ont été vraiment considérables puisque cette langue, qui s'était déjà beaucoup éloignée du latin des premiers temps, allait s'enrichir à nouveau

---

BÈDE LE SAINT ET ALCUIN LE SAGE

Bède le Vénérable (673-735), moine et théologien d'une culture exceptionnelle, est l'un des personnages les plus importants de l'Église anglo-saxonne. Son *Histoire ecclésiastique de la nation anglaise*, écrite en latin, reste aujourd'hui l'un des meilleurs documents sur l'histoire de cette institution en Angleterre au Moyen Âge.

Alcuin, dit Albinus Flaccus, appartient à la génération suivante : il est né à York en 735 et a eu de multiples contacts avec le Continent. Chargé par **Charlemagne** de la direction de l'École du palais à Aix-la-Chapelle, il dirigea ensuite celle de Saint-Martin-de-Tours, où il enseignait la grammaire latine, l'art de bien parler et de bien écrire en latin. Il mourut à Tours en 804.

---

au contact de la langue savante qu'était devenu le latin, et acquérir une physionomie nouvelle.

Un point mérite ici d'être souligné avec insistance : c'est grâce à un Anglais que ce latin des origines refaisait surface à l'intérieur même de la langue française.

Un enrichissement lexical par les doublets

Il est résulté de cette renaissance du latin l'existence de nombreux doublets, qui sont des aboutissements différents d'un même mot latin, d'un côté par évolution naturelle, de l'autre par emprunt ultérieur de la forme latine d'origine : par exemple *cadence*, repris directement au latin, en face de *chance* déjà évolué, tous deux issus du latin *cadentia*.

On remarquera dans la liste qui suit qu'il existe toujours entre la forme savante et la forme populaire de chaque doublet au moins une nuance de sens, sinon un sens tout à fait différent.

QUELQUES DOUBLETS FRANÇAIS
D'ORIGINE LATINE

LATIN	FORME SAVANTE	FORME POPULAIRE
bitumen	*bitume*	*béton*
causa	*cause*	*chose*
claviculam	*clavicule*	*cheville*
cumulare	*cumuler*	*combler*
grammatica	*grammaire*	*grimoire*
masticare	*mastiquer*	*mâcher*
ministerium	*ministère*	*métier*
palma	*palme*	*paume*
pensare	*penser*	*peser*
pietatem	*piété*	*pitié*
potionem	*potion*	*poison*
sacramentum	*sacrement*	*serment*
separare	*séparer*	*sevrer*
strictum	*strict*	*étroit*
tabula	*table*	*tôle*
votum	*vote*	*vœu*[53]

En Angleterre, c'est ce même amour du latin qui, dès le IXe siècle, avait poussé le roi west-saxon Alfred le Grand (849-899) à traduire du latin en vieil-anglais les grands textes, comme cette *Historia Ecclesiastica gentis Anglorum* que Bède avait écrite en latin. C'était en même temps élever le vieil-anglais au rang d'une langue savante.

Les premiers écrits en vieil-anglais

Avant même que n'existent des textes suivis en vieil-anglais, cette langue avait déjà été gravée dans le bois, la pierre ou la corne sous la forme d'inscriptions très brèves sur des objets — bijoux, armes, monuments — indiquant le nom du propriétaire ou de l'artisan responsable de l'œuvre.

L'alphabet utilisé à cette époque est connu sous le nom d'*alphabet runique*, composé de lettres ne comportant que des traits verticaux ou obliques car les premières inscriptions avaient été gravées sur du bois de hêtre, ce qui interdisait les traits horizontaux, trop facilement confondus avec les striures du bois[54].

L'ALPHABET RUNIQUE

Environ 4 000 inscriptions runiques, dont les premières remontent au IIIe siècle de notre ère, se trouvent réparties en Europe du Nord, surtout en Scandinavie, mais aussi en Allemagne et dans les îles Britanniques.

On ne connaît pas l'origine de cet alphabet, mais il semble bien être dérivé de l'alphabet romain. Chaque lettre correspond à la première lettre d'un mot germanique. Ainsi, la troisième rune est þ et représente la première consonne du mot qui est devenu *thorn* en anglais.

Voici les six premières runes, qui forment le nom de cet alphabet, connu sous le nom de *futhorc*[55].

RUNE	CORRESPONDANCE		SENS
ᚠ	en vieil-anglais f	1re lettre de *feoh*	« bétail, richesse »
ᚢ	u	*ür*	« aurochs »
þ	þ	*þorn*	« épine »
ᚥ	o	*os*	« bouche »
ᚱ	r	*rad*	« voyage, chevauchée »
ᚲ	c	*cen*	« torche, flambeau »

Les inscriptions en runes situées en Angleterre datent des Ve et VIe siècles de notre ère. Mais il ne s'agissait là que de formules lapidaires et non pas de littérature. Celle-ci sera représentée par des poèmes aux VIIIe et IXe siècles — *Beowulf*, par exemple, est un long poème de 3 000 vers décrivant en vieil-anglais les exploits d'un héros danois aux prises avec un monstre à forme humaine[56] — tandis que les écrits à portée scientifique, religieuse ou philosophique étaient écrits en latin, comme on vient de le voir avec les écrits de Bède le Vénérable.

Désormais, grâce à l'impulsion donnée par le roi Alfred, la langue des envahisseurs germaniques venus du Continent quatre siècles auparavant faisait officiellement son entrée dans le monde des lettres. Une norme écrite de cette langue s'était même constituée dans le royaume west-saxon d'Alfred le Grand, une norme qui aurait pu durablement s'imposer comme la forme prestigieuse de l'anglais si de nouvelles invasions n'en avaient interrompu l'essor.

LA LANGUE DES VIKINGS

☞ *Déterminante pour l'anglais, elle n'a fait qu'effleurer le français*

Ces nouveaux envahisseurs, qui venaient de Scandinavie (Norvège et Danemark), que les Saxons désignaient collectivement sous le nom de *Danes*, et que nous connaissons mieux sous celui de *Vikings*, parlaient aussi une langue germanique, mais différente du vieil-anglais.

Leurs raids redoutés avaient commencé à la fin du VIIIᵉ siècle, avec le pillage du monastère de *Lindisfarne*, convoité pour ses trésors d'or et d'argent, et de celui de *Jarrow*, le monastère même où Bède avait enseigné. Après une série d'incursions sans lendemain, ils allaient reprendre leurs expéditions avec une vigueur accrue et un succès durable.

Le temps du « Danelaw »

Au milieu du IXᵉ siècle, près de la moitié du pays était déjà aux mains des Vikings mais, arrêtés par la résistance farouche du roi Alfred, ils finirent par signer en 886 un traité qui fixait la frontière entre le *Danelaw* (où régnait la « loi danoise ») et le Wessex, royaume d'Alfred, en suivant approximativement *Watling Street*, l'ancienne route romaine qui conduisait de Londres à Chester[57] (cf. carte BRITANNIA, PROVINCE ROMAINE, p. 38).

Le temps des pillages était révolu, et plusieurs générations allaient alors connaître un *modus vivendi* plus ou moins pacifique, ce qui allait entraîner de profondes répercussions sur la langue anglaise en formation.

La concentration scandinave la plus importante s'était constituée autour d'York, ancienne grande colonie romaine qui était devenue à la fois un centre commercial et un centre ecclésiastique, avec son propre archevêque. La langue qu'on y parlait avait acquis un certain prestige et influençait donc le reste du Danelaw[58].

Parmi les autres centres scandinaves importants, il y avait Lincoln, Stamford *(sic)*, Leicester, Derby et Nottingham. En outre, il n'est pas indifférent de rappeler que, pendant vingt-cinq ans, au début du XIe siècle, l'Angleterre allait vivre sous des rois danois[59].

Dans les noms de lieux, de précieux indices

Tout cela explique que la longue présence des Vikings dans cette région puisse se lire encore parfaitement près de dix siècles plus tard dans les quelque 1500 toponymes d'origine scandinave situés dans le nord et l'est de l'Angleterre. Ils sont aisément identifiables.

Des toponymes scandinaves

On peut en effet reconnaître les toponymes d'origine scandinave à ce qu'ils se terminent par des formes comme *-by, -thorpe, -thwaite, -toft*...

Les toponymes en *-by* « ferme, village » se comptent par centaines. On pense qu'il y en a plus de 600. En dehors de *Rugby* et *Derby*, mondialement connus dans les milieux du sport et des courses, on peut citer, parmi des centaines d'autres, *Ashby* « ferme aux frênes », *Dalby* « ferme de la vallée », *Helsby* « ferme en surplomb »...

On trouve également, avec le suffixe *-thorp(e)* « village » :

> *Bishopthorpe* « le village de l'évêque », *Copmanthorpe* « le village des commerçants », *Countesthorpe* « le village de la comtesse », *Woolsthorpe*, lieu de naissance du physicien Isaac Newton...

avec le suffixe *-thwaite* « clairière » :

> *Langthwaite* « longue clairière »... C'est sous la forme *-tuit* que se retrouve en Normandie ce suffixe scandinave, par exemple dans *Vautuit* (Seine-Maritime)

avec le suffixe *-toft* « ferme » :

> *Langtoft* « longue ferme avec dépendances »... C'est sous
> la forme *-tot* que ce suffixe se manifeste en Normandie,
> par exemple *Yvetot* (Seine-Maritime).

L'emplacement de tous ces villages (sur la carte des
TOPONYMES VIKINGS ET ANGLO-SAXONS EN ANGLE-
TERRE, p. 72) montre l'importance de l'implantation
scandinave dans le Danelaw, et en particulier dans le
Yorkshire et le Lancashire, où les toponymes scandina-
ves atteignent jusqu'à 75 % de l'ensemble[60].

La manière dont les deux populations s'étaient par-
tagé le territoire apparaît assez bien sur cette carte si
l'on compare la répartition de ces toponymes scandinaves avec celle des toponymes anglo-saxons.

Des toponymes anglo-saxons

Tout comme les toponymes scandinaves, les noms de
lieux anglo-saxons se reconnaissent à leurs terminaisons spécifiques, cette fois en *-ford, -ham, -ing,
-worth*...

avec le suffixe *-ford* « gué » :

> *Catford* « gué des chats sauvages », qui est un toponyme
> très répandu
>
> *Stanford* « gué aux pierres », où *Stan* est la vieille forme
> de *stone* « pierre »
>
> *Milford* « gué du moulin »
>
> *Hartford* « gué aux cerfs »

avec le suffixe *-ham* « établissement habité » :

> *Chatham* « village près d'un bois », où *chat* « bois » est
> d'origine celtique, et *-ham* germanique (cf. *Cheetwood*,
> p. 26)
>
> *Birdham* « village des oiseaux »

avec le suffixe *-ing* « lieu de résidence d'une
famille » :

> *Clavering* « lieu où pousse du trèfle » (en anglais
> moderne, « trèfle » se dit *clover*)
>
> *Chipping* « lieu de marché ». Seule la finale de ce nom est
> anglo-saxonne car, malgré les apparences, *Chip-* est
> d'origine latine et remonte à *caupo* « marchand,
> cabaretier », où le [k] de *caupo* a évolué en *ch* dans la
> prononciation anglo-saxonne (comme *castra* a évolué en
> *-chester* cf. p. 39). Le [k] de *caupo* est au contraire resté

┌─ **CARTE** ─────────────────────────────────

TOPONYMES VIKINGS ET ANGLO-SAXONS
EN ANGLETERRE

Les toponymes d'origine anglo-saxonne ont été composés en caractères non soulignés (Nottingham) et les toponymes d'origine scandinave en caractères soulignés (Rugby). Les villes de Londres, York et Lincoln servent de points de repère.

[k] dans les usages scandinaves. On l'a déjà vu dans *Copmanthorpe*, cité ci-dessus (p. 70), avec la terminaison *-thorpe* qui en rappelle l'origine nordique, et où *Cop-*, qui est aussi un emprunt au latin *caupo*, se retrouve également dans *Copenhague*.

avec le suffixe *-worth* « enceinte » :

Highworth « enceinte élevée »
Haworth « enceinte entourée d'une haie » (cf. l'anglais *hedgǝ*)

RÉCRÉATION

UN CHÊNE AU MILIEU DES BŒUFS

1. Le nom d'une célèbre université d'Angleterre rappelle les origines rurales du lieu sur lequel elle a été construite. De quelle ville s'agit-il ?

2. (Question réservée aux spécialistes de la toponymie anglaise.)
Parmi les quatre toponymes suivants, trois d'entre eux font allusion au bœuf *(ox)* et un seul évoque le chêne *(oak)*. Lequel ?

Oxborough (Norfolk) • **Oxenhope** (Yorkshire) • **Oxted** (Surrey) • **Oxwick** (Norfolk)

RÉPONSE : **1.** *Oxford* « le gué aux bœufs » **2.** *Oxted*, qui est un lieu où poussent les chênes. Dans les trois autres, *ox-* représente le bœuf[61].

Grâce aux noms de lieux anglo-saxons en *-ham (Alvingham)* ou en *-ford (Alford)*, on peut faire l'hypothèse que sur la côte du Lincolnshire, où les terres sont marécageuses et souvent inondées par la mer, les Anglo-Saxons, arrivés les premiers, vivaient à l'abri à l'intérieur des terres. La présence, sur la côte, de villes comme *Treddlethorpe, Mablethorpe, Trusthorpe, Hogthorpe, Huttoft* et *Mumby*, aux noms manifestement scandinaves, semble montrer que les nouveaux venus n'avaient pas délogé les Anglo-Saxons et s'étaient contentés de s'installer sur des terres moins bonnes, encore inoccupées, et qu'ils avaient aménagées en y construisant des digues [62].

CARTE

**QUELQUES TOPONYMES ANGLO-SAXONS
ET SCANDINAVES DANS LE LINCOLNSHIRE**

Les toponymes d'origine anglo-saxonne figurent en caractères non soulignés et les toponymes scandinaves en caractères soulignés.

Alvingham

Treddlethorpe

Mablethorpe

Trusthorpe

Withern

Huttoft

Alford

Mumby

Hogthorpe

Mer du Nord

Burgh-le-Marsh

La proximité des villages saxons et scandinaves, souvent à peu de miles de distance, suggère enfin qu'au bout de quelque temps les rapports entre les deux populations ennemies avaient dû changer de nature et que, la paix revenue, la cohabitation avait été sereine, en donnant même l'occasion de mariages mixtes.

L'évolution ultérieure de la langue anglaise en fait foi.

Quand deux langues sœurs se fréquentent

L'une des raisons qui ont rendu possible ce rapprochement entre envahisseurs et colonisés — alors qu'il n'avait pu se produire précédemment ni entre les Celtes et les Romains, ni entre les Celtes et les Saxons — c'est sans doute que le dialogue entre Saxons et Vikings pouvait se nouer sans trop de difficultés. Les langues de ces deux peuples avaient en effet de nombreux points en commun, dus à leur appartenance à la même branche des langues indo-européennes : celle des langues germaniques (cf. encadré TABLEAU DES LANGUES GERMANIQUES, p. 50).

Sans aller jusqu'à suggérer que l'intercompréhension entre ces deux langues d'origine commune pouvait avoir été parfaite, il faut se rappeler qu'une grande partie du lexique était identique en vieil-anglais et en vieux-norrois (ou vieux-scandinave). On serait d'ailleurs parfois bien en peine d'attribuer à tel ou tel mot anglais actuel une origine scandinave plutôt qu'une origine anglo-saxonne. Tel est le cas pour :

les noms *father, mother, wife, summer, winter, house...*
les verbes *can, come, bring, see, smile, burn, drag*[63]...
les adjectifs *full, wise...*
les prépositions *over, under*[64]...

La phonétique au secours de l'histoire des mots

Il existe pourtant des moyens d'identifier avec certitude une partie du vocabulaire d'origine scandinave. On peut y parvenir grâce à des critères phonétiques, comme par exemple le maintien de *k* et de la succession *sk* dans le vieux-norrois, tandis qu'en vieil-anglais, ces consonnes se sont « avancées » et en quelque sorte adoucies en *ch* et en *sh*. Les linguistes disent qu'elles se sont palatalisées, c'est-à-dire qu'elles se sont prononcées à l'avant du palais, comme dans *chin* « menton » et dans *shape* « forme », alors que les mots germaniques anciens étaient en *k* et en *sk* (consonnes qui étaient articulées à l'arrière du palais, au niveau du voile du palais).

On reconnaîtra ainsi à leur forme phonétique en [sk] l'origine scandinave de *skin* « peau » (face à *ship* « bateau », forme anglo-saxonne), de *skull* « crâne » (face au verbe *to shun* « esquiver ») ou de *sky* « ciel »

DÉDUIRE L'ANGLAIS DU DANOIS

Sachant que la succession *sk* du scandinave correspond généralement à l'anglais *sh*, comme dans *fisk* (scandinave) et *fish*
(anglais), pouvez-vous retrouver les formes anglaises à partir
des formes danoises suivantes :

1. *skarp* « pointu » • **2.** *skovl* « pelle » • **3.** *skifte* (v) « déplacer » • **4.** *skam* « honte » • **5.** *skulder* « épaule » •
6. *skib* prononcé [skip] « bateau » • **7.** *sko* « chaussure »

RÉPONSE : 1. *sharp* • 2. *shovel* • 3. *shift* • 4. *shame* • 5. *shoulder*
• 6. *ship* • 7. *shoe*

(face à *shy* « timide »). On peut ajouter que *sky* signifiait, et signifie encore, « nuage » (en danois) et que le
mot *sky* est encore employé dans ce sens (« nuage »)
par Shakespeare.

Le même raisonnement vaudra dans le cas de la prononciation « dure » de *egg* « œuf » au lieu de *ey*, forme
palatalisée, qui avait été la seule forme de ce mot en
vieil-anglais, tout comme celle de *give* « donner », qui
était *yive* en moyen-anglais. Tous ces [k] et ces [g]
attestent sur le plan phonique leur appartenance à la langue des Vikings, car ce sont des formes en *ch* et en *-y*,
comme dans *cheese* et dans *day*, que l'on attendrait en
anglo-saxon[65].

Le cas de *dyke* « digue » et de *ditch* « fossé » montre
qu'il y a eu parfois non pas remplacement d'une forme
anglo-saxonne par une forme scandinave mais maintien
des deux formes avec des significations différentes,
c'est ce qu'on appelle des *doublets* (cf. UN ENRICHIS-
SEMENT LEXICAL PAR LES DOUBLETS, p. 64) et c'est
également le cas pour *skirt* « jupe » et *shirt* « chemise ».

Il serait aisé de multiplier les exemples d'emprunts
au scandinave repérables grâce à leur forme phonique.
Les emprunts qui n'ont modifié que le sens des mots
anglo-saxons sont peut-être plus surprenants, parce que,

sous leur forme inchangée, ils sont plus difficiles à détecter.

EMPRUNTS DE FORME ET EMPRUNTS DE SENS

Quand on enrichit son vocabulaire au contact d'une autre langue, on peut le faire

soit en introduisant un nouveau mot. Ainsi, l'anglais a emprunté le substantif **country** « pays » à l'ancien français **cuntree** au XIVᵉ siècle ;

soit en donnant un nouveau sens à un mot déjà présent dans la langue. Ainsi, le mot anglais **loan** a pris le nouveau sens de « prêt » à l'arrivée des Vikings, alors qu'en vieil-anglais, ce même mot signifiait « don »[66].

Des modifications de sens

Pour identifier ces nouveaux sens, il faut tenter de retrouver des mots qui existaient déjà en vieil-anglais, mais dont le sens a changé en anglais moderne.

On ne se douterait pas, par exemple, que *bloom, gift, plough* qui, en anglais moderne, signifient respectivement « fleur », « cadeau » et « charrue » avaient en vieil-anglais un sens très différent :

bloom était beaucoup moins poétique, puisqu'il signifiait « lingot de métal », sens qui s'est maintenu uniquement comme terme de métallurgie

gift était en vieil-anglais un terme presque juridique, car c'était le « prix d'une épouse », qui faisait l'objet de tractations, comme pour une affaire commerciale, et qui se terminait par le mariage (*gifts*, au pluriel) alors qu'aujourd'hui *gift* correspond à n'importe quel don

plough était une mesure agraire et non pas une charrue, qui se disait *sulh*[67] et dont la forme est à rapprocher du latin *sulcus* « sillon ».

Quand le mot emprunté déloge la forme primitive

Dans certains cas, ce n'est pas un nouveau sens qui a été apporté à un mot déjà présent en vieil-anglais, mais un mot scandinave qui a totalement supplanté la forme du vieil-anglais qui, de son côté, reposait sur un tout autre étymon :

> *take* « prendre » a remplacé le vieil-anglais *nīman*
> (cf. *nehmen* en allemand). Le seul vestige de cet ancien
> verbe est aujourd'hui représenté par son participe passé
> *numb* « engourdi »
>
> *cut* « couper » a complètement évincé les nombreuses
> formes du vieil-anglais (qui, de leur côté, ont abouti
> à *shear* « tondre », *carve* « tailler », *hew* « couper [à la
> hache] »)
>
> *anger* « colère » a remplacé trois mots du vieil-anglais,
> dont l'un était *irre*, un emprunt au latin *ira* (cf. français
> *irascible*)
>
> *wing* « aile » s'est substitué au vieil-anglais *fethra*, qui, de
> son côté, est devenu *feather* et a pris le sens restreint de
> « plume »
>
> *die* « mourir », dont l'origine scandinave est
> problématique, a été néanmoins après l'arrivée des
> Vikings plus souvent employé que le verbe *steorfan* du
> vieil-anglais qui, sous la forme *starve*, s'est spécialisé en
> anglais moderne dans le sens de « mourir de faim »
> (cf. all. *sterben* « mourir »)
>
> *skin* « peau » a complètement fait oublier l'ancienne forme
> *fall* (mot issu de la même racine que le latin *pellis*). Mais,
> en vieil-anglais, il existait aussi un autre mot pour
> désigner la peau : *hide*. Ce dernier est aujourd'hui, soit
> restreint au sens de « peau épaisse (d'un animal), cuir »,
> soit maintenu dans des expressions familières comme
> *I'll have your hide* « j'aurai ta peau », souvent entendues
> dans des westerns.
>
> *cast* « jeter » a remplacé le vieux verbe *weorpan* (cf. all.
> *werfen* « lancer »). Mais c'est un autre verbe *(to throw)*
> qui est actuellement plus fréquent et plus usuel que *to
> cast* dans le sens de « jeter » (on dira : *to throw a stone*
> mais *to cast a glance*).

Les aléas de l'étymologie

On s'arrêtera un peu plus longuement sur les exemples suivants. Ils rappelleront en particulier la part de conjecture qui fait partie intégrante de toute recherche étymologique. Ces illustrations permettront également de suivre les mots dans leurs pérégrinations au cours du temps dans la langue elle-même, et aussi lors de leur passage dans une langue voisine, le français.

Un doute plane, par exemple, sur l'origine du mot anglais *dream* avec le sens de « rêve » qu'il a en scandinave car le seul sens attesté pour ce mot en vieil-anglais est « joie, musique ». Certains ont fait l'hypothèse qu'il y avait eu un homonyme *dream*, dont les textes écrits n'ont malheureusement gardé aucune trace, et qui avait le sens de « rêve » — le seul que l'on connaisse aujourd'hui. Il aurait ensuite été réactivé à l'arrivée des Vikings, pour qui « rêve » se disait *draumr*, phonétiquement proche de *dream*[68].

Le verbe *to dwell*, qui existait déjà en vieil-anglais avec le sens de « confondre, égarer », a pris le sens qu'il a actuellement (« habiter, demeurer ») sous l'influence du scandinave.

En anglais, le nom du couteau est aujourd'hui *knife*, forme scandinave qui a remplacé l'ancienne forme *seax* « courte épée ». Il est fort possible que la dénomination des *Saxons* vienne précisément de ce nom de leur arme préférée, le poignard : les Saxons seraient donc « les hommes à la courte épée ».

Le mot *loft* a traversé les frontières et connu des sens variés. Lorsqu'il a été introduit en anglais au Moyen Âge, il désignait l'air, ou même le ciel. La même racine se retrouve dans l'allemand *Luft* « air ». Ce n'est qu'au XIIIe siècle que l'on a commencé à employer le mot *loft* dans le sens de « grenier » (tout d'abord dans *hayloft* « grenier à foin »)[69].

Beaucoup plus tard, un nouveau sens est apparu aux États-Unis : « grand local à usage industriel », et quand le mot *loft* a été emprunté par le français, il l'a été avec une restriction de sens supplémentaire (« transformé en lieu d'habitation ») car la mode avait été lancée d'utiliser les anciennes manufactures désaffectées comme logements ou comme ateliers d'artistes[70].

┌─ RÉCRÉATION ─────────────────────────────────────

FOR HE'S A JOLLY GOOD FELLOW

D'où vient le mot anglais *fellow*, qui a aussi été emprunté par le français sous la forme **falot** « terne, insignifiant » ? Indiquer la bonne réponse :

1. *fellow* vient du latin vulgaire *felones* « félon »
2. *fellow* est formé à partir du verbe *to fell* « abattre (un arbre) » et désignait à l'origine un garde forestier.
3. *fellow* est d'origine scandinave. Il vient d'une forme ancienne signifiant « celui qui dépose de l'argent pour confirmer sa participation à un projet » (cf. anglais *lay* « déposer » et *fee* « argent versé »).

RÉPONSE : 3. Origine scandinave

└──

Enfin, après l'arrivée des Scandinaves, la jambe ne se dira plus *shank*, comme en vieil-anglais, mais *leg*. Toutefois *shank* « jarret » n'a pas complètement disparu. Il survit encore dans des expressions figées comme : *on Shank's mare* « *pedibus cum jambis* », c'est-à-dire « à pied ».

┌──

LE TRAIN ONZE

On connaît peut-être en français la plaisanterie, maintenant un peu désuète, *arriver par le train 11*, pour dire qu'on a utilisé le moyen de locomotion le plus économique : les deux jambes, figurées par les deux barres du chiffre 11.

Il y a en anglais une plaisanterie équivalente, mais plus près de la nature : *on Shank's mare*, ou encore *on Shank's pony*.

└──

Sous les mots, des images parfois cocasses

Tout un monde d'images oubliées peut parfois revivre si l'on retrace l'histoire des mots. Les noms du « crâne », en anglais *skull*, et de la « fenêtre », en anglais *window*, sont tous deux empruntés au scandinave et cachent chacun une métaphore qu'on a plaisir à découvrir. Le mot scandinave *skull* a finalement éliminé le vieil-anglais *heafodpanne*, où l'on aperçoit avec un petit effort l'anglais moderne *head* suivi de *pan* : on apprend ainsi que le crâne était pour les Saxons non pas une boîte (cf. notre « boîte » crânienne) mais un « poêlon » sur la tête[71].

RÉCRÉATION

UN MARI TRÈS CASANIER

1. *Husband* est un emprunt à la langue des Vikings. Vrai ou faux ?

2. *Husband* désignait à l'origine celui qui habitait la maison. Vrai ou faux ?

3. *Husband* a remplacé un mot de vieil-anglais que l'on retrouve dans l'équivalent anglais de loup-garou. Vrai ou faux ? Quel est ce mot ?

RÉPONSE : 1. Vrai 2. Vrai 3. *Wer* est le mot qui désignait l'homme en vieil-anglais et il est apparenté au latin *vir* « homme ». On le trouve encore dans l'anglais moderne *werewolf* (mot à mot « homme-loup ») « loup-garou ».

Dans le mot qui a abouti à *window* « fenêtre », c'est la forme du vieux-scandinave qui est elle-même porteuse d'un sens bien caché : la forme originelle *vindauga* se décompose en *vind* (cf. l'anglais *wind* « vent ») et *auga* (cf. l'anglais *eye* « œil »), autrement dit « œil du vent », ce qui rappelle qu'autrefois les fenêtres n'étaient que des trous dans les murs, qui laissaient passer le vent[72].

Cette image du trou dans le mur pour désigner la fenêtre, venue des usages scandinaves, remplaçait celle du vieil-anglais, qui était « le trou dans l'œil », *eagthyrel*, où *eag* est une forme ancienne de *eye* « œil » et *thyrel* « trou »[73]. Ce dernier mot, *thyrel*, qui a l'air de ne s'accrocher à rien de connu, n'a pourtant pas été complètement perdu en anglais puisqu'on le retrouve dans *nostril* « narine », dont on découvre alors que l'étymologie décrit avec justesse le « trou du nez ».

RÉCRÉATION

LES MAÎTRES DU PAIN

Il y a deux mots pour désigner le pain en anglais : ***bread***, qui désigne le pain en général, et ***loaf***, qui est plutôt la miche de pain.

    1. Lequel des deux est d'origine scandinave ?

    2. Sous l'un d'entre eux se cachent deux mots anglais qui désignaient à l'origine « celle qui pétrit le pain » et « celui qui garde le pain ». Quels sont ces deux mots ?

RÉPONSE : 1. *Bread* 2. *Lady* et *lord*. Le mot *lady* vient en effet du vieil-anglais *hlæfdige* « celle qui pétrit le pain » (on peut vaguement apercevoir *loaf* dans *hlæf*). Le mot *lord* vient de *hlafweard* « gardien du pain » (où, là aussi, avec un peu de bonne volonté, on découvre *loaf*, caché sous *hlaf*.)

La grammaire aussi

On a pu voir dans les pages précédentes combien les influences scandinaves avaient été importantes sur le lexique de l'anglais puisque ce sont, la plupart du temps, des mots de la vie quotidienne qui ont été empruntés. Cela n'est pas pour surprendre lorsqu'on sait que des contacts prolongés entre des populations de langues différentes entraînent tout naturellement le passage de nombreux mots d'une langue à l'autre.

Ce qui est bien plus rare, et qui témoigne d'une emprise encore plus profonde, c'est lorsqu'une langue emprunte à sa voisine des formes grammaticales. Or, la grammaire de l'anglais porte justement jusqu'à nos jours des traces évidentes de l'influence scandinave sur des points aussi essentiels que la forme du pronom personnel de la troisième personne du pluriel ou encore l'une des formes du verbe « être ».

Le vieil-anglais, comme le latin, était une langue à cas, c'est-à-dire une langue où la fonction d'un mot dans la phrase était marquée par une désinence particulière. On y trouvait trois formes distinctes pour exprimer les différentes fonctions du pronom de 3ᵉ personne du pluriel :

hie	« ils » ou « elles » (nominatif et accusatif : pour le sujet et le complément d'objet direct)
hiera	« d'eux » ou « d'elles » (génitif : pour le complément de nom)
him	« à eux » ou « à elles » (datif : pour le complément d'attribution) [74].

Ces formes ont finalement été éliminées et remplacées par celles que nous connaissons aujourd'hui, qui ont été empruntées au scandinave :

they	« ils ou elles », pour la forme du pronom sujet (au lieu de *hie*)
them	« elles, eux », pour la forme du pronom complément (en remplacement de toutes les autres formes).

L'adjectif possessif (correspondant au français *leur*) a suivi le même chemin : là aussi c'est la forme scandinave *their* qui l'a emporté.

Si l'on ajoute que pour le verbe « être » *(to be)*, la forme de la troisième personne du pluriel au présent n'est pas, comme en west-saxon, *syndon* (comparable à *sind* en allemand) mais *are*, sur le modèle scandinave, on peut dire que tous les mots de la phrase suivante sont d'origine scandinave :

> *Though both are weak, ill, crooked, they are meek, happy.*
> « Quoiqu'ils soient tous deux faibles, malades, tordus, ils sont doux, heureux. »

Cet exemple un peu tiré par les cheveux demande à être complété plus sérieusement par un bilan général de l'apport des Vikings au lexique de l'anglais.

Près d'un millier de mots

Si l'on regroupait toutes les formes de l'anglais venues des langues scandinaves, on aboutirait à un total de plusieurs centaines de mots. Ils sont trop nombreux pour être reproduits dans la liste qui suit et qui ne vise qu'à montrer qu'ils appartiennent souvent au vocabulaire de la vie quotidienne. Grâce à leur classement alphabétique, on pourra les retrouver aisément.

Cet apport massif de vocabulaire scandinave à la langue anglaise contraste de façon frappante avec les quelques traces que les Vikings laisseront dans la langue française (cf. § LES VIKINGS DE NORMANDIE, p. 85).

LISTE PARTIELLE DES MOTS ANGLAIS D'ORIGINE SCANDINAVE
(AVEC LEUR SENS ACTUEL) [75]

ado agitation
aloft en haut
anger colère
are sont (du v. « être »)
athwart en travers
awe effroi
awkward maladroit
axle-tree essieu
bag sac
bait (n) appât
bait (v) harceler
bank rive
bark (v) aboyer
bask (v) se chauffer au soleil
batten (v) s'engraisser
birth naissance
blend mélange
bloom fleur
boatswain maître d'équipage
boon aubaine
booth baraque
both les deux
bound prêt à, disposé à
bread pain
brink bord
bull taureau
-by village (en toponymie)
bylaw arrêté municipal
cake gâteau
calf (of leg) mollet
call (v) appeler
cast (v) jeter
clip (v) couper
cow (v) intimider, dompter
craft habileté, ruse
crook crochet / escroc
crooked tordu
die (v) mourir
dike, dyke digue
dirt saleté

down duvet
doze petit somme
drag (v) traîner
dream rêve
droop s'affaisser
drown (v) noyer
dwell (v) résider
egg (n) œuf
egg on (v) inciter
fellow camarade
flat plat (adj)
flit (v) déplacer
fog brouillard
freckle tache de rousseur
fro (to and) çà et là
gait démarche
gap trou, lacune
gape (v) rester bouche bée
gasp (v) haleter
gate voie (en toponymie)
get (v) obtenir
gift cadeau
gild (v) dorer
girth sangle
give (v) donner
glitter (v) étinceler
guess (v) deviner
guest invité
hail (v) saluer
hap hasard
happen (v) arriver
happy heureux
haven port
hit (v) frapper
holm îlot
husband époux
ill malade
kid chevreau / gamin
kindle (v) mettre le feu
knife couteau

law loi
leg jambe
lift (v) soulever
link lien
loan prêt (n m)
loft chambre à l'étage, grenier
loose relâché
low bas (adj)
meek doux
mire bourbier
muggy humide et chaud
nay non / et même
odd étrange
outlaw hors-la-loi
plough charrue
race course de vitesse
raise (v) élever
rake rateau
ransack (v) saccager
reindeer renne
rid (v) débarrasser
rift faille
rim bord
rive (v) fendre violemment
root racine
rotten pourri
rugged rugueux, accidenté
same même (adj)
scab croûte (de plaie)
scale balance
scant peu abondant
scathing caustique, cinglant
scatheless sans dommage
scatter (v) disperser
score encoche / vingtaine
scowl (v) se renfrogner
scrap fragment
scrape (v) racler
seem (v) sembler

seemly approprié, convenable
shriek (v) pousser des cris perçants
silver argent
sister sœur
skill habileté, adresse
skin peau
skirt jupe
skull crâne
sky ciel
slaughter massacre
sly rusé
smile sourire

snub (v) rabrouer
sprint course à toute vitesse
stack meule, tas
steak tranche de viande
swain jeune soupirant
take (v) prendre
tattered en lambeaux
they, them (pron pers)
their (adj poss)
though bien que
thrall esclave (litt)
thrift frugalité, économie
thrive (v) prospérer
thrust (v) enfoncer

Thursday jeudi
thwart contrarier, contrecarrer
tidings nouvelles (n)
tight ajusté
till jusqu'à
trust confiance
ugly laid
wand baguette (magique)
want (v) manquer
weak faible
window fenêtre
wing aile
wrong faux, qui a tort

Des changements en profondeur

Du fait de ses contacts avec la langue des Vikings, la langue anglaise s'est donc trouvée modifiée de façon considérable, surtout sur le plan lexical mais aussi sur celui de la grammaire, avec l'introduction de nouvelles formes qui ont supplanté les anciennes. Et c'est aussi probablement pendant les deux siècles qu'a duré la cohabitation scandinave que l'ancien système casuel du vieil-anglais s'est progressivement délabré, laissant la place à des formes simplifiées.

C'est donc une langue complètement transformée qui accueillera les Normands venus du Continent au milieu du XIe siècle. Plus d'un siècle auparavant, ces nouveaux envahisseurs, eux-mêmes d'origine scandinave, s'étaient en effet installés définitivement de l'autre côté de la Manche.

Les Vikings de Normandie

Le contraste est grand entre les effets de la langue scandinave de part et d'autre de la Manche : déterminants pour l'anglais, ils ne feront qu'effleurer le français.

Lorsque Guillaume le Normand débarque en Angleterre en 1066, il y a déjà plus de deux siècles que ses ancêtres ont effectué leurs premiers raids sur les côtes de la Manche (c'était à la fin du VIIIᵉ siècle) et près d'un siècle et demi qu'ils sont durablement installés dans ce qui est devenu le duché de Normandie (en 911). À partir de cette date, le mot *normand* perd en fait une partie de son sens étymologique (« homme du Nord ») pour désigner un habitant du duché de Normandie, avec comme conséquence l'abandon graduel et définitif de sa langue scandinave.

EN SOUVENIR DE GUILLAUME

Henry le Jeune, fils d'Henry II Plantagenêt, roi d'Angleterre, et d'Aliénor d'Aquitaine, était un original. On raconte qu'en souvenir de son ancêtre **Guillaume le Conquérant**, il réunit et invita un jour à sa table, à Bures, en Normandie, tous ceux dont le prénom était **Guillaume**, à une époque où c'était le prénom le plus fréquent après **Jean** : cent dix-sept « Guillaume » dînèrent avec lui ce soir-là[76].

Du pillard (viking) au gentilhomme (normand)

Ce qui peut paraître surprenant, c'est l'empressement que les nouveaux venus ont mis à adopter la langue du pays devenu le leur.

Une des raisons de la rapidité de cette transformation des Vikings en Normands pourrait bien être que c'étaient des hommes seuls qui avaient abordé les côtes normandes. Dans leur duché, désormais libérés de la nécessité de piller, ils étaient devenus sédentaires et avaient pu fonder des familles avec les femmes du pays[77]. Ces dernières parlaient une langue romane, le normand, c'est-à-dire une des multiples variétés du latin tel qu'il avait évolué dans cette région. Les enfants nés de ces unions avaient ensuite très naturellement appris à la maison la langue de leur mère et tout porte à croire que la langue scandinave, encore vivante à Bayeux au milieu du Xe siècle[78], n'a pas survécu longtemps au-delà de cette date[79].

CARTE

TOPONYMES SCANDINAVES EN NORMANDIE

Ils sont généralement composés d'une forme scandinave (**beuf** « abri », **bec** « ruisseau », **fleur** « rivière »...) précédée soit d'un nom ou d'un adjectif (**Houlbec** « ruisseau profond », **Honfleur** « rivière du tournant »), soit d'un nom propre (**Houdalle** « vallée de Ulfr »...) [80].

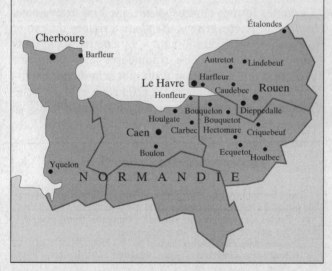

La langue des Vikings ancrée dans les toponymes

Toutefois, des traces du passage de cette langue scandinave sont encore visibles, en particulier, comme toujours, dans les noms de lieux. On les trouve surtout dans le nord du Cotentin, dans le pays de Caux, sur la côte du Calvados et dans une partie de l'Eure, mais il n'y en a pas dans le Bocage normand[81].

On les reconnaît à leurs terminaisons particulières,

-*bec* « ruisseau » : *Clarbec* « ruisseau clair », *Houlbec* « ruisseau profond » (cf. anglais *hollow* « creux » et le toponyme normand *Houlgate* « passage profond »)...

-*tot* « pièce de terre avec habitation » : *Bouquetot* « village des hêtres », *Ecqetot* « village des frênes », *Autretot* « le haut village » (les formes sont en -*toft* en Angleterre, cf. p. 71)

-*londe, -lon* « forêt » : *Bouquelon* « forêt de hêtres », *Boulon* « forêt de bouleaux », *Étalondes* « forêt de pierres » (germ. *stān* « pierre »)...

-*dalle* « val, vallée » : *Dieppedalle* « vallée profonde »...

Certaines formes comme -*fleur*, que l'on trouve dans *Harfleur* « rivière grise », *Barfleur* « rivière du cap », *Honfleur* « rivière du tournant », ou comme -*beuf* dans *Criquebeuf*, peuvent être trompeuses, car -*fleur* est l'évolution et l'adaptation d'un mot scandinave signifiant « crique, embouchure d'un fleuve » et -*beuf* celle d'un autre mot scandinave signifiant « abri » [82].

┌─ RÉCRÉATION ─

MÉFIONS-NOUS DES TOPONYMES
D'ORIGINE SCANDINAVE

Dans les toponymes d'origine scandinave, il faut se méfier de plusieurs formes, qui ne signifient pas ce que l'on croit deviner. Toutes les terminaisons suivantes sont-elles trompeuses ?

1. *bec* (dans *Caudebec*) (Seine-Maritime)
2. *mare* (dans *Hectomare*) (Eure)
3. *beuf* (dans *Lindebeuf*) (Seine-Maritime)
4. *dalle* (dans *Dieppedalle*) (Seine-Maritime)

RÉPONSE : 1. Oui, le mot est trompeur car *bec* = « ruisseau » (*Caudebec* « ruisseau froid ») 2. Non, car il s'agit bien d'une « mare » (*Hectomare* signifie « marais d'Ecquetot », c'est-à-dire du « village aux frênes ») 3. Oui : *beuf* = « abri, baraque » (*Lindebeuf* « maison du tilleul ») 4. Oui : *dalle* = « vallée » (*Dieppedalle* « vallée profonde »).

Quelques mots aussi dans la langue courante

Si l'on peut à juste titre considérer les formes scandinaves dans les toponymes comme des éléments totalement fossilisés, on ne peut pas en dire autant des quelques dizaines de mots passés dans la langue française courante : chaque fois que l'on mange du *turbot* ou du *homard*, que l'on se tient devant un *guichet*, que l'on utilise un *harpon*, qu'on regarde tourner une *girouette* ou qu'on admire un *marsouin*, ce sont des mots scandinaves que l'on peut faire revivre à tout moment à l'intérieur de la langue française.

RÉCRÉATION

ANGLICISMES OU EMPRUNTS AU SCANDINAVE ?

Les cinq mots suivants sont des mots *français* d'origine scandinave, mais qui ne sont arrivés en français qu'*à travers l'anglais*, à l'exception d'un seul, qui a été emprunté directement au scandinave. Lequel ?

1. *cake* « gâteau au beurre et aux fruits confits » (angl. « gâteau » tout court)
2. *crawl* « nage avec battements de jambes et mouvements alternatifs des bras » (angl. « ramper »)
3. *varech* « algues rejetées par la mer » (angl. *wreck* « épave »)
4. *score* « résultat (d'un match) » (angl. « encoche », « vingtaine » ou « score »)
5. *steak* « tranche de viande grillée » (angl. « tranche de viande ou de poisson »)

RÉPONSE : 3. *varech*, emprunt direct au scandinave

Il s'agit le plus souvent d'un vocabulaire en relation avec la mer, ce qui rappelle la vocation maritime des Vikings. On remarquera, à ce propos, que le *marsouin* est, étymologiquement, un « cochon de mer » (on y devine l'anglais *swine* « cochon »), que la *risée*, dans le sens de « brusque rafale de vent », d'origine scandinave, concernait tout d'abord les plis de la voile (d'où l'expression française *prendre un ris*) et que *varech* était à l'origine un mot désignant une épave en mer (cf. anglais *wreck* « épave, naufrage »).

Mais le plus joli cadeau de la langue scandinave à la langue française est sans doute justement l'adjectif *joli*. Formé sur le nom d'une fête païenne du milieu de l'hiver, *jul*, on le retrouve dans les pays nordiques pour désigner les fêtes de Noël : *God Jul !* « Joyeux Noël ! »

Un bilan contrasté

En comparant les apports vikings à la langue française et à la langue anglaise, on ne peut que confirmer un bilan nettement en faveur de l'anglais, une langue qui aurait une tout autre allure si les Vikings ne l'avaient pas profondément transformée au cours des IXe et Xe siècles.

Mais ce n'était rien auprès de ce qu'allaient lui apporter dès le milieu du XIe siècle les Normands, ces autres Vikings qui avaient fait souche de l'autre côté de la Manche, en Normandie, et où la langue qu'ils parlaient était du latin transformé à la mode normande.

Les débuts d'une longue histoire à épisodes

Les contacts entre le français et l'anglais n'avaient pas commencé à Hastings (1066). Ils remontent en fait au début du XIe siècle, car le roi Édouard le Confesseur (1002-1066), était, par sa mère Emma, le petit-fils d'un duc de Normandie, Richard sans Peur. Il avait lui-même été élevé en Normandie par des moines normands et parlait sans aucun doute leur idiome.

De plus, bien avant la bataille de Hastings, des monastères célèbres, comme l'abbaye du Bec-Hellouin en Normandie, attiraient des savants de toute la chrétienté et nombreux ont été ceux qui, comme Lanfranc

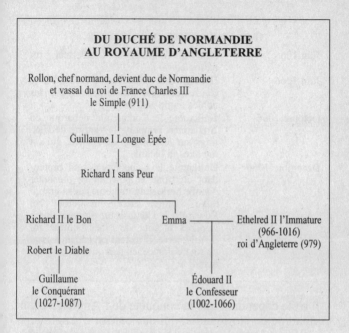

**DU DUCHÉ DE NORMANDIE
AU ROYAUME D'ANGLETERRE**

Rollon, chef normand, devient duc de Normandie
et vassal du roi de France Charles III
le Simple (911)

Guillaume I Longue Épée

Richard I sans Peur

Richard II le Bon   Emma ——————— Ethelred II l'Immature
                                                              (966-1016)
                                                    roi d'Angleterre (979)

Robert le Diable

Guillaume   Édouard II
le Conquérant   le Confesseur
(1027-1087)   (1002-1066)

de Pavie ou Anselme d'Aoste, sont devenus prieurs du Bec-Hellouin avant d'être nommés archevêques de Cantorbéry[83].

Enfin, aussi surprenant que cela puisse paraître, avec les marins scandinaves était progressivement arrivée dans le Bessin et le nord-ouest du Cotentin toute une population rurale anglaise ou anglicisée. Témoin de son origine britannique, la présence d'un vocabulaire anglo-scandinave dont on trouve encore des traces dans les usages locaux de Normandie : sous *forlenc* « langue de terrain de la taille d'un sillon », on retrouve l'anglais *furlong*, mesure agraire anglaise formée sur *furrow* « sillon »[84]. De plus, *acre* a été la seule mesure agraire utilisée en Normandie du XIe au XIXe siècle, et elle n'est pas connue ailleurs en France[85] alors qu'elle est en Angleterre la mesure agraire fondamentale.

1066, UNE ANNÉE QUI COMPTE	
Juin 1066	mort d'Edward II le Confesseur, roi d'Angleterre
Juin 1066	Harold, sans parenté avec Edward II le Confesseur, est proclamé roi par les nobles anglo-saxons
Octobre 1066	Guillaume le Conquérant débarque en Angleterre, remporte la victoire de Hastings sur les troupes de Harold, qui est tué dans la bataille
Décembre 1066	Guillaume le Conquérant, seul prétendant au trône et pouvant se présenter comme héritier du royaume par sa grand-tante Emma, mère du défunt roi Edward II le Confesseur, est couronné à Londres le jour de Noël comme roi d'Angleterre. Il restera cependant vassal du roi de France, en tant que duc de Normandie.

Il reste cependant que la conquête de l'Angleterre par Guillaume de Normandie, qui devient roi d'Angleterre en 1066, marque le début de relations encore plus intimes entre l'anglais et le français, prélude à des interférences réciproques prévisibles, chacune des langues se laissant imprégner par l'autre.

En fait, la réciprocité n'a pas été immédiate : pendant les siècles qui ont suivi la conquête, on s'aperçoit que seule la langue anglaise bénéficiera des apports linguistiques venus de France, alors que le français ne puisera réellement dans la langue anglaise qu'à partir du XVIIIe siècle. Cette apparente anomalie, résultat d'un sérieux décalage dans le temps, s'explique par l'histoire des deux pays, car l'histoire des langues est toujours inextricablement liée à celle des peuples qui les parlent.

En Angleterre les gens importants parlent normand

Avec l'arrivée massive des Normands aux comman-
des du pays dès le milieu du XIe siècle, la situation linguistique de l'Angleterre avait connu un changement
radical car les nobles et les prélats anglais s'étaient
immédiatement vu confisquer leurs biens et leurs char-
ges au profit des barons de Guillaume le Conquérant et
des dignitaires ecclésiastiques venus de Normandie. De
ce fait, alors que la population rurale et la masse des
citadins les plus modestes avaient continué à parler
anglais, la cour et toute l'aristocratie, les gens de justice, les gens d'Église, tous les milieux influents conti-
nueront à parler leur idiome normand natal, avant que
la langue du roi de France, le français, ne prenne le des-
sus durant plusieurs générations.

Une histoire d'amour qui se termine mal

En 1204, l'Angleterre perdra le duché de Normandie,
après la romanesque histoire de Jean sans Terre, roi
d'Angleterre, et fils cadet d'Aliénor d'Aquitaine et de
Henry II. Amoureux de la belle Isabelle d'Angoulême,
Jean sans Terre l'avait épousée en 1200 alors qu'elle
était déjà fiancée à Hugues de Lusignan, héritier d'une
puissante famille française du Poitou. Appelé comme
arbitre par la famille Lusignan, le roi de France Philippe
Auguste convoqua Jean sans Terre pour qu'il justifie sa
conduite devant ses pairs. Ce dernier ayant refusé de se
présenter devant le tribunal, la Cour de justice ordonna
la confiscation de son duché, et, en 1204, Philippe
Auguste envahit la Normandie[86].

Cela aurait pu sonner le glas des langues de France
en Angleterre.

D'abord le normand

Mais la langue des envahisseurs avait déjà acquis une
position de prestige en Angleterre, et cette langue avait
pu dominer d'autant mieux outre-Manche que les rois

d'Angleterre avaient été également ducs de Normandie jusqu'en 1204.

Les conquérants partageaient donc leur temps entre les domaines qu'ils possédaient de part et d'autre de la Manche : Henry II, qui était à la fois roi d'Angleterre, duc d'Anjou et du Maine et qui, par son mariage avec Aliénor d'Aquitaine, avait aussi de grandes possessions dans le sud-ouest de la France, passa en fait plus de temps en France qu'en Angleterre (cf. carte des POSSESSIONS DU ROI D'ANGLETERRE AU XIIe SIÈCLE, p. 106). Mais la langue qu'il parlait était-elle alors le français ?

On peut en douter car, à cette époque, le français ne s'était pas encore répandu au-delà de la cour du roi de France.

La France dialectale

Dans la France multilingue du Moyen Âge, on parlait, selon les régions :

> le *basque*, qui est la seule langue ayant survécu à la vague indo-européenne représentée par les Gaulois au milieu du Ier millénaire av. J.-C. ;
>
> le *breton*, une langue celtique apportée aux Ve et VIe siècles par les populations chassées du pays de Galles et de Cornwall par les Angles et les Saxons venus du Continent ;
>
> des langues germaniques *(flamand, francique lorrain* et *alsacien).*

De plus, la France connaissait également une quantité de dialectes issus du latin :

> diverses variétés de la *langue d'oc*, ainsi que le *catalan* dans la moitié méridionale (le *corse* n'entrera en scène qu'après 1860) ;
>
> *des dialectes franco-provençaux* dans l'est de la partie centrale ;

CARTE

CARTE DIALECTALE DE LA FRANCE

À la périphérie du territoire survivent des langues non issues du latin : le **basque**, langue pré-indo-européenne ; le **breton**, langue celtique ; le **flamand**, le **francique lorrain** et l'**alsacien**, langues germaniques. Tout le reste du pays est le domaine des langues romanes : **oïl** dans la moitié nord, **oc** dans la moitié sud et **franco-provençal** à l'est de la partie centrale, **catalan** dans la partie orientale des Pyrénées, et **corse**.

flamand

francique lorrain

breton

alsacien

LANGUES D'OÏL

FRANCO PROVENÇAL

LANGUES D'OC

basque

catalan

corse

Langues d'oïl

Langues romanes (autres qu'oïl)

Langues non romanes

Avancées des langues d'oïl (recul des langues régionales)

ZZZZ Le "croissant", zone d'interférences

> *des dialectes d'oïl* dans la moitié nord. L'un de ces
> dialectes d'oïl était le *normand :* précisément la langue
> de Guillaume le Conquérant et de ses barons (cf. CARTE
> DIALECTALE DE LA FRANCE, p. 95).

C'est cette dernière langue, le normand — un dialecte
d'oïl ayant évolué à sa manière après la chute de
l'Empire romain —, qui introduira dans la langue
anglaise les premiers mots venus de France.

Le dialecte normand

S'il est vrai que la base du normand[87] est strictement
latine, on peut aussi y reconnaître des influences dues
aux invasions germaniques, exercées tout d'abord par
les Saxons, essentiellement sur les côtes, puis par les
Francs, comme on le constate pour l'ensemble du
domaine d'oïl. Un peu plus tard s'étaient produites les
incursions des Vikings (VIIIe et IXe siècles), puis leur
installation (Xe siècle) dans ce qui deviendra le duché
de Normandie. Bien que l'influence scandinave sur le
normand n'ait pas été prépondérante, elle lui confère
néanmoins un caractère spécifique qui est une des ori-
ginalités remarquables du normand par rapport aux dialectes voisins.

┌─ RÉCRÉATION ─────────────────────────────────

QUELQUES MOTS NORMANDS D'AUJOURD'HUI

1. *berca* « mouton » (cf. le français *bercail*)
2. *angobilles* « menus objets », « bas morceaux d'un porc »
3. *fale* « jabot, gorge » en parlant d'un animal (cf. *s'affaler*)
4. *floquet* « petit troupeau »

Parmi ces quatre mots normands, il y en a un d'origine gauloise, un d'origine latine et deux d'origine scandinave[88]. Trouvez-les.

RÉPONSE : 1. latin 2. gaulois (cf. *gobbo* « bec ») 3. et 4. scandinave

---

L'autre originalité du normand est qu'il fait partie à
la fois de deux ensembles dialectaux d'oïl, qui se
recouvrent partiellement : d'une part celui qui

regroupe l'ensemble des dialectes d'oïl de l'Ouest et qui s'étend jusqu'à la limite des dialectes d'oc, au sud, et d'autre part celui du domaine d'oïl du Nord, qui va jusqu'à la frontière séparant les langues romanes du flamand de France et de Belgique, langue du domaine germanique.

CARTE

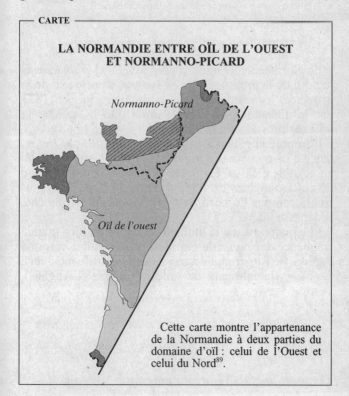

LA NORMANDIE ENTRE OÏL DE L'OUEST ET NORMANNO-PICARD

Normanno-Picard

Oïl de l'ouest

Cette carte montre l'appartenance de la Normandie à deux parties du domaine d'oïl : celui de l'Ouest et celui du Nord[89].

La « ligne Joret »

Un trait phonétique très frappant, et qui se manifeste aussi dans la forme écrite des noms de lieux, permet à la fois de séparer le normand des dialectes d'oïl de l'Ouest et de le rapprocher du domaine d'oïl du Nord, d'où l'appellation de normanno-picard, en raison des affinités du normand et du picard. Ce trait identificateur est le maintien, dans le nord de la province, de la consonne latine (ou gauloise), sans modification, dans les mots en *ca-* [ka-] :

> latin *calidum* > normand *caud* (français *chaud*)
> latin populaire *camino* > normand *quemin* (français *chemin*)
> latin populaire *piscare* > normand *pêquer* (français *pêcher*).

En Normandie, la ligne qui sépare les [k] (*vaque*, dans le nord de la province) des *ch* (*vache*, dans le sud de la province) a été établie pour la première fois en 1833 par le dialectologue Charles Joret. On la nomme la « ligne Joret ».

L'importance de cette ligne est confirmée par l'existence d'un nombre très important de toponymes en *-ville* au nord de celle-ci. En Seine-Maritime, le pourcentage de ces toponymes en *-ville* dépasse 30 % et, dans plusieurs cantons du nord du département de la Manche, il dépasse 80 % [90].

Elle marque aussi la limite de la région de plus grande fréquence des noms de famille à article initial, tels que *Lefèvre* (le forgeron, l'artisan), *Lemonnier* (le meunier), *Letellier* (le fabricant de toile), *Langlois* (l'Anglais), *Lesage, Leroy*...

Les mots anglais venus du normand

Il y a bien d'autres traits phonétiques permettant de distinguer les parlers du nord de la Normandie de ceux du sud, mais si ce trait (la prononciation de *ca*) a été choisi, c'est surtout parce qu'on en retrouve des traces riches d'enseignement dans les emprunts de la langue anglaise aux parlers venus de France. On peut ainsi

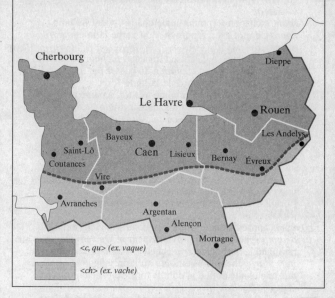

CARTE

CARTE DE LA LIGNE JORET

Cette carte permet d'avoir une vision plus rapprochée de la ligne approximative de séparation entre, d'une part, le nord de la Normandie, où le [k] latin est resté [k] (ex. *quemin* « chemin ») et le [w] germanique est devenu [v] (ex. *viquet* « guichet »), et, d'autre part, le sud, où l'évolution a été la même qu'en français[91].

Cherbourg

Dieppe

Le Havre

Rouen

Bayeux

Les Andelys

Saint-Lô   Caen   Lisieux   Bernay   Évreux

Coutances

Vire

Avranches

Argentan

Alençon

Mortagne

`<c, qu> (ex. vaque)`

`<ch> (ex. vache)`

séparer de façon plus objective les emprunts anglais au normand (précoces et rares) des emprunts (ultérieurs et massifs) au français.

Le critère phonétique décrit ci-dessus (du *ca-* maintenu) permet en effet de reconnaître, jusque dans le vocabulaire anglais contemporain, que certains emprunts très anciens sont bien d'origine normande — et pas encore française[92]. Ce n'est que plus tard qu'apparaîtront des formes comme *chapel, chair* ou *charge*, dont le *ch* montre qu'elles viennent du français.

Voici plusieurs exemples de mots anglais venus du normand :

cabbage « chou » remonte à la forme normanno-picarde *caboche* « tête », qui a délogé le vieil-anglais *cawel* « chou ». Toutefois, ce dernier n'a pas complètement disparu en anglais moderne puisqu'on le retrouve, en composition avec *flower*, dans *cauliflower* « chou-fleur »

canvas « toile », probablement du normanno-picard *canevas*, qui vient lui-même du latin *cannabis* « chanvre »

capon, « chapon » (poulet mâle châtré), vient du latin *capo*. Ce mot est à rapprocher du verbe latin *capulare* « couper »

captain « capitaine ». L'ancien français *chieftain* (avec *ch*-) autorise à penser que *captain* a dû passer par une forme (en *ca*-), diffusée au nord de la ligne Joret

castle « château » est mentionné très tôt, à peine neuf ans après la bataille de Hastings, dans l'*Anglo-Saxon Chronicle*, sous la forme *castel*, du latin *castellum*, diminutif de *castrum* « camp retranché ». Comme on l'a déjà vu (cf. p. 39), cette dernière forme latine se retrouve, de façon un peu modifiée, dans les toponymes *Chester* ou *Gloucester*

catch « attraper » vient de l'ancien normand *cachier*, alors que l'ancien français était *chacier* « chasser ». À l'origine, le verbe anglais *to catch* signifiait aussi « chasser »

cater « approvisionner » est formé sur l'ancien normand *acatour* « acheteur, approvisionneur ». On retrouve en normand le verbe *acater* « acheter », du latin *ad captare*

caterpillar « chenille » remonte au latin vulgaire *catta pilosa* « chatte poilue », dont la forme en ancien français était *chatepelose* (avec *ch*-).

cattle « bétail », de l'anglo-normand *catel*, est issu du latin médiéval *capitale* « propriété », qui a donné le français *cheptel*. La restriction de sens au bétail bovin s'est faite en anglais vers le XVIe siècle.

cauldron « chaudron », de l'anglo-normand *caudron* (le *l* a été réintroduit en anglais au XVIe siècle), est issu du latin *calidarium*, dont le premier sens était « bain chaud »

causeway « chaussée » vient de l'anglo-normand, lui-même issu du latin vulgaire *calciata (via)* « chaussée » (mot à mot : voie dont le pavage était renforcé avec de la chaux)

kennel « chenil », de l'anglo-normand *kenil*, adapté du latin vulgaire *canile*, est dérivé de *canem* « chien »

Comme on le voit, tous ces mots venus de France portent très clairement dans leur forme même la marque
de leur origine normande. Plus tard, le français étant
devenu la langue de prestige en France, ce sont des
mots français et non plus strictement normands dont
nous trouverons des traces innombrables dans la langue
d'outre-Manche (cf. § L'ANGLAIS, POUR COMPRENDRE
L'HISTOIRE DU FRANÇAIS, p. 176).

TROIS SIÈCLES D'INTIMITÉ
☞ *C'est une longue histoire d'amour*
qui ne fait que commencer

L'expansion de la langue française avait en effet trouvé un terrain particulièrement favorable en Angleterre, où elle avait pu se prolonger pendant des siècles car les contacts entre les deux pays avaient été constamment renouvelés au plus haut niveau par des mariages royaux successifs, depuis Henry II d'Angleterre (1133-1189) jusqu'à l'avènement d'Edward IV (1461-1483). Jusqu'à cette date, aucun roi anglais n'avait pris femme en Angleterre[93] et le choix des souverains, durant trois siècles, s'était toujours porté sur des épouses venues de France.

Les reines d'Angleterre venues de France ont donc sur ce point joué un rôle non négligeable, ne serait-ce que par les possessions qu'elles apportaient dans leur corbeille de mariage. De ce fait, les rois d'Angleterre possédaient aussi de vastes territoires sur le Continent, de l'autre côté de la Manche.

Tout avait commencé en 1152 avec le mariage d'Aliénor d'Aquitaine, précédemment épouse du roi de France Louis VII, avec Henry II Plantagenêt, qui deviendra roi d'Angleterre deux ans plus tard, en 1154.

Trois de leurs fils, Henry le Jeune, Richard Cœur de Lion et Jean sans Terre choisiront aussi leurs épouses en France : Henry le Jeune épousera en 1160 Marguerite de France, fille de Louis VII et de sa seconde épouse Constance de Castille, Richard Cœur de Lion épousera Bérengère, fille du duc de Navarre, et Jean sans Terre épousera Isabelle d'Angoulême en 1200 (cf. § UNE HISTOIRE D'AMOUR QUI SE TERMINE MAL, p. 93).

DES REINES D'ANGLETERRE VENUES DE FRANCE

Pendant 300 ans, de Henry II (1152) à Henry VI (1445), tous les rois d'Angleterre sans exception ont épousé des reines choisies en France :

Henry II Plantagenêt (1133-1189) épouse en 1152 **Aliénor d'Aquitaine**

Henry le Jeune (1155-1183) épouse en 1160 **Marguerite de France**, fille de Louis VII, roi de France

Richard Cœur de Lion (1157-1199) épouse en 1191 **Bérengère**, fille du duc de Navarre

Jean sans Terre (1167-1216) épouse en 1200 **Isabelle d'Angoulême**

Henry III (1207-1272) épouse en 1236 **Éléonore**, fille du comte de Provence

Edward Ier (1239-1307) épouse en 1299 **Marguerite de France**, fille de Philippe le Hardi, roi de France

Edward II (1284-1327) épouse en 1308 **Isabelle de France**, fille de Philippe le Bel, roi de France

Edward III (1312-1377) épouse en 1328 **Philippa**, fille du comte de Hainaut

Richard II (1367-1399) épouse en 1396 **Isabelle de France**, fille de Charles VI, roi de France

Henry IV (1347-1413) épouse, en secondes noces, en 1403, **Jeanne**, fille du roi de Navarre

Henry V (1387-1422) épouse en 1420 **Catherine de Valois**, comtesse du Vexin et fille de Charles VI, roi de France

Henry VI (1421-1461) épouse en 1445 **Marguerite**, fille du comte d'Anjou.

Et, près de deux siècles plus tard,

Charles Ier (1600-1649) épousera en 1625 **Henriette-Marie**, fille d'Henri IV de France, et sœur de Louis XIII[94].

Rappelons par ailleurs qu'Edward III, fils de Jean sans Terre, avait épousé en 1328 Philippa, fille du comte de Hainaut, qui avait eu pendant huit ans pour secrétaire le chroniqueur français Jean Froissart qui, pendant son séjour en Angleterre, avait commencé à recueillir des matériaux pour sa chronique de la guerre de Cent Ans[95] (cf. carte des POSSESSIONS DU ROI D'ANGLETERRE AU XIIe SIÈCLE, p. 106).

On comprend dès lors que le français devait régner sans partage à la cour d'Angleterre, et cette situation se prolongera sans discontinuer jusqu'au début du XVe siècle. Après la défaite d'Azincourt (1415), le traité de Troyes (1420) reconnaissait Henry V d'Angleterre comme héritier du royaume de France. C'est la même année qu'Henry V épouse Catherine de Valois, fille de Charles VI, roi de France, mais à partir de cette date, la situation va changer pour la langue française en Angleterre car Henry V sera le premier roi d'Angleterre à utiliser l'anglais dans les documents officiels[96].

En portant une attention particulière à l'encadré DES REINES D'ANGLETERRE VENUES DE FRANCE, p. 104, on se rend compte que, pendant trois siècles d'affilée, treize reines venues d'Aquitaine, du Vexin, d'Anjou, de Provence, du Hainaut et de Navarre avaient largement contribué à assurer la continuité de la présence de la langue française à la cour d'Angleterre.

Mais qu'en était-il du côté français ?

La réciproque n'est pas vraie

En France, l'anglais n'avait pas bénéficié de circonstances aussi favorables pour s'imposer à la cour du roi comme langue de prestige. Les seules alliances entre les cours de France et de Grande-Bretagne n'auront lieu qu'au XVIe siècle :

Louis XII, roi de France, épouse, en 1514, **Mary**, sœur d'Henry VIII d'Angleterre (1491-1547),

En 1558, le roi de France **François II** épouse **Marie Stuart**, reine d'Écosse

Beaucoup plus tard, en 1661, **Philippe d'Orléans**, frère de Louis XIV, épousera sa cousine, **Henriette-Anne**, fille de Charles Ier d'Angleterre (1600-1649). Cette dernière est surtout connue grâce à l'oraison funèbre de Bossuet au cours de laquelle il prononça son célèbre « Madame se meurt, Madame est morte ! » (mariée à *Monsieur*, frère du roi, elle avait droit au titre de « *Madame* »).

— CARTE —

POSSESSIONS DU ROI D'ANGLETERRE
AU XIIᵉ SIÈCLE

Elles s'étendent de part et d'autre de la Manche car Henry II Plantagenêt (1133-1189) est roi d'**Angleterre**, mais il hérite de son père, Geoffroy Plantagenêt, de l'**Anjou**, du **Maine** et de la **Touraine**, et de sa mère Mathilde, petite-fille de Guillaume le Conquérant, du duché de **Normandie**. Grâce à son mariage avec Aliénor, ses possessions s'étendent au **Poitou**, à l'**Aquitaine**, au **Limousin** et aux provinces limitrophes, tandis que son fils Geoffroy épousera **Constance**, duchesse de **Bretagne**, en 1182.

La langue venue de France s'était imposée dans la noblesse

L'arrivée à la cour d'Angleterre d'Aliénor d'Aquitaine, après l'annulation de son mariage avec le roi de France Louis VII et son union, au cours de la même année 1152, avec le roi d'Angleterre Henry II Plantagenêt, allait être déterminante pour l'introduction et le renforcement de la présence de la langue française en terre britannique, où les institutions mêmes prendront modèle sur celles de la France.

Les comptes de l'État sur un tapis

En Grande-Bretagne, jusqu'à nos jours, le ministre des Finances est appelé *Chancellor of the Exchequer* « Chancelier de l'Échiquier ». Ce nom remonte à une cérémonie du haut Moyen Âge où, sur le modèle de ce qui se faisait en Normandie, tous les petits fonctionnaires d'Angleterre se rendaient deux fois par an à Londres ou à Winchester, où était déposé le Trésor royal, pour y participer à une sorte de tribunal financier.

DU GARDIEN DE LA GRILLE À CELUI DES FINANCES

Le mot *chancellor* « chancelier », qui est aujourd'hui le nom du ministre des Finances de Grande-Bretagne *(Chancellor of the Exchequer)*, a pénétré très tôt en Angleterre, à l'époque d'Édouard le Confesseur, c'est-à-dire avant même l'arrivée de Guillaume le Conquérant. Le terme désignait à l'origine le secrétaire du roi, avant de devenir le nom du plus haut dignitaire de la Cour de justice. Ce terme remonte au latin *cancellarius*, qui désignait à Rome celui qui gardait la grille *(cancellus)*, passage obligé pour accéder au Tribunal.

La cérémonie se déroulait autour d'une table recouverte d'un drap noir quadrillé (comme une table de jeu d'échecs, d'où *exchequer*, ancien mot pour désigner l'échiquier en anglais), qui servait de table à calculer. Elle était divisée en sept colonnes : chacun des jetons placés sur la première colonne représentait un denier, et leur valeur augmentait progressivement jusqu'à la septième, qui culminait à 10 000 livres. Cet échiquier facilitait la tenue des comptes et c'est seulement ensuite que l'argent était déposé dans les coffres royaux[97].

L'utilisation de cet échiquier en tissu n'est plus aujourd'hui qu'un souvenir de la lointaine époque normande, toujours présente dans le nom du ministre des Finances *(Chancellor of the Exchequer)*.

Les premiers emprunts au français

Parmi les mots français le plus anciennement entrés dans la langue anglaise — dès le début du XIIᵉ siècle —, il y a *proud*, aujourd'hui « fier », mais qui signifiait « vaillant » au Moyen Âge (cf. *prud* en vieux-français, devenu *preux*), *tower* « tour » ainsi que *prison*, mais aussi *bacon*. Ce dernier mot, que l'on prend aujourd'hui pour un anglicisme en français, est au contraire une forme que l'anglais a empruntée très tôt à l'ancien français *bacon* « viande de porc, flèche de lard salé », un mot de la vie quotidienne que le français avait lui-même précédemment emprunté au germanique ancien (cf. chapitre EXCURSION AU PAYS DES « FAUX AMIS », sous *lard*, p. 127).

Une avalanche de mots français

Nous sommes à l'époque dite du « moyen-anglais », qui s'étend approximativement de la conquête normande jusqu'à la fin du XVᵉ siècle : celle d'un apport vraiment massif de mots français à la langue anglaise. Ces mots anglais sont intéressants à plus d'un titre :

leur forme a parfois gardé des traces de l'ancienne langue venue de France, écrite et orale, comme certaines consonnes (le *s* de *forest* « forêt ») ou certaines voyelles et diphtongues (*veil* « voile », *prey* « proie », *leisure* « loisir ») ;

leur sens est souvent resté celui que le mot avait en français au moment où il a été emprunté par l'anglais ;

les domaines d'emploi, qui sont surtout ceux de la vie sociale et intellectuelle mais aussi dans certains cas ceux des usages domestiques et alimentaires, révèlent l'omniprésence du français dans l'anglais de cette époque.

RÉCRÉATION

MÉFIONS-NOUS DES APPARENCES.
VRAI OU FAUX ?

1. **parrot** « perroquet » vient de **Pierrot**, diminutif de **Pierre**
2. **crayfish** (ou **crawfish**) « écrevisse » est formé sur **fish** « poisson »
3. **slate** « ardoise » vient de l'ancien français **esclat**
4. **pattern** « modèle » vient de l'ancien français **patron** « modèle »

RÉPONSE : 1. Vrai — 2. Faux, **crayfish** vient du germanique **krebiz** « crabe » — 3. Vrai — 4. Vrai.

Les commentaires qui suivent, sur la forme des mots, leurs sens et leurs domaines d'emploi, permettent d'apprécier sur pièces ce qui vient d'être avancé.

Pour savoir comment on prononçait le français

Quand les petits Français apprennent les règles d'emploi de l'accent circonflexe dans l'orthographe française, on leur dit que ce « petit chapeau » remplace une consonne disparue, et que cette consonne était le plus souvent un **s**. Mais il faudrait, pour bien s'en rendre compte, avoir sous les yeux des textes antérieurs à la réforme de l'orthographe de 1740, date à laquelle l'Académie supprima plus de dix mille **s** internes[98].

Il est peut-être plus simple de regarder la forme des mots que l'anglais a empruntés au français au Moyen Âge : cet **s** y figure bel et bien encore aujourd'hui et, pour la plupart d'entre eux (mais pas pour tous, car à

l'époque de la Renaissance latinisante, l'anglais a réta-
bli dans l'orthographe bon nombre des **s** étymologi-
ques), sa présence témoigne — à l'écrit et à l'oral —
de la manière dont ces mots se prononçaient à l'époque
où ils sont entrés en anglais. Ils sont trop nombreux
pour être tous cités, mais en voici quelques dizaines, où
l'on remarquera que la règle de l'accent circonflexe
dans l'orthographe française souffre quelques exceptions (cf. encadré ci-dessous UN « S » DÉFUNT EN FRAN-
ÇAIS ET VIVANT EN ANGLAIS).

UN « S » DÉFUNT EN FRANÇAIS
ET VIVANT EN ANGLAIS

En français, c'est à la fin du XIIIe siècle que n'a plus été prononcée la consonne **s** lorsqu'elle était suivie d'une autre consonne dans la même syllabe. C'est donc avant son élimination
de la prononciation — et donc en principe avant la fin du
XIIIe siècle — que les mots suivants ont été empruntés par
l'anglais. (Les mots anglais ont été imprimés en italique.)

I

pastry	pâtisserie	*priest*	prêtre	*bastard*	bâtard
master	maître	*pasture*	pâturage	*oyster*	huître
cost	coût	*crest*	crête	*tempest*	tempête
coast	côte	*wasp*	guêpe	*forest*	forêt
cloister	cloître	*honest*	honnête	*roast*	rôti
haste	hâte	*alabaster*	albâtre	*ancestor*	ancêtre
crust	croûte	*to hasten*	se hâter	*quest*	recherche
conquest	conquête	*mast*	mât		

II

despite	en dépit de	*spice*	épice	*sponge*	éponge
scarlet	écarlate	*strange*	étrange	*study*	étude
to spy	épier	*spine*	épine dorsale	*to respond*	répondre

III

custom	coutume

IV

custard	(sorte de crème renversée)

Les aléas de l'orthographe et de la prononciation

Les esprits curieux qui auront jeté un coup d'œil un peu appuyé sur l'encadré UN « S » DÉFUNT EN FRANÇAIS ET VIVANT EN ANGLAIS, se seront peut-être demandé pourquoi cette liste a été divisée en deux parties principales (I et II), tandis que *custom* et *custard* ont été mis à part (III et IV).

Cela s'explique (pour I et II) par la forme écrite que prennent ces mots français — jusqu'aux récentes propositions de rectifications de l'orthographe de 1990[99] : au *s* de l'anglais correspond un accent circonflexe français *(prêtre, tempête...)* dans la partie I, tandis que dans la partie II, c'est un *é* du français auquel il faut penser *(épice, éponge...)*. En français, c'est à partir de 1740 que l'accent aigu a été systématiquement noté, en remplacement de *es-*, comme par exemple dans *dépit* (ancien français *despit*)[100].

Si le mot anglais *custom* a été placé à part, c'est parce que la forme française qui est à l'origine de ce mot a connu des modifications successives. Sa forme écrite, en ancien français, était *custume* (c'est la forme que l'on trouve dans la *Chanson de Roland*). Le mot s'est ensuite écrit *coustume*, puis, comme on pouvait s'y attendre, *coûtume* (avec un accent circonflexe). Mais en 1762, l'Académie supprimera cet accent circonflexe, sans toutefois expliquer sa décision.

Enfin, *custard* est une curiosité culinaire inattendue, puisque ce mot, qui vient du vieux français, a pour base *crouste* « croûte » ce qui indique qu'une *custard* était à l'origine un pâté dont une partie formait une croûte. C'était une sorte de tarte, que l'on remplissait de viande ou de fruits, en y incorporant de la sauce ou du lait. Or, depuis le début du XVIIe siècle, *custard* ne désigne plus en anglais qu'une crème épaisse, une sorte de flan à base d'œufs battus dans du lait[101], et n'a plus rien d'un pâté en croûte.

PERDUS PAR UNE LANGUE, RÉCUPÉRÉS PAR L'AUTRE

1. Les mots **chiche** « avare » et **noces** « mariage » ont existé en moyen-anglais. Vrai ou faux ?
2. Le mot anglais **guile** « fourberie, ruse » vient de l'ancien français **guile** « fraude, fourberie, ruse ». Vrai ou faux ?
3. Le mot **baboon** « babouin » est un emprunt de l'anglais à l'ancien français. Vrai ou faux ?
4. Le mot anglais *toast* vient du verbe *toster* « griller, rôtir » de l'ancien français. Vrai ou faux ?

RÉPONSE : 1. Vrai 2. Vrai 3. Vrai. Toutefois, en ancien français, *baboue* signifiait « moue, grimace », et ce n'est qu'en 1250 qu'apparaît ce nom pour désigner un singe aux grosses babines [102]. 4. Vrai.

L'anglais : une bonne introduction à l'ancien français

Observer de près le vocabulaire anglais, c'est aussi apprendre à mieux connaître l'ancien français, comme on peut le constater dans la liste suivante :

ANGLAIS	ANCIEN FRANÇAIS
« étranger » *foreign*	**forain** « étranger »
« chagrin » *grief*	**grief** « chagrin »
« consolation » (poétique) *solace*	**soulace** « réjouissance »
« propriétaire terrien » *squire*	**escuier** « celui qui porte l'écu, le bouclier »
« mépris » *scorn*	**escorner** « faire affront, insulter »
« acheter » *to purchase*	**porchacier** « chercher à obtenir »
« cacher » *to conceal*	**conceler** « cacher »
« tenue, vêtement » *attire*	**atir** (n m) « ce qui sert à se vêtir »
« s'efforcer » *to strive*	**estriver** « faire des efforts »
« faible, léger » *faint* (adj)	**feint** (adj) « mou, sans ardeur »
« loyer » *rental*	**rental** (adj) « soumis à une redevance annuelle »
« tante » *aunt*	**ante** « tante »
« robe » *gown*	**gone** « longue cotte »

Cette liste appelle plusieurs remarques, en particulier sur des modifications de sens survenues ultérieurement en français, où *forain* ne signifie plus « étranger » mais « qui se rapporte à une foire » et où *grief* a perdu son sens premier (« chagrin ») pour acquérir celui de « motif de mécontentement ».

D'autre part, *soulace, conceler, estriver, gone...* n'ont pas survécu en français moderne.

Enfin, pour la « tante », c'est également l'anglais qui est resté le plus proche de la forme de l'ancien français, *ante*, où cette forme représentait l'évolution phonétique normale du latin *amita* « sœur du père, tante paternelle ». On pense que la forme française moderne *tante* est due à une déformation enfantine, alors que l'anglais *aunt* est resté une fois encore fidèle à l'ancien français. Tous ces exemples montrent qu'il ne faut pas s'étonner de constater que les étudiants anglais ont plus de facilité que les étudiants français pour comprendre l'ancien français.

RÉCRÉATION

QUI A DONNÉ L'AUTRE ?

Voici six mots qui sont aujourd'hui employés en anglais et en français : trois sont **d'origine française** et trois sont **d'origine anglaise**. Rendez à César...

    1. *challenge* • 2. *drain* • 3. *film* • 4. *loquet* • 5. *bacon* •
      6. *corner* (au football)

RÉPONSE : 1, 5, 6 viennent respectivement de l'ancien français *chalenge* « réclamation, défi », *bacon* « chair de porc salée » et *corniere* « coin, angle ». 2, 3, 4 sont d'origine anglaise.

Les surprises de l'étymologie

S'il est un adjectif anglais pour lequel on n'imaginerait pas qu'il est d'origine française, c'est bien *eager*, qui signifie « très désireux de ». Or il suffit de consulter n'importe quel dictionnaire étymologique d'anglais[103] pour apprendre que *eager* est un emprunt à l'ancien français *egre* « aigre », lui-même issu du latin *acer* « pointu ». Mais alors que le français s'en est tenu au premier sens (« aigre »), l'anglais l'a abandonné au début du XIXe siècle pour faire de *eager* un adjectif ne pouvant qualifier qu'un être humain dont le désir est très « aigu ».

— RÉCRÉATION ————————————

VERDIGRIS

1. Pouvez-vous reconnaître la forme française qui se cache sous le mot anglais *verdigris* ?
2. La dernière partie de ce mot est :
　A. la couleur grise ?
　B. une déformation d'un nom de pays ?
　C. une autre façon d'écrire le mot *grès* ?

été élucidée.
français *vert de Grèce*) mais la raison de cette étymologie n'a pas
RÉPONSE : 1. *Vert-de-gris* • 2. B. Il s'agit de la Grèce (en ancien

---

Des emprunts au français dans tous les domaines

Si l'on cherche à classer les emprunts de l'anglais au français qui se sont multipliés aux XIIIe et XIVe siècles, on se rend compte qu'ils se manifestent dans les domaines les plus variés, en particulier de façon massive dans ceux de la justice et des institutions, mais aussi dans celui des usages plus quotidiens (cf. la liste suivante, où la date de première attestation écrite est indiquée après le mot) [104].

LA LOI ET LA SOCIÉTÉ

　assizes, XIIIe s. « assises », désigne la cour siégeant à intervalles réguliers pour les affaires civiles et criminelles
　franchise, XIIIe s. : après avoir signifié « liberté » en général, le mot s'était spécialisé ultérieurement dans le sens de « privilège légal particulier », et, au XVIIIe s., dans celui de « droit de vote ». Il fait aujourd'hui partie du vocabulaire du commerce, avec le sens de « droit

accordé par une entreprise d'utiliser sa marque, ou son savoir-faire, par contrat »

judge et *jurisdiction*, XIIIe s., « juge » et « juridiction ». Ces deux mots remontent au latin (*jus* « loi » + *dicere* « dire »), le juge étant étymologiquement celui qui « dit la loi »

---

joust, XIIIe s., « joute », combat entre deux chevaliers à cheval

leisure, XIIIe s. Après avoir signifié « permission de faire quelque chose », ce mot désigne aujourd'hui « le temps libre » et « l'utilisation du temps libre à sa guise »

marry, marriage, XIIIe s. En ancien français, *mariage* désignait soit le mari, soit les biens des époux[105].

parliament, XIIIe s. Le mot *parlement*, en ancien français, signifiait « conversation ». En anglais, c'est devenu « le lieu de discussion » et le terme a ensuite pris le sens actuel de « la plus haute législature » comprenant le roi (ou la reine), la Chambre des lords et la Chambre des communes.

exile, XIIIe s. « bannissement, exil ».

heir, XIIIe s. « héritier » (le mot vient de l'ancien français *heir*)

to obey, XIIIe s. « obéir »

to summon, XIIIe s., « convoquer ». Le verbe en ancien français était *semondre* et signifiait « inviter à faire quelque chose ». De ce verbe, que l'on trouve encore chez George Sand avec le sens d'« inviter à une noce », il ne reste plus aujourd'hui en français que le participe substantivé *semonce*, qui n'a pris le sens de « réprimande » qu'au XVIIe siècle

---

HEIR : UNE EXCEPTION

Il y a, outre *heir*, d'autres mots anglais où le **h** à l'initiale ne se prononce pas.

Combien y en a-t-il dans la liste suivante, et lesquels ?

hacker	*hard*	*hall*	*hobby*	*Halloween*
honest	*handicap*	*honour*	*happening*	*hour*

RÉPONSE : Il y en a trois : *honest, honour* et *hour*, car ils sont d'origine latine et non germanique.

LE COMMERCE

to bargain, XIVᵉ s. « marchander », de l'ancien français *bargaignier* « hésiter », aujourd'hui *barguigner*

to profit, XIVᵉ s. « profiter », « faire des profits »

to pay, XIIᵉ s. « payer ». Ce verbe, qui vient de l'ancien français *paier* (formé sur la racine de *paix*), a gardé jusqu'à la fin du XVᵉ s. le sens de « apaiser », aussi bien en français qu'en anglais

merchant, XIIIᵉ s. « marchand »

debt, XIIIᵉ s. « dette » a été emprunté sous la forme *det*, qui était celle de l'ancien français, elle-même plus tard relatinisée en *debte*. La forme écrite de l'anglais est *debt* au XVIᵉ s., alors que le français reprenait un peu plus tard une graphie plus conforme à la prononciation, *dette*. Remarquons que le *b* de *debt* n'est jamais prononcé en anglais.

affair, XIIIᵉ s. « affaire », qui vient de *à faire*. La graphie *affair*, établie par Caxton au XVᵉ s., a été décidée sur le modèle du français *affaire*. Mais si le mot anglais *affair* s'emploie souvent dans le même sens qu'en français, il peut aussi conduire à des quiproquos, en particulier lorsqu'il prend le sens qu'il a dans *(love) affair* « liaison amoureuse ». Le mot *affair* devient alors ce que les linguistes appellent un *faux ami*, c'est-à-dire un mot dont la forme est identique ou très semblable dans les deux langues, mais qui a développé des sens différents dans chacune (cf. chapitre EXCURSION AU PAYS DES « FAUX AMIS », p. 121)

money, XIIIᵉ s. Transmis par le français à l'anglais, ce mot remonte au latin *Moneta*, surnom de la déesse Junon et nom du temple où elle était adorée et près duquel avait été installé l'hôtel de la monnaie à Rome[106]. Il faut rappeler en outre que fr. *monnaie* et angl. *money* ne sont pas des équivalents : fr. *monnaie* correspond à *(small) change* en anglais et angl. *money* correspond en français à *argent* (servant à payer).

LA VIE DOMESTIQUE

chain, XIIIe s. « chaîne »

curtain, XIIIe s. « rideau », est une évolution de la prononciation à partir de l'ancien français *cortine* « rideau de lit »

cushion, XIVe s. « coussin ». En ancien français, le mot était *coissin*[107]

closet, XIVe s. « placard ; cabinet », de l'ancien français *closet* « petit enclos »

to dress, XIVe s. « habiller ». À l'origine, ce verbe signifiait « mettre droit ».

kerchief, XIIIe s. vient de l'ancien français *couvre chief* « foulard sur la tête ». *Kerchief* a aujourd'hui disparu de l'usage anglais, et on ne le retrouve plus que dans le nom composé *handkerchief* « mouchoir ». Ce n'est pas le cas de *napkin* « serviette de table », toujours vivant.

DU FRANÇAIS SOUS *NAPKIN* ET *APRON*

Ces deux mots anglais, *napkin* et *apron*, sont des sortes de doublets car ils viennent tous deux du français **napperon**, mais par des chemins très différents.

Napkin « serviette » est un hybride moitié français, moitié germanique, construit sur le français **nappe**, avec un diminutif germanique **-kin**.

Pour que **napperon** devienne *apron*, il a fallu se tromper sur le sens à donner au premier **n** de **napperon**, qui a été pris pour le **n** de liaison avec l'article indéfini **un** : **un napperon** a été perçu comme **un apperon** d'où, en anglais, *an apron*.

---

petticoat, XIIIe s. actuellement « jupon », mais le mot *coat*, tout comme *cotte* en ancien français, désignait à l'origine une sorte de tunique longue à manches, qui était portée par les hommes. Noter que *petty* est aussi un emprunt à l'ancien français et signifiait alors « de peu de valeur ».

blanket, XIIIe s. « couverture », de l'ancien français *blanquette* « couverture de drap blanc ».

towel, XIIIe s. « serviette », de l'ancien français *toaille* « serviette », aujourd'hui disparu et qui était issu d'une forme germanique en relation avec le lavage (cf. le suédois *tvål* « savon ») [108].

chair, XIIIe s. « chaise » La forme ancienne en français était effectivement *chaiere*, ce qui explique la forme *chair* en anglais, et ce n'est qu'au XVIe s. que la forme *chaise* l'a remplacée en français commun, tandis que la forme *chaire* (dans le sens de « chaise ») se maintenait régionalement, par exemple dans les parlers d'oïl de l'Ouest[109]

pantry, XIIIe s. « garde-manger », vient de l'ancien français *paneterie* « lieu où l'on garde le pain ».

LA NOURRITURE

flour, XIIIe s. « farine », s'est écrit *flower* jusqu'au XVIIIe s. (cf. en français *la fine fleur* « la partie la plus fine du grain de blé moulu »).

mustard, XIIIe s. « moutarde », de l'ancien français *moustarde*, condiment fait à partir de graines mêlées à du moût de raisin.

grape, XIIIe s. « raisin », de l'ancien français *grape* « grappe de raisin », qui a remplacé le vieil-anglais *winberige*, littéralement « baie à vin ».

claret, XIVe s. Ce mot, de l'ancien français *claret*, qualifiait au XIIe siècle un vin additionné de miel et d'épices aromatiques[110]. C'est au XVIIe siècle que le mot *claret* a désigné le vin rouge en Angleterre. Comme, à cette époque, la plupart du vin importé en Angleterre venait du sud-ouest de la France, *claret* a fini par se spécialiser dans le sens de « vin de Bordeaux ».

cellar, XIIIe s. « cave à vin, cave à provisions ».

butler, XIVe s. « maître d'hôtel », de *bouteiller* « sommelier ».

to mince, XIVe s. « couper fin », du verbe *mincier* « émincer, couper en petits morceaux ».

stew, XIVe s. « ragoût », mais le sens originel était « bain de vapeur » (cf. le verbe *étuver*, de l'ancien français *estuver* « tremper dans un bain chaud »).

pork, mutton, beef, veal, XIIIe s. respectivement pour la viande de porc, d'agneau, de bœuf, de veau, par opposition avec les noms des animaux sur pied : *pig, sheep, ox, calf*, d'origine germanique.

sugar, XIIIe s. Introduit en anglais par l'ancien français, ce mot vient en dernière analyse du sanskrit, mais il était d'abord passé par l'arabe, le latin médiéval et l'italien. La prononciation anglaise de la première consonne de ce mot (un peu comme le *ch* de *chou* en français) est une indication de la prononciation probable du *s* en ancien français.

to toast, XIVe s. « rôtir », est un emprunt à l'ancien français
   toster « griller, rôtir ».

Des mots qui n'ont plus le même sens

Au Moyen Âge, de nombreux noms, verbes et adjectifs anglais empruntés à l'ancien français n'ont pas toujours gardé en anglais le sens qu'ils avaient en ancien
français et, parfois, ils ont développé un nouveau sens
que le français ne connaît pas. Dans les deux cas, ces
mots constituent de bons exemples de « faux amis ».
On trouvera ci-après un petit guide des « faux amis »
qui, comme on s'en doute, regroupe des mots dont la
forme est proche ou identique dans les deux langues
mais dont le ou les sens sont toujours différents.

EXCURSION AU PAYS DES « FAUX AMIS »
☞ *Une maxi-récréation pleine de « mots trompeurs »*

Ce petit guide pratique[111] n'est qu'un banal dictionnaire bilingue, mais il peut aussi avoir une autre fonction, un peu ludique. Le jeu consiste à partir de la forme anglaise de la colonne de gauche (en *italique gras*), en cachant la colonne de droite. Il s'agit tout d'abord de deviner la forme française avec laquelle les erreurs d'interprétation sont fatales, ce qui est un jeu d'enfant (par exemple le mot anglais *achieve* face au mot français **achever**). Il faut ensuite chercher une traduction adéquate en français de la forme anglaise, ce qui n'est pas du tout évident (*achieve* se traduira plus exactement par **accomplir** ou **réussir**). La solution se trouve dans les commentaires de la colonne de droite, où les formes françaises sont en **romain gras** afin de les distinguer des formes anglaises en *italique gras*.

ANGLAIS	COMMENTAIRES
achieve (to)	ne signifie pas « achever » (qui se dirait *to finish* ou *to complete* en anglais) mais **accomplir** ou **réussir**.
account	surtout ne pas se laisser abuser par la similitude avec **acompte** (qui serait *deposit* en anglais) car *account* correspond soit à **compte** (par ex. à la banque), soit à **compte rendu** (d'un événement).
actual (adj)	On pense tout de suite à **actuel** et on a tort, car fr. **actuel** = angl. *current* alors que angl. *actual* = fr. **réel, concret**.
advertisement	c'est la **publicité**. Sous forme abrégée, on aurait *ad* en anglais et **pub** en français. D'autre part, fr. **avertissement** = angl. *warning*.

« ACTUALLY, PRESENTLY, EVENTUALLY » :
ATTENTION, DANGER !

Voici trois adverbes particulièrement trompeurs, car :

actually	correspond au français	**en fait, en réalité**
presently	...	**bientôt**
eventually	...	**finalement**

Inversement, il faudra aussi se méfier de :

actuellement	qui correspond à l'anglais	*currently*
présentement	...	*now, nowadays*
éventuellement	...	*possibly*

affluence	c'est l'**abondance**, la **richesse** et jamais la **foule**. *To be affluent*, c'est « vivre dans l'aisance ».
agony	en anglais, ne signifie que « angoisse ». Seule l'expression *death agony* correspond au français **agonie**.
agreement	en anglais, il ne s'agit jamais d'un « agrément », notion qui se rendrait par angl. *charm*, mais d'un « accord », d'une « entente ».
alter (to)	le verbe français **altérer** apporte toujours une nuance péjorative, alors que le verbe anglais *to alter* signifie simplement « modifier », sans jugement de valeur.
amorous (adj)	malgré son allure anodine, cet adjectif anglais penche toujours nettement du côté sexuel. On pourrait presque le traduire par **libidineux**. Si l'on est *amorous*, c'est que l'on a des idées sexuelles derrière la tête.
appointment	cet *appointment* anglais est un **rendez-vous** et n'a rien à voir avec le français **appointements** (angl. *salary*). À noter que la forme *rendezvous* existe aussi en anglais avec le même sens qu'en français, et qu'elle peut même se conjuguer (*he rendezvoused*).
barracks	ce pluriel anglais est souvent traité comme un singulier et signifie « caserne », mais fr. **baraque** = angl. *hut, shanty*.
candid (adj)	signifie « franc » alors que fr. **candide** = angl. *ingenuous, naive*.
car	en anglais, le mot *car* renvoie à n'importe quelle voiture automobile, tandis qu'en

français, un **car** ne peut être qu'un autocar (angl. *coach*).

cargo   ce mot, venu de l'espagnol, signifie en anglais « cargaison, chargement », tandis qu'en français un **cargo** est un navire de transport (en anglais *cargo boat*).

carpet   est en français un « tapis », mais fr. **carpette** = angl. *rug*.

casserole   désigne en anglais un « plat mijoté », un « ragoût en cocotte » tandis que **casserole** en français n'est qu'un ustensile de cuisine (*saucepan* en anglais).

cave   en anglais, *cave* est une « caverne » et non pas une « cave à vins », qui se dit *cellar*.

chandelier   en français, le **chandelier** est un support permettant de recevoir des chandelles tandis que *chandelier* en anglais est un « lustre », ce qui rappelle que les premiers lustres étaient justement des chandeliers.

— **RÉCRÉATION** —

MÉFIONS-NOUS DE LA GRAPHIE <CH>

En anglais, cette graphie se prononce généralement *tch*, comme dans *church*, mais dans de nombreux mots d'origine française, elle se prononce comme en français. C'est le cas de *chandelier* et d'une bonne centaine d'autres mots anglais empruntés au français.

Parmi les mots suivants, quels sont ceux où le groupe *ch* se prononce en anglais comme le *ch* de *cheval* ou de *chien* ? (il y en a huit)

achieve	champion	chauffeur
chalet	chance	chivalry
champagne	charabanc	Chicago
champignon	charm	machine

RÉPONSE : tous sauf *achieve, champion, chance* et *charm*.

---

chant (to)   n'est pas le synonyme de *to sing* « chanter », mais signifie « scander » ou « psalmodier ».

chiffon   est, en français, un « bout de tissu servant à épousseter », mais désigne la « mousseline de soie » en anglais.

commodity   en anglais, c'est « un produit de base, une matière première » et non pas une **commodité** (angl. *convenience*).

comprehensive	« complet, détaillé » : angl. *a comprehensive survey* = fr. *un rapport circonstancié*.
content (adj)	qualifie celui « qui se contente, qui s'accommode », alors que le fr. **content** signifie « heureux, satisfait ».
convene (to)	en anglais, c'est « convoquer (une réunion) », et non pas « convenir », qui se dirait *to suit*.
crayon	en français, **crayon** est un « instrument servant à écrire » et dont la trace peut aisément être effacée à la gomme, ce que les enfants appellent un **crayon-papier** (angl. *pencil*) ; il peut avoir indifféremment une mine noire ou de couleur, mais en anglais, *crayon* est spécifiquement un crayon de couleur.
dancing	en français, le « lieu public où l'on danse » ; en anglais, « la danse, le fait de danser ».
demand (to)	en anglais, le sens est « exiger », ce qui est beaucoup plus contraignant que le français **demander**.

— RÉCRÉATION —

DEMAND : ATTENTION !
L'ACCENT EST SUR LA 2ᵉ SYLLABE

Dans les deux listes ci-dessous, on a classé les mots selon la place de l'accent sur la première ou la deuxième syllabe, mais quelques intrus se sont glissés parmi eux. Il y en a 3 dans la liste de gauche et 3 dans la liste de droite. Trouvez-les.

ACCENT SUR LA 1ʳᵉ SYLLABE ?		ACCENT SUR LA 2ᵉ SYLLABE ?	
banquet	honourable	cathedral	gazelle
cashier	idea	condemn	immediately
character	issue	dessert	omelette
congress	mischief	detail	perfect (adj.)
consider	passage	develop	regard
effort	safety	event	routine

RÉPONSE : dans la liste de gauche, sont accentués sur la 2ᵉ syllabe : *consider, cashier, idea*. Dans la liste de droite, sont accentués sur la 1ʳᵉ syllabe : *detail, omelette, perfect*.

denture	la denture, en français, est « l'ensemble des dents » mais en anglais *denture* désigne un « dentier » ou une « prothèse dentaire ».
deputy	en anglais, *deputy* correspond à « adjoint, remplaçant » et non pas à **député**, qui serait *member of Parliament* (GB) ou *representative* (EU).
disagreement	« désaccord », est en anglais beaucoup plus fort que le français **désagrément**, qui équivaudrait en anglais à *annoyance, displeasure*.
dispute	en anglais, « discussion, contestation » mais en français, « querelle ».
distracted	« éperdu, fou », d'où *to love to distraction* « aimer à la folie », et non pas **distrait**, qui serait *absent-minded*.
editor	« rédacteur en chef », mais fr. **éditeur** = angl. *publisher*.
enervating	« amollissant, débilitant » et non pas « énervant », qui se dirait *irritating*.
exonerate (to)	« disculper, innocenter » et non pas « exonérer », qui se dirait *to exempt*.
expertise	en anglais, « savoir-faire, connaissance de l'expert » ; en français : « évaluation (de dégâts, de frais, de bijoux) ». Le sens du mot anglais commence à s'introduire dans les usages français : un anglicisme que les puristes condamnent.
extenuating circumstances	« circonstances atténuantes », mais fr. **exténuant** = angl. *exhausting*.
extra	« en supplément », alors que fr. *extra* = angl. *first-rate, top-quality*.
extravagant	« dépensier », mais fr. *extravagant* = angl. *crazy, excessive*.

DEUX FAUX AMIS DANS UNE SEULE PHRASE

« A **miser** grows rich by seeming poor,
an **extravagant** man grows poor by seeming rich. »
« Un homme **avare** devient riche en ayant l'air d'être pauvre ;
un homme **dépensier** devient pauvre en ayant l'air d'être riche. »

Shakespeare

fabric	« tissu, étoffe », mais fr. **fabrique** = angl. *factory, works* ou encore *mill* (pour le textile, le papier ou l'huile).
fastidious	« minutieux, méticuleux » et non pas « fastidieux », qui serait *tedious*.
fierce	« féroce, violent » est un emprunt à l'ancien français *fier* « cruel, violent ; grand, fort », mais on ne peut pas aujourd'hui identifier le sens de l'anglais *fierce*, resté « féroce, violent », à celui du français **fier**, devenu « content de soi » (équivalent de l'anglais *proud*).
formidable	en anglais, le mot a gardé son sens étymologique : « redoutable, impressionnant ». En français, c'est devenu une expression superlative pour quelque chose de très important ou de très admirable.
genial	« doux, affable » et très rarement « génial », qui en anglais serait *brilliant* ou *great*.

L'ADJECTIF « GENTIL »
ET SON ABONDANTE DESCENDANCE EN ANGLAIS

En ancien français, **gentil** signifiait « noble, bien né » (cf. latin *gens*) et c'est avec ce sens que cet adjectif est tout d'abord passé en anglais sous la forme *gentle*, que l'on retrouve par exemple dans *gentleman*. Bien plus tard — au XVIe siècle — cet adjectif *gentle* a été ré-emprunté par l'anglais, cette fois sous la forme *genteel* et avec le sens de « distingué, élégant », cependant que *gentle* prenait le nouveau sens, qu'il a encore le plus souvent de nos jours, de « doux, aimable, sans rudesse ».

Mais le mot français **gentil** n'avait pas fini de proliférer car il est aussi à l'origine de *jaunty* « enjoué, désinvolte », emprunté par l'anglais au XVIIe siècle et dont la forme semble bien être une tentative d'imitation de la prononciation française de **gentil**.

---

grand	« grandiose, magnifique » et non pas simplement « important, de grande taille », qui serait *high, big, tall.*
grape	« (grain de) raisin », mais fr. **grappe de raisin** = *bunch of grapes*.

gratification	en français « somme reçue en récompense d'un service rendu » (ce qui serait **bonus** en anglais) tandis que l'anglais *gratification* correspond (dans un langage soutenu) au français **satisfaction**.
gratuity	signifie « gratification, pourboire » et non pas « gratuité ».
grief	« chagrin », tandis que fr. **grief** = angl. *grievance*.
hall	en français, **hall** désigne un vestibule de grande taille (souvent traduit en anglais par *lobby*). En anglais, *hall* peut désigner l'entrée d'un appartement, une salle de conférences, un château ou encore un foyer d'étudiants.
impotent	en français, cet adjectif qualifie une personne handicapée physiquement (en anglais *crippled, disabled*). En anglais, *impotent* qualifie une personne impuissante, au propre ou au figuré.
injure (to)	« blesser », mais fr. **injurier** = angl. *to abuse*.
intoxicated (adj)	« ivre », mais « intoxiqué » se dirait *poisoned* en anglais.
jolly	vient de l'ancien français **jolif**, et signifiait alors, non pas « joli, beau », mais « joyeux, drôle ». Il a légué ce même sens à l'anglais *jolly*, qui ne peut pas être traduit par **joli**. Il retrouve curieusement, dans des usages familiers, un parallélisme proche de ses origines : *we are jolly glad to come* « nous sommes drôlement contents de venir »[112].
journey	« voyage (plutôt long) », À l'origine, *journey* était un voyage d'une journée.
labour (to)	« travailler dur », mais fr. **labourer** = angl. *to plough*.
lard	ce que l'on appelle **lard** en français (d'où les **lardons**) correspond en anglais à *streaky bacon* « bacon zébré de graisse ». Ce qu'on appelle du **bacon** en français (et aussi en anglais) est surtout fumé et comporte moins de graisse, tandis que ce qui se nomme *lard* en anglais correspond à ce qu'on appelle en français le **saindoux**. Vous me suivez ?

Le schéma ci-après est — en principe — destiné à rendre ces distinctions plus claires.

FRANÇAIS   ANGLAIS

lard   *streaky bacon*

bacon

saindoux   *lard*

large (adj)   l'adjectif anglais *large* correspond à **grand, considérable** en français ; l'adjectif français **large** correspond à *wide* ou à *broad* en anglais. Autrement dit, le français **large** s'oppose à *long*, tandis que l'anglais *large* s'oppose à *small*.

lecture   Alors que sous **lecture**, en français, on retrouve le fait de lire, *lecture* en anglais évoque la conférence, le cours d'université. Cela explique peut-être pourquoi un conférencier de langue anglaise est souvent enclin à **lire** sa conférence.

library   « bibliothèque » et non pas « librairie », qui se dirait *bookshop* ou *bookstore*. L'anglais a donc gardé le sens que **librairie** avait encore en français du temps de Montaigne.

loyal (adj)   *a loyal man* est un homme « fidèle, dévoué » ; un **homme loyal** est un homme « honnête, droit ».

malice   en anglais, *malice* ne peut indiquer qu'une pure méchanceté ; en français, dans la **malice**, il y a le plus souvent de l'amusement à mettre son voisin en difficulté.

malicious   signifie « méchant », alors que fr. **malicieux** = angl. *mischievous*.

mash (to)   « écraser », d'où *mashed potatoes* « purée de pomme de terre » et non pas « pommes de terre mâchées » (fr. **mâcher** = angl. *to chew*).

mundane (adj)   « banal, quelconque », et non pas
                      « mondain », fr. **vie mondaine**=angl. *busy*
                      social life.

novel   signifie « roman », et fr. **nouvelle** = angl.
                      short story.

nurse   traduit par **bonne d'enfants, nounou** en
                      français, *nurse* est une infirmière en
                      anglais, mais le mot *nurse* vient du français
                      nourrice.

┌───┐

RÉCRÉATION

UN SEUL « BON » AMI

Voici cinq couples anglo-français candidats aux interprétations
erronées. Il s'y trouve un seul « **bon** » ami au milieu de
« **faux** » **amis**. Découvrez-le.

ANGLAIS	FRANÇAIS
jolly	*joli*
forest	*forêt*
eventually	*éventuellement*
physician	*physicien*
casserole	*casserole*

RÉPONSE : *forest* / forêt est un couple de « bons » amis (formes
voisines et même sens). Tous les autres sont des « faux » amis, car
jolly signifie « joyeux » et « joli » se dit *pretty* ; *eventually* signifie
« finalement » mais « éventuellement » se dit *possibly* ; *physician*
signifie « médecin » mais « physicien » se dit *physicist* ; *casserole*
signifie « ragoût en cocotte » mais « casserole » se dit *saucepan*.

└───┘

onerous (adj)   « pénible ». Le mot anglais a gardé le sens
                      du latin *onus, oneris* « charge, fardeau »,
                      très différent du fr. **onéreux** = angl.
                      expensive.

pain   « douleur ». C'est seulement sous la forme
                      écrite qu'on pourrait penser à des faux amis
                      (fr. **pain** = angl. *bread*).

palace   en anglais, *palace* est un « palais » mais un
                      palace en français est un « hôtel de luxe ».

parking   en français, le **parking** est un lieu où l'on
                      gare sa voiture ; en anglais, c'est le fait de
                      la garer.

patron   un **patron** en français se trouve toujours du
                      côté de la direction d'une société, d'une
                      entreprise ou d'un magasin. En anglais, le

mot *patron* renvoie au contraire au client.
Mais cela peut aussi être une sorte de
mécène, et l'on retrouve ainsi le même sens
que dans l'expression française **sous le
patronage de...**

petrol   « essence », mais fr. **pétrole** = angl. *oil*, ou
                    encore *petroleum*.

petulant (adj)   « irritable », mais fr. **pétulant** = angl.
                    exuberant, vivacious.

phrase   une **phrase**, en français, est un ensemble
                    syntaxique formant un énoncé complet et
                    qu'on pourrait traduire en anglais par
                    sentence, autre faux ami, que l'on
                    retrouvera plus bas ; en anglais, *phrase*
                    n'est qu'une « expression » pouvant être
                    très brève mais ne constituant pas une
                    phrase (au sens français du mot).

plate   « assiette », alors que fr. **plat** = angl. *dish*,
                    qu'il s'agisse du contenant ou du contenu.

prejudice   en anglais, c'est un « préjugé », mais fr.
                    préjudice = angl. *damage*.

process   « procédé, processus », mais fr. **procès** =
                    angl. *proceedings, lawsuit*.

profane (adj)   en anglais c'est très nettement le sens de
                    « impie, blasphématoire » qui est
                    privilégié ; mais en français le terme
                    profane s'applique aussi bien à ce qui n'est
                    pas religieux (**musique profane**) qu'à une
                    personne non initiée, quel que soit le
                    domaine.

promiscuity   « permissivité sexuelle », alors qu'en
                    français, la **promiscuité** suggère une
                    situation de proximité désagréable.

prune (n)   Il y a là une question d'état du fruit : la
                    prune est en français le fruit du prunier
                    (*plum* en anglais) tandis que l'anglais
                    prune ne peut être que ce même fruit séché
                    (**pruneau** en français).

puzzle   le français a emprunté le mot **puzzle** à
                    l'anglais, mais dans une acception très
                    restreinte : jeu de pièces de bois découpées
                    de façon aléatoire et qu'il faut rassembler
                    avec beaucoup de patience (en anglais
                    jigsaw ou *jigsaw puzzle*). L'anglais *puzzle*
                    (tout court) a un sens beaucoup plus
                    général, celui de « énigme, casse-tête ».

RÉCRÉATION

EN ANGLAIS, IL Y A *PRUNE* ET *PRUNE*

En dehors du nom *prune*, qui désigne le **pruneau**, il existe un verbe *to prune*, bien connu des jardiniers, et qui signifie « tailler, élaguer ».

Ce verbe est-il d'origine germanique ou d'origine latine, par l'ancien français ?

RÉPONSE : d'origine latine, du verbe *provrotundiare*, qui avait abouti en ancien français à *proignier* avec le sens de « couper la partie antérieure de façon arrondie ».

	Ainsi, pour les « mots croisés », faut-il préciser *crossword puzzle*.
refuse	« détritus, ordure », mais fr. **refus** = angl. *refusal*.
regard	le **regard** est du domaine physique en français, puisque les yeux en sont l'origine. En anglais, *regard* est résolument abstrait et pourrait se traduire en français par **égard, considération**. À la fin d'une lettre : *give my best regards to*... correspondrait à : **transmettez mon bon souvenir, faites mes amitiés à**...
relief	bien que l'anglais *relief* ait été emprunté à l'ancien français **relief**, qui avait alors le sens de « soulagement » (comme en anglais moderne), ce sens a complètement disparu du français, où **relief** correspond aujourd'hui à tout ce qui fait saillie (typographie, sculpture...) ou, au pluriel, aux restes d'un repas.
remark (to)	« faire remarquer », mais fr. **remarquer** = angl. *to notice*.
rude (adj)	alors que le français a gardé quelque chose de l'un des sens matériels que ce mot avait en latin (« grossier, mal dégrossi, qui n'a pas été poli »), l'anglais *rude* a développé un autre sens existant aussi en latin (« ignorant ») — qui est aussi celui de l'ancien français — mais en le restreignant à « ignorant les bonnes manières » et donc « impoli ».

sensible (adj)   l'adjectif anglais *sensible* correspond au français **raisonnable** mais l'adjectif français **sensible** correspond à l'anglais *sensitive*.

sentence   alors qu'en français **sentence** ne peut se référer qu'à une décision de justice ou, par métaphore, à celle d'une haute autorité, *sentence* en anglais courant a le sens du français **phrase** grammaticale (voir aussi *phrase*).

slip   voici un anglicisme trompeur en français puisqu'un **slip** est, en français, une petite culotte échancrée sur les cuisses (ce qui correspond en anglais à *underpants, pants, panties*) tandis qu'en anglais, *slip* est un jupon ou une combinaison. En outre, *slip* peut être en anglais un bout (de papier), un lapsus ou une faute d'inattention, sens qu'il n'a jamais en français.

smoking   emprunté à l'anglais *smoking jacket*, le français désigne sous le mot **smoking** un habit de soirée pour homme (*dinner-jacket* en Grande-Bretagne et *tuxedo* aux États-Unis).

speaker   emprunté à l'anglais, **speaker**, peu utilisé aujourd'hui, n'a en français que le sens de présentateur à la radio ou à la télévision (*announcer* en anglais et *anchorman* aux États-Unis), alors qu'en anglais, *speaker* renvoie à toute personne qui parle (avec une mention spéciale pour le *Speaker of the House* « le président de la Chambre des communes »).

stage   en français, un **stage** est une courte période d'essai, d'entraînement à un sport ou à une profession, mais en anglais, *stage* désigne soit la scène d'un théâtre, soit une étape (d'un travail ou d'un voyage).

standing   voilà un cas où le français n'emploie le mot que dans un sens favorable (le **standing**, en français, ne peut être que « bon » ou « grand ») tandis que l'anglais emploie ce mot de façon neutre.

surname   « nom de famille », mais fr. **surnom** = angl.
                            nickname.

ANGLAIS *NICKNAME* ET FRANÇAIS *LICORNE*, QUEL RAPPORT ?

À première vue, aucun. Et pourtant, on peut en trouver un si l'on pense à la formation de ces deux mots, tous deux dus à des erreurs d'interprétation.

En effet, on a dit **licorne** après avoir entendu **unicorne** (animal plus ou moins fabuleux à une corne) en croyant qu'il s'agissait d'**une icorne** avec l'article indéfini, d'où **l'icorne** avec l'article défini. La confusion était alors possible à l'oreille entre **l'icorne** et **licorne**, d'où la forme **licorne**.

C'est le même phénomène qui est à l'origine de **nickname** en anglais car la forme initiale est **an ekename** « un nom ajouté » (de **to eke out** « ajouter »). L'article indéfini a bientôt cessé d'être identifié comme tel, d'où **a nekename**, écrit plus tard **nickname** « surnom ».

---

survey   « passer en revue », et non pas
                            « surveiller » (en anglais *to watch*).

sympathetic (adj)   « compatissant », et non pas **sympathique**,
                            qui serait *likeable, nice* en anglais.

trivial (adj)   contrairement à **standing**, qui, en français,
                            a toujours une nuance favorable, l'adjectif
                            français **trivial** a toujours une nuance
                            péjorative (l'adjectif anglais correspondant
                            serait *crude, coarse* ou *vulgar*) alors qu'en
                            anglais, *trivial* signifie « insignifiant,
                            banal », ou même « sans valeur, sans
                            importance, futile ».

truculent (adj)   Attention aux contresens ! En français, si
                            on dit de la prose de Rabelais qu'elle est
                            truculente, c'est parce qu'elle est haute en
                            couleur et qu'elle impressionne par ses
                            excès. C'est donc presque laudatif. En
                            anglais, c'est le sens d'origine qui a
                            généralement été conservé (cf. l'adjectif
                            latin *truculentus* « menaçant, redoutable »),
                            et *truculent* signifie, selon les contextes :
                            « énorme », ou même « renfrogné, revêche,
                            agressif ».

« VERSATILE » : LE PLUS FAUX DES FAUX AMIS

Être **versatile**, en français, c'est être une girouette, ne pas savoir ce qu'on veut, changer d'avis sans raison apparente, tandis que *versatile* en anglais qualifie une personne aux talents divers, ou un matériau exceptionnel, polyvalent, aux usages multiples.

---

vest	« tricot de corps » (GB), « gilet » (EU) et non pas « veste » (qui se dit *jacket*). À remarquer qu'au Québec, une **veste** est sans manches et un **gilet** a des manches[113].

Réflexions sur les « faux amis »

Les quelques dizaines de « faux amis » de la liste qui vient d'être commentée ne constituent qu'un échantillon des centaines que l'on pourrait recueillir, comme l'ont fait de nombreux professeurs de langue française ou de langue anglaise, bien conscients des quiproquos ou des situations inconfortables pouvant naître, par exemple, de la méconnaissance du sens de *demand* en anglais (= « exiger » et non pas « demander »), de *fastidious* (= « difficile » et non pas « fastidieux ») ou encore de *truculent* (= « agressif » et non pas « truculent »).

Ce petit guide des « faux amis » présentait la particularité de réunir, si l'on peut dire, les vrais « faux amis », c'est-à-dire des mots qui, tout en se ressemblant beaucoup, n'ont pratiquement jamais le même sens en anglais et en français.

Les « faux amis » à moitié « faux »

Mais il existe aussi — ce sont en fait les plus nombreux — des couples de mots de formes voisines, voire identiques, mais qui ne sont des « faux amis » que pour certains de leurs sens : par exemple, *chain* en anglais et **chaîne** en français s'emploient avec le même sens pour une **chaîne en or** *(gold chain)*, mais alors que **chaîne** peut aussi s'appliquer à la télévision en français, *chain* ne le peut pas en anglais (où l'on dit *channel*).

À la recherche des « bons amis » partiels

C'est la raison pour laquelle une recherche complémentaire s'imposait. Afin d'éviter les difficultés inhérentes au degré de plus ou moins grande ressemblance entre la forme française et la forme anglaise — fr. **littérature** et angl. *literature* sont-ils des mots suffisamment proches ? — seuls les homographes parfaits ont été retenus pour cette première étape de la recherche.

On trouvera ci-après un petit nombre de ces « faux amis » partiels (qui sont également des « bons amis » partiels) choisis parmi les quelques centaines d'homographes parfaits qui partagent au moins un même sens dans les deux langues, mais où l'une d'entre elles connaît également au moins un sens que ne connaît pas l'autre langue[114].

L'homographe **figure** est un cas particulier car, s'il a bien un sens commun en anglais et en français, « silhouette », il signifie « visage » (seulement en français) et « chiffre » (seulement en anglais).

Les homographes « pas du tout bons amis »

À côté de ces homographes partiellement faux amis existe une catégorie qui est peut-être la plus « scandaleuse » de toutes : les sens d'une même forme graphique en anglais et en français y sont si éloignés dans une langue et dans l'autre que leur rapprochement peut sembler totalement saugrenu.

Voici quelques exemples frappants de ces curieux homographes « pas du tout bons amis » :

SENS EN FRANÇAIS	HOMOGRAPHE	SENS EN ANGLAIS
« bride, attache »	**bride** / *bride*	« mariée »
« chair, peau »	**chair** / *chair*	« chaise »
« chat, minet »	**chat** / *chat*	« bavardage »
« prétentieux »	**fat** / *fat*	« gras »
« lie (du vin) »	**lie** / *lie*	« mensonge »
« pie (l'oiseau) »	**pie** / *pie*	« pâté en croûte »
« rayon (de soleil, de roue) »	**rayon** / *rayon*	« tissu (soie artificielle) »

Dans ces cas exemplaires, rien ne saurait inciter à rapprocher les deux formes, car les origines du mot fran-

---

HOMOGRAPHES EN PARTIE BONS AMIS

HOMOGRAPHES pour lesquels le **français** partage au moins un sens avec l'anglais (=) mais comporte un sens de plus (≠)	HOMOGRAPHES pour lesquels l'**anglais** partage au moins un sens avec le français (=) mais comporte un sens de plus (≠)
ampoule = pour les piqûres ≠ pour éclairer	*application* = soin, attention ≠ demande (d'emploi)
cousin = (degré de parenté) ≠ moustique	*affluence* = foule allant au même endroit ≠ richesse
rouge = (maquillage) ≠ (la couleur)	*convention* = accord ≠ congrès
serviette = serviette de table ≠ serviette de toilette ≠ cartable	*distraction* = divertissement = manque d'attention ≠ démence, folie
trombone = instrument de musique ≠ agrafe pour papiers	*humour* = humour ≠ humeur
matinée = spectacle en après-midi ≠ matin	*rare* = pas fréquent ≠ peu cuit (pour la viande)
café = débit de boissons ≠ (la boisson)	*star* = vedette, personne en vue ≠ étoile, astre

---

çais et de son homographe anglais sont parfaitement distinctes. Mais il s'agit néanmoins de la même catégorie grammaticale, respectivement celle des substantifs et celle des adjectifs, dans les deux langues — encore qu'en anglais *chair, chat* et *lie* puissent aussi avoir une fonction verbale, respectivement : *to chair* « présider (une séance) », *to chat* « bavarder », *to lie* « mentir » et « être étendu ».

Encore plus saisissants sont les exemples suivants, où les différences de sens sont soutenues par des différences grammaticales, comme :

SENS EN FRANÇAIS	HOMOGRAPHE	SENS EN ANGLAIS
« if » (l'arbre)	**if** (subst.) / *if* (conj.)	« si »
« but, cible »	**but** (subst.) / *but* (conj.)	« mais »
« char, chariot »	**char** (subst.) / *char* (verbe)	« carboniser »
« pour »	**pour** (prép.) / *pour* (verbe)	« verser »
« 16 »	**seize** (adj. num.) / *seize* (verbe)	« saisir »
« sale, malpropre »	**sale** (adj.) / *sale* (subst.)	« vente »
« on »	**on** (pron. indéf.) / *on* (prép.)	« sur, au-dessus »
« four » (cuisson)	**four** (subst.) / **four** (adj. num.)	« 4 »
« pied » (membre)	**pied** (subst.) / *pied* (adj.)	« bariolé »

— **RÉCRÉATION** —

DES HOMOGRAPHES À DES KILOMÈTRES L'UN DE L'AUTRE

Trouver la forme homographe correspondant à la fois au sens du français de la colonne de gauche et au sens de l'anglais de la colonne de droite :

Ex. *pin* correspond à la fois à un « arbre » en français et à une « épingle » en anglais.

SENS EN FRANÇAIS	SENS EN ANGLAIS
1. un arbre de la famille des conifères	une conjonction, qui est aussi le titre d'un poème de Rudyard Kipling
2. la femelle d'un volatile	une sorte de bâton
3. une attache de tissu ou de cuir	une compagne pour la vie
4. un adjectif qui n'évoque pas la propreté	un échange contre espèces sonnantes et trébuchantes
5. un oiseau chapardeur	une préparation culinaire
6. un membre du corps humain	un adjectif synonyme de *principal*
7. un autre membre du corps humain	un adjectif évoquant un mélange de couleurs
8. un aliment d'accompagnement	une douleur
9. un adjectif synonyme de sérieux	un nom évoquant un cimetière
10. un pronom personnel indéfini	une préposition
11. un appareil de cuisson	un chiffre
12. un nombre à deux chiffres	un verbe signifiant « attraper »
13. un adjectif synonyme de *ténu*	un organe permettant au poisson de nager
14. un dépôt dans un liquide	une présentation fallacieuse de la vérité
15. un animal familier	un bavardage sans conséquence

RÉPONSE : 1. if 2. cane 3. bride 4. sale 5. pie 6. main 7. pied 8. pain 9. grave 10. on 11. four 12. seize 13. fin 14. lie 15. chat.

Tous ces exemples sont si excessifs et les unités linguistiques concernées si étrangères l'une à l'autre, qu'on ne se pose même pas la question de l'origine de chacun des mots.

Or, des faux amis peuvent effectivement avoir pour origine une similitude des formes dans les deux langues en raison de leur provenance d'une même base lexicale. La liste est longue en effet des cas où le français a une forme en *-er*, qui marque l'infinitif à l'écrit, tandis qu'en anglais la même forme graphique *-er* correspond cette fois à un substantif, d'où la naissance d'un autre type de faux amis, dont voici seulement quatre exemples :

SENS EN FRANÇAIS	HOMOGRAPHE	SENS EN ANGLAIS
« brûler »	**consumer** (inf.) / *consumer* (subst.)	« consommateur »
« aller à pied »	**marcher** (inf.) / *marcher* (subst.)	« manifestant »
« faire obtenir »	**procurer** (inf.) / *procurer* (subst.)	« souteneur »
« enlever » (une personne)	**kidnapper** (inf.) / *kidnapper* (subst.)	« ravisseur »

Bien identifier les faux amis pourrait donc s'assimiler à un jeu de piste.

Pour mieux mesurer la compétence de chacun en la matière, et pour être sûr de les retenir, rien de tel que de chercher à les débusquer, comme dans la récréation suivante.

Faut-il donc toujours se méfier des ressemblances ?

Les pièges que peuvent dissimuler certaines formes anglaises pour les francophones et certaines formes françaises pour les anglophones sont donc bien réels. Dans chacun des relevés effectués par les professeurs de langue[115], on trouve environ un millier de « faux amis », qui correspondent aux fautes le plus souvent commises par leurs élèves.

Auprès de l'amoncellement de mots dangereux qu'on vient de voir, il est consolant de constater qu'il y en a beaucoup plus sur lesquels on peut tout de même compter.

Ceux qui ont été réunis dans le chapitre suivant ont l'avantage supplémentaire de présenter une forme graphique strictement identique dans les deux langues.

— **RÉCRÉATION** —————————————

TOUS DES « FAUX AMIS »

Voici sept mots dont la forme écrite est identique en français et en anglais, mais dont le sens est différent dans l'une et l'autre langue.

carnation • sable • mare • placard • raisins • mob • coin

Grâce aux indications ci-dessous, pouvez-vous retrouver le sens de ces mots quand ce sont des mots anglais ? Il s'agit (dans le désordre) :

d'une foule désordonnée
d'une fleur
de <u>deux</u> animaux différents
d'un « mendiant »
d'un objet qui va de poche en poche
d'une grande feuille imprimée destinée au grand public

'ɘiɒnnom ɘb ɘɔɘiq « *nioɔ* • ɘɔɒluqoq ,ɘluoɟ « *dom* •
« sɔɘs snisiɒɹ « *snisiɒɹ* • ɘdɔiɟɟɒ ɘbnɒɹɡ « *dɒɔɒlq* • » tnɘmuɾ «
ɘɹɒm tɘ « ɘnilɘdix « *ɘldɒs* • » tɘlliɶ « *noitɒnɹɒɔ* : ƎSNOԀƎᴚ

SUR LA PISTE
DES « TRÈS BONS AMIS »
☞ *Un pseudo-dictionnaire sans définitions*

Les mots qui composent ce dictionnaire — qui en fait n'en est pas un, puisqu'il n'est qu'une liste de mots — ont la particularité non seulement d'être orthographiés de façon strictement identique en anglais et en français mais encore de recouvrir exactement le ou les mêmes sens dans les deux langues[116]. C'est pourquoi il ne comprend qu'une entrée et pas de traduction, étant donné qu'elle ne serait que la répétition du mot.

Du fait du nombre élevé de ces homographes — on en a réuni 3221 — cette liste risquait d'apparaître comme un tunnel interminable totalement soporifique si n'y avaient été aménagés des espaces plus accueillants, sous des formes moins austères.

Des encadrés pour mieux réfléchir

À l'instar des aires de repos sur les autoroutes, ils ont été conçus comme des moments de détente, qui abritent le plus souvent des informations complémentaires, et aussi parfois des récréations à propos d'un petit nombre de « très bons amis » franco-anglais regroupés autour d'un même thème, comme la musique, les vêtements, les animaux ou encore les produits chimiques : une façon plus divertissante de prendre connaissance de cette liste sans doute peu attirant mais tout de même enrichissante.

Aide à la lecture

(n), (adj), (adv)   après un mot, signifie que c'est seulement sous la forme d'un nom, d'un adjectif ou d'un adverbe que ce terme est un homographe commun à l'anglais et au français.

active (adj fém) — signifie que le mot anglais n'est identique qu'à la forme féminine de l'adjectif français (*actif* n'existant pas en anglais).

mots en gras — ils font partie d'un vocabulaire devenu international

voyelles soulignées — elles indiquent la place de l'accent tonique dans la prononciation anglaise

A

acacia
accentuation
abandon
abattoir
abdication
abdomen
abdominal
aberrant
abject
ablation
ablution

accessible
accident
acclamation
accolade
accumulation
accusation
acolyte
acquisition
actinium

admiration
admonition
adolescence
adolescent
adoption
adorable
adoration
adroit
adulation
adverbial
adverse
affable
affectation
affection
affiliation
affirmation
affirmative (adj fém)
affirmative (n)
affliction
affluent (n)
afflux
affront
aficionado
afocal
afro
agar-agar
agaric
agate
agave
agglutination
agile
agio
agiotage

agrammatical
agriculture
air
airedale
album
albumen
alevin
alias (adv)
alligator
allophone
allusion
alluvial
alpenstock
alpha
alphabet
altercation
alternative (adj fém)
altitude
alto
aluminium
amalgamation
amaryllis
amateur
ambition
ambivalence
ambivalent
amble
ambulance
amen
ammonium
amok
amoral
ample

LA MUSIQUE EN ANGLAIS ET EN FRANÇAIS

Mon ami a une voix d'**alto**, mon frère jouait du **banjo** et ma petite sœur, du **piccolo**.

Quant à ma tante, elle aimait plutôt le **jazz**, les **triolets** et les **tremolos**.

---

abolition
abominable
abomination
abracadabra
abrasion
abrogation
absence
absent
absinthe
absolution
absorption
abstention
abstinence
abstinent

active (adj fém)
acupuncture
adage
adaptable
adaptation
addenda
additive (adj fém)
adieu
adjacent
adjectival
administrative (adj fém)
admirable

amplification
amputation
amusement
amylase
anaconda
anal
analogue (n)
ancestral
anecdote
angelus
anglican
anglophile
anglophobe
angora
aniline
animal
animation
anisette
annexe
annihilation
annotation
anode
anorak
anthracite
anthrax
anti dumping
anti friction
anticipation
anticoagulant
anticorrosive
 (adj fém)
anticyclone
antidote
antimissile
antipersonnel
antipode
antique (adj)
antisocial
antitrust
antivivisection
anus
apartheid
aperture
apocalypse
apocope

apologue
apostrophe
apparatchik
apparent
apparition
appellation
applicable
appoggiature
apposition
approbation
appropriation
approximation
après-ski
aptitude
aquaculture
aquaplane
aquarium
arabesque
arable
arboretum
arcade
architectural
architecture
architrave
archives
argon
argumentation
aria
armistice
armorial
arnica
arrogance
arrogant
arsenal
arsenic
arsenical
art
artefact
article
articulation
artifice
artisan
ascendant
ascension
asdic

ashram
asocial
aspartame
aspiration
assassin (n)
assertion
assimilation
association
associative
 (adj fém)
assonance

VÊTEMENTS ANGLAIS, VÊTEMENTS FRANÇAIS

Blazer, bustier, cardigan, corset, kilt, kimono, mackintosh, sari, sarong, tutu

Certains de ces noms de vêtements ont été pris par le français à l'anglais et d'autres par l'anglais au français mais il y en a un qui vient du Japon, un de l'Indonésie et un de l'Inde. Lesquels ?

REPONSE : **bustier, corset et tutu** sont passés du français à l'anglais mais **blazer, cardigan, kilt et mackintosh** de l'anglais au français. **Kimono** vient du Japon, **sari** de l'Inde et **sarong** de l'Indonésie, et tous les trois ont été empruntés à la fois par l'anglais et le français.

assurance
aster
astral
astringent
atlas
atoll
atonal
atrium
attaché
attaché-case
attentive
 (adj fém)
attitude

attraction
attractive
 (adj fém)
attribution
au fait
au pair
auburn
audible
audit
audition
auditorium

augmentative
 (adj fém)
aurochs
auscultation
auspices
autodrome
automation
automobile
autosuggestion
avalanche
avant-garde
avarice
avenue

aversion
aviation
axial
ayatollah

B

badge
badminton
baffle (n)
bain-marie
ballast
ballet
balsa
balustrade

bascule
base (n)
bastion
batiste
baud
bauxite
bayou
bazooka
beatnik
becquerel
beige
benzine
bestial
bey
bible
bibliophile

**ON PEUT MANGER « ANGLAIS »
OU « FRANÇAIS » AVEC...**

... du **caviar**, un **toast** et de la **margarine**, de la **galantine** à la **mayonnaise**, un **soufflé** au **parmesan**, une **omelette** accompagnée de **purée**, un **sorbet** avec des **petits-fours** et un **gâteau** au **caramel**.

---

banal
bandage
bandeau
banderole
bandit
banjo
banquet
baptismal
barbecue
barcarolle
barge
baron
baroque
barracuda
barrage
barricade (n)
bas-relief
basal

bicarbonate
biceps
bichromate
bifocal
bifurcation
bigot (n)
bikini
bilabial
bile
billion
bipartite
biscuit
bismuth
bison
bissextile
bistre
bistro
bivalent

bivalve
bivouac
bizarre
blazer
blizzard
blond
blouson
boa
bock
bolide
bongo
bonhomie
bonus
boogie-woogie
boomerang
borax
bordeaux
bosquet
boudoir
boulevard
bouquet
bourgeois
bourgeoisie
bovine (adj fém)
bow-window
boycott
bracelet
brain(s)-trust
brainstorming
bran
brandy
brasserie
bravo
brevet
bric-à-brac
briefing
brigade
brigand
brigandage
brochure
bronchiole
bronze
brusque
brutal
brute

budget
bulldozer
bungalow
burin
burlesque
burnous
bus
businessman
bustier
butane
bye-bye
bypass

C

cabotage
cabriolet
cacao
cache
cachepot
cactus
cadence
cadet
cadmium
cæcum
caftan
cage
cairn
calamine
calcification
calcination
calcium
calculable
calibre
californium
call-girl
calligramme
calorie
calypso
camaraderie
camouflage
camp (n)
campanile
campus
canal

canapé
canasta
cancer
candidate
 (adj fém)
candidature
canine (adj fém)
canine (n)
cannabis
cantaloup
cantharide
cantilever
canton
cantonal
capable
capital (n)
capitation
capitulation
cappuccino
caprice
capsule
captive (adj fém)
capture
carafe
caramel
carapace
carat
carbonate
carburation
cardigan
cardinal
caribou
caricature
carillon
carnage
carnivore (n)
cartilage
cascade
cash (adv)
casino
cassette
caste
castration
catalogue
catamaran

catastrophe
catharsis
cathode
cation
caudal
causal
cavalcade
caviar
cellulite
cellulose
censure
centigrade
centigramme
centilitre
central
centre
centurion
certain
certification
certitude
cervical
cessation
cession
chaise longue
chalet
challenger (n)
chamois
chancre
chaos
chaperon
charade
charitable
charlatan
charleston
chaste
chasuble
chauffeur
check-up
chef-d'œuvre
cherry-brandy
chevron
chic
chignon
chinchilla
chintz

chipolata
chloral
chlorate
choral (adj)
chorale (n)
chorus
christiania
chrome
chromosome
cigarette
circumnavigation
civil
clam
clan

codex
coefficient
coexistence
cogitation
cognition
cohabitation
cola
collaboration
collage
collation
collection
collective
 (adj fém)
collision

POUR LA MAISON...

Divan, sofa, pergola, patio, vestibule ont été, en français comme en anglais, empruntés à des langues étrangères : un mot à l'espagnol, deux à l'italien et deux à l'arabe.

Rendez à chacun sa langue de naissance.

RÉPONSE : **patio** à l'espagnol ; **divan** et **sofa** à l'arabe, **pergola** et **vestibule** à l'italien.

---

clandestine
 (adj fém)
clarification
classification
client
clique
clitoris
clone
coagulant
coagulation
coalition
coaxial
cobalt
cobra
coccyx
cocker
code

collocation
collusion
colonel
colonial
colonnade
colorant
coloration
colossal
coma
combat
combative
 (adj fém)
combustible
combustion
comestible
commandant
commando

commencement
commensurable
commerce
commercial
commodore
communal
communicable
communication
communicative (adj fém)
communion
commutable
commutation

composite
composition
compost
compote
compression
compulsion
compulsive (adj fém)
computation
concave
concentration
concept
conception

ÉLÉMENTS CHIMIQUES ET NOMS PROPRES

La plupart des noms des éléments chimiques récemment découverts sont des noms propres auxquels on a ajouté -ium : **californium, francium** et **germanium** viennent respectivement de *Californie*, de *France* et de *Germanie*.

D'où viennent **curium, einsteinium** et **uranium** ?

RÉPONSE : **curium**, en hommage à Marie Curie • **einsteinium**, en hommage à Einstein • **uranium**, en référence à la planète Uranus.

---

commutative (adj fém)
compact
comparable
comparative (adj fém)
compassion
compatible
compendium
compensation
compilation
complaisance
complaisant
complication
compliment

concert (n)
concerto
concession
concessionnaire
conciliation
concision
conclave
conclusion
concomittant
concordance
concordant
concordat
concubinage
concubine
concupiscence

concupiscent
condensation
condiment
condition
condom
condominium
condor
conductance
conduction
condyle
confer (« cf. »)
confession
confetti
configuration
confinement
confirmation
confiscation
conformation
confrontation
confusion
congestion
congratulation
congruent
conjectural
conjecture
conjugal
connexion
connotation
conscience
conscription
consensus
conservation
conservatoire
consolation
console (n)
consolidation
consonant (adj)
consortium
constant
constellation
consternation
constipation
constitution
constitutive (adj fém)

constriction
construction
constructive (adj fém)
consul
consultant
consultation
consultative (adj fém)
contact
contagion
contaminant
contamination
contemplation
contemplative (adj fém)
contestant (n)
contestation
continence
continent (adj fém)
continent (n)
continental
contingent
continuation
continuo
continuum
contour
contraception
contraceptive (adj fém)
contractile
contraction
contradiction
contralto
contrastive (adj fém)
contravention
contribution
contrite (adj fém)
contrition
contusion
convalescence
convalescent
convection

convergence
convergent
conversation
conversion
convertible (adj)
convict (n)
conviction
convivial
convocation
convulsion
convulsive (adj fém)
coolie
coordination
copra
copulation
copulative (adj fém)
copyright
coquette (n)
cordage
cordial
cordite
cordon
cornet
corniche
coroner
corpulence
corpulent
corpus
corral
correct (adj)
correction
corrective (adj fém)
corridor
corroboration
corrosion
corruption
corset
cortex
cortisone
cosmos
costume
costumier

coterie
cottage
couchette
couloir
coupon
courage
courgette
couturier
cover-girl
cow-boy
coyote
crampon
crèche
credo
crescendo
cretonne
crevasse
crime
crocodile
crocus
croquet
croquette
croupier
crucial
crucifixion
cruel
cube
cuesta
cul-de-sac
culmination
cultivable
culture
cumin
cumulative (adj fém)
cunnilingus
curable
curare
curative (adj fém)
curie
curium
curling
curriculum
curry

cursive (adj fém)
cyanose
cyclamen
cycle
cyclone
cyclorama
cyclotron
czar

D

dacha
dahlia
dan
dandy

descriptive (adj fém)
desiderata
desperado
dessert
destination
destitution
destructible
destruction
destructive (adj fém)
deuterium
dextrose
diagonal
dialectal
dialogue

DES DANSES VENUES DE PARTOUT

Le **tango** est argentin, la **rumba** cubaine, le **fandango** andalou, la **polka** polonaise. Mais d'où vient le **calypso** ?

Vous avez le choix entre :
1. la Jamaïque • 2. Porto Rico • 3. les îles Marquises.

RÉPONSE : 1.

---

danger
dative (adj fém)
de facto
dealer
débâcle
débutante (n)
décolleté
delphinium
delta
dense
dental
dentifrice
dentine
dentition
descendeur
description

diamanté (n)
diamorphine
diapason
diastole
diatribe
dictatorial
diction
dièdre
diesel
diffraction
diffuse (adj fém)
diffusion
digestible
digestion
digit
digital

digression
dilapidation
dilettante
diligence
diligent
dilution
dimension
diminuendo
diminution
diminutive (adj fém)
dinghy
dingo (n)
diode
dioptre
diorama
direct (adj)

disproportion
disqualification
dissection
dissension
dissidence
dissident
dissimulation
dissipation
dissociation
dissolution
dissonance
dissonant
dissuasion
dissuasive (adj fém)
distance
distant

divine (adj fém)
divisible
division
divorce
djinn
doberman
docile
docker
doctoral
doctrinaire
doctrine
document
documentation
doge
dollar
dolman
dolomite
domestication
domicile
domiciliation
dominance
dominant
domination
dominion
domino
donation
donjon
dorsal
dosage
dose
double
doyen
doyenne
dragon
drainage
dressage
drink (n)
drive
dual (adj)
ducal
ducat
duel
duffelcoat
dum-dum
dune

duo
dupe
duplex
duplication
durable
dynamite

E

edelweiss
effective (adj fém)
effervescence
effervescent
efficient
efflorescence
efflorescent
effluence
effluent
effort
effusion
ego
eider
einsteinium
embargo
embrasure
embrocation
empire
emplacement
employable
en suite
encouragement
endoscope
endurable
endurance
engagement
enjambement
enviable
enzyme
erbium
erg
errant
errata
erratum

**POUR LES SPORTIFS
ANGLOPHONES
ET FRANCOPHONES...**

... le choix est vaste entre : le **golf** et le **hockey**, le **steeple-chase**, le **skate-board** et le **ski**, le **judo** et le **sumo**, le **trekking** et le **water-polo**.

---

direction
directive (adj fém)
directorial
disciple
discipline
disco
discordant
discrimination
discursive (adj fém)
discussion
disjoint
dislocation
disparate
dispersant
dispersion
disposition

distension
distillation
distinct
distinction
distinctive (adj fém)
distribution
distributive (adj fém)
district
diva
divan
divergence
divergent
diverse (adj fém)
diversification
diversion
divination

ersatz
escalator
escalope
escudo
espresso
estimable
estimation
et cetera
eucalyptus
exact
exaction
exactitude
exaltation
excavation
excellence
excellent
exception
excessive (adj fém)
excise
excision
excitable
exclamation
exclusion
exclusive (adj fém)
excommunication
excursion
excusable
excuse
exfoliation
exhaustive (adj fém)
exhortation
exhumation
exigence
existence
exocrine
exorbitant
expansion
expansive (adj fém)
expectorant
expert
expiation

expiration
explicable
exploit
exploitable
exploitation
exploration
explosion
explosive (adj fém)
export (n)
exportable
exportation
exposition
expression
expressive (adj fém)
expropriation
expulsion
extensible
extermination
extinction
extirpation
extraction
extradition
extravagance
extravagant
extroversion
extrusion
exultant
exultation

F

fable
façade
face
facial
faction
factitive (adj fém)
factotum
fakir
famine
fandango
fanfare

farad
fascination
fatal
fax
fenestration
ferment
fermentation
fermium
ferry-boat
fertile
fervent
festival
fiancé
fiancée

fiasco
fibre
fibrillation
fiction
fief
fiesta
figurative (adj fém)
figurine
filament
filial
filiation
film
filtration
final

finale (n)
finance (n)
finesse
firmament
fiscal
fissile
fission
fissure
fixation
fjord
flagellation
flageolet
flair
flamboyant

LA SIGNATURE DU GREC

Les « y grecs » permettent en général de retrouver les mots grecs, mais pas toujours.

Combien y a-t-il d'intrus dans la liste suivante :

hyperbole • hobby • hydrate • yoyo • jury • hypocrite • hockey • oryx • nylon • polychrome • rugby • synagogue

RÉPONSE : il y en a 6 : **hobby • yoyo • jury • hockey • nylon • rugby**

---

flamenco
flatter
flatulence
flatulent
flexible
floral
florin
fluctuation
fluorescence
fluorescent
fluvial
flux
focal
foliation
folio

folklore
fomentation
fondue (n)
fontanelle
football
forage
force
forceps
format
formative (adj fém)
formulation
fornication
fort (n)

forte
fortification
fortune
forum
fox-trot
fraction
fracture
fragile
fragment
fragrance
fragrant
franc (n)
francium
franco
francophile
francophobe

frangipane
fratricide
friable
fricative (adj fém)
fricative (n)
friction
frontal
frugal
fruit
frustration
fuchsia
fugitive (adj fém)

fulmination
furtive (adj fém)
fuselage
fusible (adj)
fusilier
fusillade
fusion
futile
future (adj)

G

gabardine
gable
gadget
gadolinium

gaga
gain
gala
galantine
gallon
gambit
gamine
gamma
ganglion
gangster
garage
gastronome
gâteau
gauche (adj)
gaucho
gauss
gavotte
gazelle
gecko
geisha
gel
gendarme
genre
gentleman
georgette (crêpe)
germanium
germanophile
germanophobe
germicide (n)
germinal (adj)
germination
gestation
gesticulation
ghetto
gigolo
gigot
ginseng
glacial
glaciation
glacier
glamour
glissade
glissando
globe
globule

glockenspiel
glorification
glottal
gloxinia
glucose
gluten
glycol
gneiss
gnome
golf
gondolier
gouache
gouge
gourmet
gradation
gradient
graduation
graffiti
gramme
gramophone
grandeur
grandiloquence
grandiloquent
grandiose
granule
grapefruit
graphite
gratis
gratitude
gravitation
grenadine
griffon
grille
grimace
gringo
grippe
grog
groggy
grotesque
grouse
guano
guide
guillemot
guillotine
gutta-percha

RÉCRÉATION BOTANIQUE

Iris, magnolia, orange, rose, kiwi : les cinq noms de fleurs et de fruits ci-dessus ont tous deux sens. Vrai ou faux ?

RÉPONSE : vrai. **Magnolia**, en anglais, et **rose**, en français, sont aussi le nom d'une couleur ; **iris** est aussi une partie de l'œil, **orange** est à la fois un fruit et un nom de couleur. Quant au **kiwi**, ce n'est pas seulement un fruit, c'est aussi un oiseau de Nouvelle-Zélande.

---

guttural
gym
gymkhana
gyroscope
gyrostat

H

habeas corpus
habitable
habitat
habitation
hacienda
haddock
hafnium
hallucinant
hallucination
halo
hamburger
hamster
handicap
hangar
hara-kiri
harangue (n)
harem
harmonica
harmonium
hectare
hectolitre
heptathlon
herbage
herbicide (n)
herbivore
hermaphrodite
hertz
hexagonal
hi-fi
hiatus
hibernation
hibiscus
highlander
hippie
hippodrome
hirsute

hobby
hockey
hold-up
holding
home
homophone
hooligan
horde
horizon
horizontal
hormonal
hormone
horoscope
horrible
horticulture
hospice
hostile
humble
humus
hurdler
hydrangea
hydrate
hyperactive (adj
  fém)
hyperbole
hypercorrection
hyperinflation
hypertension
hyperventilation
hypocrite
hypothalamus

I

ibis
iceberg
ide
identifiable
identification
idiot
igloo
ignorance
ignorant
illumination
illusion

illustration
illustrative (adj
  fém)
image
imaginable
imagination
imaginative (adj
  fém)
imam
imbroglio
imitable
imitation
imitative (adj
  fém)

impatient
impeccable
imperceptible
imperfection
impertinence
impertinent
imperturbable
implacable
implant (n)
implication
implosion
implosive (adj
  fém)
import (n)

LES UNITÉS DE MESURE

Joule, becquerel, farad, gauss, volt, curie, watt : ces noms d'unités sont identiques en français et en anglais, et pourtant seuls deux d'entre eux sont français et deux sont anglais.

Lesquels ?

RÉPONSE : *Becquerel* et *Curie* étaient des savants français, tandis que *Joule* et *Faraday* (d'où **farad**) étaient anglais et *Watt*, écossais. Mais *Volta* (d'où **volt**) était italien et *Gauss*, allemand.

---

immanence
immanent
immature
immense
immersion
immigrant
immigration
imminence
imminent
immobile
immoral
impact
impala
impalpable
impartial
impatience

importance
important
importation
imposition
impossible
imposture
impresario
impression
improbable
impromptu
improvisation
imprudence
imprudent
impudence
impudent
impulsion

impulsive (adj fém)
impure (adj fém)
imputation
in extremis
in vitro
inaccessible
inaction
inactive (adj fém)
inadmissible
inanition
inapplicable
inaptitude
inattention

incident (n)
incision
incisive (adj fém)
inclination
inclusion
inclusive (adj fém)
incognito
incombustible
incommensurable
incommunicable
incomparable
incompatible
inconsolable

indestructible
indexation
indication
indicative (adj fém)
indigence
indigent
indigestion
indignation
indigo
indirect
indiscipline
indispensable
indisposition
indissoluble
indistinct
indium
indivisible
indolence
indolent
indubitable
induction
inductive (adj fém)
indulgence
indulgent
ineffable
inestimable
inexact
inexactitude
inexcusable
inexhaustible
inexorable
inexpert
inexplicable
inexpressive (adj fém)
infanticide (n)
infantile
infatuation
infection
infernal
infertile
infestation
infiltration

infinitive (adj fém)
infinitude
inflammable
inflammation
inflation
inflexible
inflexion
influence
influenza
information
infraction
infrastructure
infusion
ingestion
ingratitude
inguinal
inhalation
inhibition
inhumation
inimitable
initial
initiation
initiative (n)
injection
injustice
innocence
innocent
innovation
inoculation
inoffensive (adj fém)
inopportune (adj fém)
insatiable
inscription
insecticide (n)
insensible
insertion
insinuation
insolence
insolent
insoluble
inspection
inspiration

UN MOT EN « K- »
TRÈS TROMPEUR

Essayez de retrouver dans toute la liste des mots suivants commençant par la lettre k celui qui a l'air de venir de l'anglais, mais qui vient du chinois.

Est-ce **kummel, kayak, klaxon, kleenex, ketchup** ou **koala** ?

RÉPONSE : **ketchup.** Et, pour mémoire, **kummel** vient de l'allemand, **kayak** de l'esquimau, et **koala** est le nom d'un mammifère d'Australie. **Klaxon** et **Kleenex** sont des marques déposées.

---

inattentive (adj fém)
inaudible
inaugural
inauguration
incalculable
incandescence
incandescent
incantation
incapable
incarnation
incertitude
incessant
incidence

inconstant
incontestable
incontinence
incontinent (adj)
inconvertible
incorporation
incorrect
incorrigible
incorruptible
incrimination
incrustation
incubation
incurable
incursion

installation
instigation
instinct
instinctive (adj fém)
institution
instruction
instructive (adj fém)
instrument
instrumentation
insubordination
insupportable
insurrection
intact
intangible
intellect
intelligence
intelligent
intelligentsia
intelligible
intense
intensification
intensive (adj fém)
intention
interaction
interactive (adj fém)
intercalation
interception
interchangeable
intercommunication
intercontinental
intercostal
interdiction
interface
interjection
interlude
intermezzo
interminable
intermission
intermittent
international

internet
interpolation
interrogation
interrogative (adj fém)
interruption
intersection
interstice
intervention
interview
interviewer (n)
intestinal
intifada
intimation
intimidation
intoxication
intransitive (adj fém)
intrigue (n)
introduction
introspection
introspective (adj fém)
introversion
intrusion
intuition
intuitive (adj fém)
invariable
invasion
invective
invention
inventive (adj fém)
inverse
inversion
investigation
investiture
invincible
inviolable
invisible
invitation
invocation
ion
iota

ipso facto
irascible
ire
iridescence
iridescent
iridium
iris
irradiation
irrigable
irrigation
irritable
irritant
irritation
irruption
isolation
isotope

J

jacaranda
jacobite

jubilation
judicature
judo
jujube
jukebox
jungle
jurisprudence
jury
justifiable
justification
jute
juxtaposition

K

kaiser
kamikase
kanak
kaolin
kapok
karma

SIGLE OU PAS ?

Laser, Radar, modem, scanner

Un seul de ces noms n'est pas un sigle, lequel ?

RÉPONSE : **scanner**, formé sur le verbe **to scan** « scruter ». **radar** = Radio Detecting And Ranging ; **laser** = Light Amplification by Stimulated Emission of Radiation ; **modem** = MOdulateur et DÉModulateur.

---

jaguar
jamboree
jargon
jazz
jerrycan
job
jockey (n)
joule
jovial
jubilant

kayak
ketchup
kidnapping
kilo
kilogramme
kilt
kimono
kir
kitchenette
kiwi

klaxon
kleenex
klystron
knickerbockers
knout
know how (n)
koala
kraal
krill
krypton
kummel
kvas

L

labial
labio-dental

QUELQUES ÉLÉMENTS ANATOMIQUES PARFAITEMENT FRANCO-ANGLAIS

En partant du sommet de la tête :
fontanelle • moustache • dentition • canines • larynx • pharynx • biceps • sternum • abdomen • coccyx • clitoris • phallus...

---

lactase
lactate
lactation
lactose
lady
laird
lambrequin
lamé (n)
lamentable
lamentation
lance
landau
lapis lazuli
largesse
largo
larynx

laser
lassitude
lasso
lastex
latent
latex
latifundia
latin
latitude
latitudinal
latrines
laudanum
laxative (adj fém)
layette
leader
leadership

leasing
lemming
liaison
libation
libertinage
libertine (adj fém)
libido
libretto
licence
lichen
lido
lied
lieutenant
ligament

ligature
lignite
limitation
lingerie
liniment
links
linotype
lion
liqueur
liquidation
litchi
lithium
litre
littoral
lob
lobe
lobule
local (adj fém)
locative (adj fém)
loch
lockout (n)
locomotion
locomotive
locution
loggia
logo
long
longitudinal
lord
lorgnette
lotion
lotus
louis
lucrative (adj fém)
lucre
lumbago
luminescence
luminescent
lupin
lustre
luxuriance
luxuriant
lymphocyte

lynx
lyre

M

macabre
macadam
macaroni
machination
machine
macho
mackintosh
macramé
macro-
madrigal
maelstrom
maestro
mafia
mafioso
magazine
magenta
magma
magnificat
magnificence
magnitude
magnolia
magnum
mahatma
mahjong
maintenance
maisonnette
maître d'hôtel
majorette
malachite
maladroit
malaria
malformation
malnutrition
malt
management
manager
mandrill
mangetout
mangrove
manifestation

manioc
manipulation
mannequin
manufacture
marathon
margarine
marginal
marguerite
marihuana
marina
marinade
marital
maritime
marketing
marsupial (n)
martial
martyr (n)
masculine (adj
fém)
maser
massacre
massage
masseur
masseuse
massicot
massif (n)
massive (adj
fém)
mastic
masturbation
matador
matricide (n)
matrimonial
maturation
mauve
maxima
maximal
maximum
mayonnaise
meeting
membrane
menace
menhir
menstruation
mensuration

mental
menthol
mention
mentor
mercantile
meringue
mesa
mescaline
message
mezzanine
mezzo-soprano
mica
micro-
microbe
microcapsule
microcircuit
microfiche
microfilm
microhabitat
microminiature
micron
microphone
microscope
microstructural
microstructure
microvolt
microwatt
migraine
migrant
migration
mikado
militant
millet
milliard
millibar
milligramme
million
milord
mime
mimosa
minaret
miniature
minibus
minima
minimal

minimum
minium
minuscule
minute (n)
miracle
mirage
misanthrope
missile
mission
missive
mitral
mitre
mixture
mobile
modal
mode
modem

TEXTILES DE PARTOUT

Nylon, ottoman, (crêpe) georgette, satin et **tulle** sont des noms de tissus.

Deux d'entre eux viennent d'un nom de ville.

Lesquels ?

RÉPONSE : le **tulle** vient de la ville de Tulle (France) et le **satin** de la ville de Tsia-Toung (Chine).

---

modifiable
modification
modulation
module
mohair
moire
moiré
monochrome
monocle
monocoque (adj)
monoculture
monocyte
monokini
monologue
monorail

monoski
monotone (n)
monotype
monseigneur
montage
monument
monumental
moquette
moraine
moral
morale
mordant (adj)
morgue
morose
morphine
mortification
motel

motet
motivation
motocross
moussaka
moustache
mucilage
mucus
muesli
muezzin
muffin
mufti
mule
multimedia
multimillionnaire
multinational

multiple
multiplex
multipliable
multiplication
multiplicative
(adj fém)
multiracial
multitude
municipal
munificence
munificent
munitions
mural
muscle
musculature
muse
musical

nasal
nation
national
native (adj fém)
nature
naval
navigable
navigation
nazi
nectar
nectarine
née (Mrs X
née Y)
neptunium
neural
neutrino
neutron

BUVEZ BILINGUE !

Si vous voulez être sage : **orangeade,
grenadine, tisane.**

Si vous voulez bien rire, ce sera un
vermouth ou un **kir.**

Et pour ne plus savoir qui est qui,
alors prenez un bon **whisky.**

---

mutant
mutation
mutatis mutandis
mutilation
mystification
mystique (n)

N

nacelle
nacre
nadir
naevus
naïveté
napalm
narration
narrative (adj
fém)

newton
niche
nickel
nicotine
nimbus
niobium
nirvana
nitrate
nitration
nitre
nitrite
noble
nodal
nodule
nom de plume
nomenclature
nominal
nomination

nominative (adj
fém)
non-stop
nonchalance
nonchalant
nonpareil
normal
normative (adj
fém)
notable
notarial
notation
note (n)
notification
notion
nougat
novice
nuance
nubile
nutritive (adj
fém)
nylon

O

o.k.
objection
objective (adj
fém)
objurgation
oblation
obligation
oblique
oblong
obscure (adj
fém)
observable
observance
observation
obsession
obsolescence
obsolescent
obstacle
obstruction
obtuse (adj fém)

ocarina
occasion
occident
occidental
occipital
occiput
occlusion
occlusive (adj
fém)
occlusive (n)
occupant (n)
occupation
occurrence
octane
octave
octavo (in)
octet
odalisque
ode
offset (n)
ogival
ogive
ogre
ohm
okapi
olive
omelette
omission
omnibus
omnipotence
omnipotent
omniscience
omniscient
omnivore
onyx
oospore
opalescence
opalescent
opaque
opinion
opium
opossum
opportune (adj
fém)
opposition

oppression
oppressive (adj fém)
optative (adj fém)
optimal
optimum
option
opulence
opulent
opus
opuscule
oracle
oral
orang-outang
orange
orangeade
oratorio
orbital
orchestral
orchis
ordinal
ordination
oriel
orient
oriental
orientation
orifice
origami
origan
original
orthogonal
ortolan
oryx
oscillation
osier
osmium
ossification
ostensible
ostentation
ottoman
outlaw
outrigger
outsider
ouzo

ovation
overdose
ovine (adj fém)
ovulation
oxymoron
ozone

P

paddock
paella
pagination
paladin
palatal
palindrome
palladium
palliative (adj fém)
palpable
palpitation
panache
panda
panorama
pantomime
papa
papal
paparazzi
papier mâché
paprika
papyrus
parable
parachute
parade
paranormal
parapet
paraphrase
parasite (n)
parasol
pardon
parent
parental
parmesan
parquet
parricide (n)
parsec

partial
participant (n)
participation
partisan
partita
partition
partitive (adj fém)
parturition
passable
passage
passe-partout
passim
passing-shot
passion
passive (adj fém)

pastel
pastiche
pastille
pastoral
pater familias
patience
patient
patio
patois
paulownia
pause
pavane
payable
pectoral
pedigree
penchant
penny

pensive (adj fém)
pentacle
pentagonal
pentathlon
peptone
perceptible
perception
perceptive (adj fém)
percussion
perdition
perfectible
perfection
perfective (adj fém)
perforation

SI VOUS TOMBEZ MALADE...

... que vous parliez français ou anglais, pas de stress, pas de panique car les noms des maladies sont souvent identiques :

intoxication, hypertension, palpitations • flatulence, pustules, migraines • lumbago, polio • psoriasis, syphilis...

---

pergola
permanence
permissive (adj fém)
permutation
persiflage
perspective
persuasion
persuasive (adj fém)
pertinence
pertinent
perturbation
perverse (adj fém)
perversion
peseta

peso
pesticide (n)
pestilence
petit-four
pfennig
pH
phagocyte
phallus
pharynx
phase
philodendron
philtre
phlox

pianissimo
piano
pianoforte
pianola
picador
picaresque
piccolo
pickles
pickpocket
pidgin
pied-à-terre
pigeon
pigment

pixel
pizza
pizzeria
pizzicato
placebo
placement
placenta
placer
plagal
plaid
plaintive (adj fém)
plantain
plantation
plaque
plasma
plastic (explosif)
platitude
plausible
plenum
plexus
plumage
plural
plus
podium
pogrom
poignant
police
policeman
polio
polka
pollen
pollution
polychrome
polygonal
polyvalent
pompon
poncho
pontifical
popcorn
pope
populace
population
porcine (adj fém)
pore

porridge
portable
portage
portion
portrait
pose
position
positive (adj fém)
positron
possession
possessive (adj fém)
possible
postal
poste restante
postiche
postnatal
postposition
postulant (n)
posture
potable
potassium
potion
prairie
précis (n)
prescience
prescient
prescription
prestige
presto
prima donna
primate
primitive (adj fém)
primordial
prince
principal
prison
privation
pro
probable
procession
proclamation
proconsul

QUIET, OU LES LIMITES DE L'IDENTITÉ

S'il est vrai que **quiet** signifie « tranquille, silencieux » dans les deux langues, il faut aussi se rendre compte que cet adjectif est très usuel en anglais mais très littéraire en français.

À l'inverse, **adroit**, **potable** ou **sombre**, très communs en français, font partie du vocabulaire recherché en anglais.

On peut encore ajouter que, paradoxalement, on emploie souvent en français la forme anglaise **know-how** mais la forme française **savoir-faire** en anglais.

phosphate
phosphine
phosphorescence
phosphorescent
photo
photocomposition
photogravure
photomontage
photon
photostat
phototype
phylloxera
phylum
physique (n m)

pigmentation
pillage
pin-up
pince-nez
pipeline
pipette
pipit
piquant (adj)
piranha
pirate
pirouette
pistil
piton
pivot

procuration
production
productive (adj fém)
prof
profanation
profession
profit
profitable
profuse (adj fém)
profusion
programmable
programme
progression
progressive (adj fém)
prohibition
projectile
projection
projective (adj fém)
prologue
promenade
promotion
promptitude
promulgation
pronominal
propagation
propane
proportion
proposition
propulsion
propulsive (adj fém)
prorata
prorogation
proscenium
proscription
prose
prospective (adj)
prospectus
prostate
prostitution
prostration
protection

protégé
protestant
protestation
proton
prototype
provenance
provençal
proverbial
providence
province
provincial
provision
provocation
prude
prudence
prudent
psoriasis
pubescence
pubescent
pubis
public (adj)
publication
pull-over
pulsar
pulsation
puma
punitive (adj fém)
punk
pure (adj)
purée
purgation
purgative (adj fém)
purge
purification
purulence
purulent
pus
pustule
putative (adj fém)
putrescence
putrescent
putsch

putt (golf)
pyramidal
python

Q

quadrant
quadrature
quadrille
quadruple
qualification
qualitative (adj fém)
quanta

quiche
quiescence
quiescent
quiet
quinine
quintal
quintessence
quintette
quintillion
quintuple
quittance
quorum
quota

ABLE :
UN SUFFIXE PRODUCTIF
DANS LES DEUX LANGUES

Grâce à ce suffixe, passé du français à l'anglais, on peut former des dizaines d'adjectifs « très bons amis » dans les deux langues : **admirable, comparable, exportable, observable, respectable, variable...** avec cependant une exception inattendue : **inhabitable**.

C'est un très « faux ami ». Car, s'il exprime un sens négatif en français, il signifie au contraire « habitable » en anglais.

---

quantitative (adj fém)
quantum
quark
quartette
quarto
quartz
quartzite
quasar
quasi-
quatrain
question
questionnaire
qui vive

R

racial
radar
radial
radiance
radiant (adj)
radiation
radical
radio
radium
radius
radon
raglan

raid
rajah
ramification
ranch
rani
rapine
rapprochement
rat
ratification
ratio
ratiocination
ration
ravage
ravine

regret
relaxation
religion
repentance
repentant (adj)
reportage
reproduction
reproductive (adj fém)
reptile
respect
respectable
respective (adj fém)

ridicule (n)
rifle
riposte
rival
rivet
robin
robot
rocket
rocking-chair
rococo
rogation
rôle
rondeau
rosé (n)
rose (n)
rotation
rotor
rouble
roué (adj)
routine
royal
royalties
rubato
rubidium
rudiment
ruffian
rugby
rumba
ruminant
rumination
rupture
rural
ruse
rutabaga

saga
sainfoin
saint
salami
saline (adj fém)
salutation
samarium
samba
samovar
sampan
sanatorium
sanctification
sanction
sandwich
sang-froid
sangria
sanguine (n)
sanskrit
sardine
sari
sarong
satellite
satin
satinette
satire
satisfaction
saturation
sauna
sauté
savant (n)
savoir-faire
saxhorn
saxifrage
scalp
scalpel
scandium
scanner (n)
scansion
sceptre
scherzo
schnorkel
schooner
schuss
science
scooter

LE MONDE DES ÉTOILES

Une **supernova** est l'acte de naissance d'une étoile, un **sextant** permet de mesurer la hauteur d'une étoile au-dessus de l'horizon, un **pulsar** est un centre de rayonnement hors du système solaire.

Vrai ou faux ?

RÉPONSE : 1. Faux : une **supernova** n'est pas l'acte de naissance, mais l'acte de décès d'une étoile • 2. Vrai • 3. Vrai

---

ravioli
rechargeable
recognition
reconstitution
reconstruction
recrudescence
recrudescent
rectal
rectangle
rectifiable
rectification
rectitude
recyclable
referendum
reflux
refuge

respiration
restaurant
restaurateur
restitution
restriction
restrictive (adj fém)
résumé
retriever
revolver
rhizome
rhodium
rhododendron
rickshaw
ricochet
rictus

S

sabotage
saboteur
sabre
saccharine
sacral
sacrifice
sacrum
safari

scorpion
scrabble (n)
scribe
script
scriptural
scrotum
sculptural
sculpture
séance
secret
segment
seine
semi-
senior
sensation
sentiment
sentimental
serf
serge
sermon
serpent
service
servile
servitude
session
setter
sextant
sexy
shaker
shako
shantung
sherry
shocking
shopping
shrapnel
shunt
sic
side-car
sierra
signature
silence
silex
silhouette
silicate
silicone

silo
similitude
simple (adj)
simplifiable
simplification
simulation
sine qua non
singleton
siphon
sirocco
sisal
sit-in
site
situ (in)
situation
six
skateboard
skating
sketch
ski
skiff
slalom
slavophile
slogan
sloop
smog
snack-bar
snob
snowboot
sobriquet
sociable
social
sodium
sodomite
sofa
software
solarium
solidification
solitude
solo
solstice
soluble
solution
soma
sombre

sombrero
somnolence
somnolent
sonar
sonde
sonnet
sophistication
soprano
sorbet

spectral
spectre
spectroscope
spermicide (n)
sphincter
sphinx
spinal
spinnaker
spiral (adj)

ANIMAUX

Ils ont le même nom en anglais et en français. Il ne faut donc pas en chercher la traduction dans le dictionnaire, ce sont :

l'**anaconda**, le **chinchilla** et le **panda** • le **lion**, le **python**, le **triton** et le **pigeon** • le **puma** et le **piranha** • le **condor** et l'**alligator** • le **bison**, le **scorpion** et le **tarpon** • le **cobra** et le **boa** • le **kiwi**, l'**okapi** et le **pipit**

Est-ce bien vrai ?

Questions

1. l'**anaconda** est un grand lézard de l'île de Komodo

2. le **tarpon** est une espèce de bison sauvage

3. le **pipit** est une petite chauve-souris aux oreilles pointues

RÉPONSE : 1. Faux : l'**anaconda** est un grand boa d'Amérique • 2. Faux : le **tarpon** est un grand poisson de l'océan Atlantique • 3. Faux : le **pipit** est un petit passereau au plumage brun.

SOS
soufflé (n)
soupçon
source
sourdine
sousaphone
soviet
spaghetti
spatial
spectacle

sprat
springbok
sprint
squatter
squaw
stable (adj)
staccato
stagnant
stagnation
stalactite

stalagmite
starting-block
stator
statue
statuette
stature
stayer
steak

stock-car
stockfish
stop
stoppage
stratification
stress
strict
stroboscope

PLURIEL LATIN, PLURIEL SIMPLIFIÉ

De nombreux mots latins en **-us** et en **-um** existent en français comme en anglais, mais leurs pluriels ne suivent pas toujours les mêmes règles dans les deux langues, l'anglais étant souvent plus près du latin ou admettant les deux formes.

Donnez les pluriels des noms suivants en français et en anglais :

quantum • arboretum
• maximum • minimum
• ultimatum • curriculum
• hiatus • cactus • virus

RÉPONSE : Pluriel en **-a** dans les deux langues pour **quantum, maximum, minimum** et **arboreta**. Mais l'anglais accepte **arboretums** et **arboreta**, **curriculums** et **curricula**, **ultimatums** et **ultimata** tandis qu'en français ces noms en **-us** sont invariables au pluriel en français, alors que leur pluriel en anglais est **hiatuses** ou **hiatus**, **cactuses** ou **cacti**. En revanche, en anglais, **virus** fait exception avec un pluriel unique : **viruses**.

---

steeple-chase
step (one-)
steppe
sterling
sternum
steward
stimulant
stimulation
stimulus
stipulation

strontium
strophe
structural
structure
strychnine
style
suave
subalpine (adj fém)
subculture

subdivision
subjective (adj fém)
sublimation
sublime
subliminal
sublingual
submersible
submersion
subordination
substance
substantive (adj fém)
substitution
subterfuge
subtropical
subvention
subversion
subversive (adj fém)
succession
successive (adj fém)
succinct
succulence
succulent
suffocation
suffrage
suffragette
suggestible
suggestion
suggestive (adj fém)
suicide
sulfate
sulky (n)
sultan
sumac
sumo
superfine (adj fém)
superlative (adj fém)
superman
supernova

superphosphate
superposition
superstar
superstition
superstructure
supervision
supplication
supposition
suppression
suppuration
supranational
suprasegmental
surcharge
surface
surplus
surprise
susceptible
sushi
suspect (n)
suspense
suspension
suspicion
suture
suzerain
svelte
sweepstake
sybarite
sylviculture
symposium
synagogue
syndrome
synopsis
synovial
syphilis

T

tabard
tabernacle
tabulation
tact
tactile
talc
talisman

tamarin
tandem
tangible
tango
tanker
tapioca
tapir
tarmac
tarot
tarpon
tartan
taxable
taxation
taxi (n)
technique (n)
technostructure
tee-shirt
teenager
tempo
temporel
tenable
tendon
tenon
tennis
tension
tentative (n)
terbium
tercet
terminal
terminus
termite
terrain
territorial
test
testament
testimonial
tête-à-tête
textile (n)
texture
thalamus
thalidomide
thallium
thermal
thermocouple
thermos

thermosiphon
thermostat
thorax
thorium
thulium
thymus
tibia
tic
tilde
tirade
tisane
titillation
toast
toboggan

toccata
tocsin
tombac
tonal
tonnage
tonne
tonneau
tonsure
tontine
toque
torero
torrent
torsion
tortilla
torture
totem

toucan
tourniquet
trace
traction
tradition
trait
tram
trampoline
transaction
transalpine (adj
fém)
transcontinental
transcription
transduction

transept
transfiguration
transformation
transfusion
transgression
transistor
transit
transition
transitive (adj
fém)
transmigration
transmissible
transmission
transmutable
transmutation
transparent

transplant
transplantation
transport
transportable
transposition
transubstantiation
transversal
transverse (adj)
trauma
trekking
tremolo
trench coat
triangle
triangulation

tribunal
tribune
triceps
trictrac
tricycle
trident
trifocal
triforium
trillion
trimaran
trio
triode
triolet
tripartite
triple
tritium

CERTAINS PRODUITS CHIMIQUES
ONT DES NOMS FAMILIERS

Mais à quelles réalités renvoient-ils ?

1. *malachite*	A. roche dont le nom est aussi celui d'une montagne
2. *bauxite*	B. acide sulfurique
3. *strychnine*	C. variété de carbone qui laisse des traces
4. *vitriol*	D. pierre verte semi-précieuse
5. *graphite*	E. minerai d'aluminium
6. *dolomite*	F. extrait de la noix vomique

RÉPONSE : 1.D • 2.E • 3.F • 4.B • 5.C • 6.A

---

triton
trituration
troglodyte
troll
trope
tropical
trot
troubadour
troupe
tsar
tuba
tulle
tumescent

U

ultimatum
ultimo
ultra
ultraviolet
unification
unique
univalent
univalve
uranium
urgent
urinal

W.-C.

Il est peu de pièces de la maison qui aient autant de dénominations, en anglais, comme en français

ANGLAIS

bathroom, ladies (room), lavatory, little girls'room, little boys' room, powder room, restroom, toilet, water-closet...

FRANÇAIS

water-closets, waters, cabinet(s), toilettes, petit coin, latrines (et quelques autres formes très familières...)

---

tumulus
tunnel
turban
turbine
turbo-
turbot
turbulence
turbulent
turnover
turpitude
turquoise
tutu
twin-set
typhus
tyrannicide (n)

urine
usage
usurpation

V

vaccination
vagabond
vaginal
vain
valence
validation
valise
valve

vamp
vampire
vanadium
variable
variance
variation
vaseline
vassal
vaudeville
velcro
vendetta
ventilation
verbal
verbiage
verdict
verdure
vermicide (n)
vermifuge (n)
vermouth
vernal
versification
verso
versus
vertical
verve
vestibule
vestige
veto
via
viable
vibrant
vibraphone
vibration
vibrato
vice-
vice versa
vicissitude
vigilance
vigilant
vile (adj fém)
villa
village
vinaigrette
violation
violence

violent
virago
viral
virginal
virile (adj fém)
virulence
virulent
virus
vis-à-vis
visa
visage
viscose
visible
vision
visitation
vital
viticulture
vitrification
vitriol
vitro (in)
vivarium
vivisection
vocable
vocal
vocation
vodka
vogue
vol-au-vent
volition
volleyball
volt
voltage
volte-face
volume
volute
vortex
vote
votive (adj fém)
voyeur

W

walkman
walkover
walkyrie

wallaby
water-closet
(W.-C.)
waterpolo
waterproof
watt
weekend
welter
whisky
white spirit
wolfram

XYZ

xylophone
yacht
yacht-club

yachting
yang
yankee
yearling
yen
yeoman
yiddish
yin
yo-yo
yod
yoga
yoghourt
yogi
ytterbium
yttrium
yuppie
zen

zeppelin
zigzag
zinc
zinnia
zirconium
zombie

zone
zoo
zoom
zoophyte
zygote

UN INSTRUMENT DE MUSIQUE DÉMESURÉ

Entre un **xylophone**, un **vibraphone** et un **sousaphone**, quel est l'instrument le plus gros ?

RÉPONSE : le **sousaphone**, dont le pavillon remonte au-dessus de la tête du musicien.

Les mots en « gras »

En parcourant, même d'un œil distrait, ces longues colonnes de mots, que ne vient appuyer aucune explication puisque chaque mot est identique en anglais et en français, le lecteur aura peut-être été intrigué par certains mots en caractères gras, comme par exemple :

album, alphabet ou **article**
canal, taxi ou **locomotive**
guerilla, explosion ou **dynamite**
ganglion, virus ou **microbe**
lion, crocodile ou **sardine**
prince, baron ou **sultan**
ou encore **massage** et **sabotage**

La mondialisation et le vocabulaire international

Ils ne sont pas un effet du hasard mais on peut ne pas voir tout de suite qu'ils ont une particularité commune : tous sont non seulement des homographes anglo-français parfaits mais ils sont aussi un reflet tangible, dans les langues de l'Europe, de l'effet de la mondialisation.

On a toutes les chances aujourd'hui de se faire comprendre dans de nombreuses langues d'Europe, voire du monde, en utilisant des mots comme *taxi, hôtel* ou *radio*, à l'oral ou à l'écrit. Pour certains mots, les formes graphiques restent parfaitement identifiables tout en différant légèrement d'une langue à l'autre : présence ou absence d'un accent (fr. *métal*, angl. *metal*), graphie *ph* ou *f* (fr. *catastrophe*, it. *catastrofe*), présence ou absence de *h* (fr. *alcool*, angl. *alcohol*, esp. *alcohol*), consonne simple ou consonne double (fr. angl. *tunnel*, esp. *túnel*), etc.

Une recherche récente (1998)[117] a permis d'identifier plus de mille mots (exactement 1225) pouvant prétendre à l'internationalité et à être qualifiés de « mots sans frontières », comme les nomme joliment Sergio Corrêa da Costa[118].

Le corpus avait été recueilli à partir de dictionnaires de onze langues de l'Union européenne : français, italien, espagnol, portugais, allemand, anglais, néerlandais, danois, suédois, grec moderne et finnois. Les mots retenus étaient formellement très peu différents, comme

> *académie, accademia, academia, academia, Akademie, academy, academie, akademi, akademi, akadêmia, akatemia.*

Les mêmes divergences minimes caractérisent les homologues, dans ces langues, de mots français comme

> *biologie, harmonie, hiérarchie, chronologie, épilepsie, leucémie, géologie, ironie...*

À regarder cet échantillon sans s'y attarder, on pourrait conclure un peu vite que seuls des termes abstraits et ceux réservés au domaine des sciences, de la médecine et de la technologie forment l'essentiel de ce vocabulaire en voie d'internationalisation. Or, en confrontant cette liste de 1225 mots avec les entrées d'un dictionnaire destiné aux jeunes enfants à partir de 6 ans[119], on a pu constater que près de la moitié de ces mots (593 sur 1225 = 48,5 %) figurent dans ce dictionnaire et font donc en principe partie du vocabulaire courant. On y trouve par exemple les mots suivants, cités sous leur forme française :

> *accent, accepter, acrobate, agent, album, amande, appétit,*
> *article, bébé, cabine, café, caractère, catastrophe, chat,*
> *chocolat...*

Bien sûr, tous ces mots ne font pas l'unanimité des onze langues prises en considération, mais c'est le cas pour un certain nombre d'entre eux comme par exemple *acrobate, album, café, catastrophe* ou *chocolat*. En fait, il y a 457 mots qui font l'unanimité des onze langues, soit plus du tiers de la liste (37 %). Parmi ces mots aptes à traverser les frontières des langues, on peut encore citer, malgré des différences minimes de forme :

> *aluminium, analyse, concert, culture, démocratie,*
> *dialogue, énergie, géométrie, harmonie, horizon, idée,*
> *institut, mètre, pianiste, propagande, sabotage, salade,*
> *tunnel...*

Ce grand nombre de formes semblables sinon identiques s'explique sans doute par les contacts de longue date, et qui se sont récemment multipliés entre les langues de l'Europe : les langues sont toujours prêtes à s'interpénétrer et les emprunts réciproques se font sans peine lorsque les besoins de la communication se font pressants.

Le rythme des emprunts

En ce qui concerne l'anglais et le français, on aura sans doute remarqué que les vrais « faux amis » (cf. chapitre EXCURSION AU PAYS DES « FAUX AMIS », p. 121) et les vrais « bons amis » (cf. chapitre SUR LA PISTE DES « TRÈS BONS AMIS », p. 141) sont le plus souvent des emprunts de l'anglais au français du Moyen Âge, mais pas toujours. Il y en a en effet aussi en sens inverse, du français à l'anglais, mais à des périodes plus proches, comme on peut le constater pour *speaker* ou *smoking* (cf. p. 132).

Cela conduit à réfléchir sur la chronologie de l'intégration des emprunts dans les langues. Un linguiste danois, Otto Jespersen[120], a fait, au début du XXe siècle, un recensement de tous les emprunts de l'anglais au français, depuis la conquête normande (1066) jusqu'à la fin du XVe siècle, et son étude statistique, effectuée sur un échantillon de 1000 mots, apporte une surprise : entre l'arrivée des Normands en 1066 et le début du XIIᵉ siècle, le nombre d'emprunts ne montre pas de progression, alors que les XIIIᵉ et XIVᵉ siècles sont ceux où l'anglais accélère le rythme de ses emprunts, qui atteint des sommets à la fin du XIVᵉ siècle.

Or, c'est précisément l'époque où les gens importants commencent à délaisser le français et à utiliser l'anglais dans les grandes occasions. Ce paradoxe apparent apporte la confirmation que les mots venus d'ailleurs mettent souvent un certain temps avant de s'implanter définitivement dans les écrits de la langue emprunteuse.

L'émergence de l'anglais

Vers le milieu du XIVᵉ siècle, le français n'est plus, avec le latin, la langue de l'enseignement. À Oxford, les professeurs enseignent en anglais à partir de 1349. Sur le plan politique aussi, le français perd du terrain : le discours d'ouverture du Parlement est pour la première fois symboliquement prononcé en anglais en 1362, alors que jusque-là, le français avait été la langue unique dans les affaires officielles[121].

L'ANGLAIS DU ROI

Après deux siècles et demi de langue française à la cour d'Angleterre, le roi **Henry IV**, couronné en 1399, avait été le premier roi d'Angleterre[122] à avoir eu l'anglais comme langue maternelle. Son fils **Henry V** (1387-1422), couronné en 1413 et marié à Catherine de Valois, fille du roi de France Charles VI, avait été le premier à utiliser l'anglais dans ses communications officielles. Il avait également tenu à rédiger son testament en anglais.

Désormais, l'anglais avait vraiment détrôné le français.

Plus exactement, le français et l'anglais ne se manifestaient pas dans les mêmes milieux ni dans les mêmes situations : la cour et les classes instruites s'exprimaient en français et le peuple ne parlait que l'anglais. Mais bientôt la situation linguistique se modifiera pour l'ensemble de la population.

UN SIÈCLE D'HOSTILITÉS
☞ *Ou l'influence paradoxale du français pendant la guerre de Cent Ans*

Il faut rappeler qu'au cours du XIVᵉ siècle un autre élément, de politique étrangère cette fois, avait aussi grandement contribué à détacher les Anglais de la langue française : c'est en 1337, sous le règne d'Edward III, qu'avait commencé cette longue période d'hostilités entre les Français et les Anglais que les historiens ont appelée la *guerre de Cent Ans* (1337-1453).

Parmi les multiples épisodes de cette guerre intermittente et interminable, il en est deux qui ont particulièrement marqué l'imagination de la postérité.

Les bourgeois de Calais

Tout d'abord, l'épisode des six bourgeois de Calais (1347), que Froissart, qui avait été le secrétaire de la reine d'Angleterre Philippa, épouse du roi d'Angleterre Edward III, relate avec sensibilité dans ses *Chroniques* (livre I, chapitre LXVI) [123].

Une scène émouvante se déroule après un siège qui avait duré onze mois. À bout de forces, la ville de Calais avait dû se rendre aux Anglais. Le roi Edward III avait fini par accepter d'épargner les habitants de Calais à condition de recevoir en échange les clefs de la cité des mains de six des plus riches bourgeois de la ville, vêtus d'une simple chemise, pieds nus, la corde au cou et prêts à subir leur dernier supplice. En désespoir de cause, et remplie de pitié, la reine Philippa se jeta aux pieds du roi, qui se laissa attendrir, et les bourgeois eurent la vie sauve.

L'ordre de la Jarretière

C'est exactement à la même époque (1348) que le roi Edward III créa le Très Noble Ordre de la Jarretière (*The Most Noble Order of the Garter*), le plus ancien et le plus élevé des ordres de chevalerie en Europe. Il est aussi le plus fermé puisqu'il ne compte, en dehors du roi (ou de la reine) et du prince de Galles, que vingt-quatre chevaliers. Mais ce qui mérite d'être souligné, c'est qu'en pleine guerre de Cent Ans contre les Français, les Anglais avaient choisi pour l'ordre de la Jarretière une devise en langue française :

HONI SOIT QUI MAL Y PENSE

(À cette époque, le premier mot de cette devise ne comportait qu'un seul *n*)

UNE JARRETIÈRE TOMBE À TERRE...

... le roi la ramasse. Les courtisans pouffent de rire mais le roi l'attache sur sa propre jambe, et dit : « Honni soit qui mal y pense. »

Telle est, semble-t-il, l'origine de la devise du Très Noble Ordre de la Jarretière, créé en 1348 par le roi Edward III pour commémorer sa victoire à Crécy sur les Français (1346). On raconte que la scène s'est déroulée à Calais, au cours d'un bal où la très belle comtesse de Salisbury avait perdu sa jarretière en dansant.

Légendaire ou historique, c'est en tout cas sur une jarretière bleue que figure, en lettres d'or, la célèbre phrase du roi Edward III, dont le titre officiel était : « By the grace of God, King of France and England, Lord of Ireland and Duke of Aquitaine » [124].

L'EMBLÈME DE L'ORDRE DE LA JARRETIÈRE

Jehanne la Pucelle

Un autre épisode, qui s'est déroulé quelque quatre-vingts ans après celui des bourgeois de Calais, a encore plus marqué les esprits, celui de Jeanne d'Arc « boutant les Anglais hors de France ». C'est qu'il n'est pas banal, le personnage de cette jeune fille inspirée, intrépide et analphabète, qui, de surcroît, entend des voix. Malgré tous les obstacles, elle parvient le 8 mai 1429 à délivrer la ville d'Orléans assiégée par les Anglais et, deux mois plus tard, à faire sacrer le dauphin roi de France à Reims (17 juillet 1429). Faite prisonnière devant Compiègne puis vendue aux Anglais en novembre 1430, elle sera gardée par des soldats anglais et, après un long procès en hérésie, elle mourra sur le bûcher à Rouen, au matin du 30 mai 1431. Elle avait dix-neuf ans.

Peut-être est-ce le procès en nullité, décidé vingt-cinq ans plus tard, qui a déclenché l'intérêt populaire pour cette figure un peu mythique de l'histoire de France. Un intérêt qui ne s'est pas démenti au cours des siècles puisque des statues de Jeanne d'Arc existent aux quatre coins du monde, et qu'un village du Saskatchewan (Canada), au nord de Regina, a même été nommé Domrémy, en mémoire du lieu de naissance de la jeune martyre[125].

D'innombrables ouvrages, articles, pièces de théâtre et films ont été produits sur le sujet, mais il est rare que l'on y fasse allusion à l'aspect linguistique de la question.

Quelle langue parlait Jeanne d'Arc ?

Or, il faut savoir que les séances du procès s'étaient déroulées en français — c'est-à-dire dans ce « moyen-français » que nous connaissons grâce aux manuscrits. C'était une langue à base de latin évolué, tel qu'il s'était modifié depuis des siècles dans la zone d'oïl, mais souvent orné de latinismes dans les usages du clergé et des hommes de loi, et enrichi de traits locaux de provenances diverses[126].

Les archives reproduisant les paroles dites au procès ne sont pas le « verbatim » précis des séances mais la retranscription ultérieure de notes dites « tironiennes » — une sorte de sténographie avant la lettre — qui seront plus tard traduites en latin. C'est dire que l'on n'a aucun moyen de savoir comment parlait Jeanne d'Arc. On en est donc réduit à faire des hypothèses.

Née à Domrémy, petit village sur les bords de la Meuse, à la limite entre la Champagne et le duché de Bar, fille d'agriculteurs aisés, elle parlait sans doute à cette époque un dialecte d'oïl de l'Est, assez proche du champenois. Dans ces conditions, cette petite paysanne de 19 ans, qui ne savait ni lire ni écrire — elle dictait ses lettres et savait semble-t-il tout juste les signer —, avait probablement eu quelque difficulté à suivre les subtilités et les arguties de son procès, dont la langue n'était pas exempte de formes latinisantes éloignées de son propre usage campagnard.

Seulement des termes injurieux

Une autre question mérite d'être posée : en quelle langue Jeanne s'adressait-elle aux Anglais [127] ?

On sait seulement que le lendemain de son entrée à Orléans (29 avril 1429), elle s'était adressée à eux en français. Les Anglais lui avaient répondu en l'appelant « vachère » et en traitant les Français qui suivaient Charles VII de « maqueraux mescreants » *(sic)*, preuve qu'ils avaient très bien compris la teneur du message qu'elle leur avait lancé en français et qu'ils pouvaient répondre dans la même langue. Un peu plus tard, le 5 mai, elle écrit une lettre aux Anglais [128] en leur proposant un échange de prisonniers, message auquel ils répondent en la traitant cette fois de « putain des Armagnacs ». On peut sans doute conclure de ces maigres données que dans la première moitié du XVe siècle, les soldats anglais — et en tout cas les officiers supérieurs — parlaient, ou tout au moins comprenaient suffisamment le français pour que la communication passe. Les injures échangées en font foi.

De son côté, Jeanne ne parlait sûrement pas anglais, mais elle emploie à deux reprises le terme *godon*, forme apparemment injurieuse pour désigner ses adversaires.

RÉCRÉATION

QU'ENTENDAIT-ON PAR *GODON* ?

Godon[129] est un terme que Jeanne d'Arc employa au moins deux fois, à Orléans et à Rouen, pour désigner les Anglais. Il est la déformation d'une expression anglaise qui était en fait leur juron favori. Quel est ce juron ?

RÉPONSE : **Goddam(n)!** que l'on peut traduire par « maudits ! », terme francisé en *godons* et appliqué aux Anglais par les Français pendant la guerre de Cent Ans.

La guerre des langues n'a pas eu lieu

La question des langues n'avait jamais été un enjeu conscient dans cette longue période de guerre. On peut néanmoins aujourd'hui se demander quelle aurait été la situation du français et celle de l'anglais si le roi d'Angleterre avait réussi, comme il le souhaitait, à réunir définitivement sous son autorité la couronne de France et la couronne d'Angleterre.

Les chances du français étaient encore grandes car, au milieu du XVe siècle, il était déjà bien implanté dans le royaume de France, tout au moins dans une partie de la population, alors qu'en Angleterre l'anglais commençait seulement à émerger. On peut alors penser que le français, déjà couramment pratiqué dans les milieux dirigeants en Angleterre, aurait sans doute eu de ce fait des chances de s'imposer dans les deux pays comme langue de prestige et langue de pouvoir. Sans l'intervention de Jeanne d'Arc, les Anglais restés en partie francophones auraient pu transporter plus tard le français dans les futurs États-Unis d'Amérique et la répartition linguistique mondiale aurait de nos jours une tout autre apparence. Dans cette hypothèse, le français aurait connu un destin que ne laissait pas présager sa situation au Moyen Âge[130].

On se souvient en effet qu'en 1066, date de l'arrivée de Guillaume en Angleterre (cf. CARTE DIALECTALE DE LA FRANCE, p. 95), le français n'avait pas encore émergé au-dessus de la multiplicité des dialectes qui l'entouraient, et il faudra attendre plus d'un siècle pour voir une langue française unifiée prendre un relief particulier, et se répandre ensuite comme langue de prestige hors de son lieu d'origine.

En l'absence de tout texte écrit en Île-de-France au cours du XIIe siècle[131], il n'est toutefois pas possible d'identifier un dialecte spécifique de cette région privilégiée, et on peut supposer que l'on devait parler picard, normand ou orléanais jusqu'aux portes de Paris, et peut-être même dans les rues de Paris[132].

L'anglais, pour comprendre l'histoire du français

Et pourtant, on constate qu'à partir de la fin du XIIe siècle, c'est précisément cette région parisienne linguistiquement mal définie qui va jouer un rôle directeur en matière de langue dans l'ensemble du royaume. Dans cette région parisienne, la « langue du roi », ou « bel françois » comme on l'appelait, avait opéré des choix parmi les diverses variantes dialectales qui l'entouraient, pour fonctionner comme langue interrégionale. À l'origine essentiellement une langue de lettrés, elle jouira en outre du prestige que l'on attache à toute langue écrite et elle sera peu à peu adoptée par toutes les couches instruites de la société en France, qui s'exprime alors tour à tour dans sa langue natale et en français. Ce changement d'attitude langagière, c'est dans la chronologie des emprunts de l'anglais au français qu'on en trouve la meilleure confirmation.

En effet, les mots anglais *castle* « château », *catch* « attraper », *cattle* « bétail », par exemple, révèlent par leurs formes qu'ils sont originaires de Normandie (cf. § LES MOTS ANGLAIS VENUS DU NORMAND, p. 98) et non pas de l'Île-de-France : à cette époque, pour ces mêmes mots, l'ancien français disait *chastel* (aujourd'hui *château*), *chacier* (aujourd'hui *chasser*) et *chattel* (aujourd'hui *cheptel*). On remarquera le changement de sens de « chasser » à « attraper » pour *to catch*, et l'emploi restreint de *cheptel* en français — où *bétail* est plus usuel — face à l'usage quotidien de *cattle* en anglais.

Un siècle plus tard, la noblesse venue de France ayant elle-même peu à peu adopté le français, ce sont des formes en *ch-*, typiques de cette langue, et non des formes en *c-*, propres au normand, qui passeront désormais en anglais. Témoins les emprunts de l'anglais au français recensés à partir du XIIIe siècle :

challenge	vient de l'ancien français *chalenge* (aujourd'hui *challenge*) « défi »
change	vient de l'ancien français *changier* (aujourd'hui *changer*)
chapel	vient de l'ancien français *chapele* (aujourd'hui *chapelle*)
chamber	vient de l'ancien français *chambre*
choice	vient de l'ancien français *chois* (aujourd'hui *choix*)
mischief	vient de l'ancien français *meschef* « infortune » (forme aujourd'hui disparue du français). En anglais, *mischief* a aujourd'hui le sens de « malice, méchanceté ».
achieve	vient de l'ancien français *achever* « venir à bout, accomplir (une tâche) ». On remarquera que l'anglais *achieve* a gardé le sens que ce verbe avait en ancien français, tandis qu'en français moderne, le verbe *achever* signifie simplement « finir, terminer ».

Le passage de *c (catch)* à *ch (chase)* dans les emprunts de l'anglais au français apparaît donc comme le reflet, dans le vocabulaire, des nouveaux usages linguistiques de la noblesse de France, qui adoptait progressivement les habitudes de prononciation venues du « bel françois », jugées plus prestigieuses.

Le prestige du français hors de France

S'il est vrai que le français, entre le XIIe et le XVe siècle, influence l'anglais au point de lui laisser une
empreinte indélébile jusqu'à nos jours, il faut ajouter
que cette langue française voit son prestige grandir dans
d'autres directions et prendre une dimension européenne.

Alors que le latin reste partout la langue de l'Église,
de l'enseignement et du savoir, le français devient en
effet la langue de la diplomatie, celle des relations
mondaines et celle que l'on doit apprendre si l'on veut
avoir une audience internationale : des écrivains italiens comme Rusticien de Pise, Marco Polo, Brunetto
Latini, Martino da Canale ou Philippe de Novare choisissent d'écrire leurs ouvrages en français. Les chan-
sons de geste françaises circulent partout et inspirent
les poètes d'Espagne et du Portugal, d'Allemagne et
des Pays-Bas[133].

Seule l'Angleterre ne suit plus le mouvement.

En Angleterre, le français perd du terrain

En effet, en Angleterre, la situation du français va
changer considérablement à partir du milieu du
XIVe siècle : l'intérêt pour l'anglais s'était alors fortement accentué et le français n'était plus une langue
familière dès le berceau, mais une langue que l'on
apprenait à l'école. La prolifération de livres d'enseignement du français en fait foi. Le premier d'entre eux,
écrit dès le milieu du XIIIe siècle par un chevalier du
nom de Walter of Bibbesworth, était précisément destiné à enseigner le français aux enfants, car cette langue
était encore, selon les propres mots de l'auteur, « la langue que tout gentilhomme se doit de savoir »[134].

S'il fallait enseigner cette langue, c'est donc qu'elle
gardait un prestige certain, qui s'est perpétué au cours

des siècles. Cependant on ne parlait plus français en famille, où régnait l'anglais, cette langue germanique dans laquelle le français laissera des traces encore visibles de nos jours, et que l'on retrouve dans la prononciation, dans la manière de s'adresser la parole, dans le vocabulaire et même dans la grammaire et l'orthographe.

L'anglais nouveau est arrivé

C'est effectivement un anglais complètement métamorphosé qui émerge à la fin du XIVᵉ siècle, une langue très différente de la norme du vieil-anglais qui avait régné du temps du roi Alfred. Elle se manifeste de façon magistrale chez Chaucer. Reconnu comme un grand poète de son vivant, il était célébré en Angleterre comme en France, où le poète Eustache Deschamps, qui avait apprécié sa traduction du *Roman de la Rose* en anglais, le considérait comme « le grand translateur, noble Geffroi Chaucier » [135].

Chaucer avait choisi l'anglais

Avec Chaucer (1340-1400) et ses *Contes de Cantorbéry*, on peut dire que l'anglais acquiert d'emblée ses lettres de noblesse et entre dans la littérature par la grande porte.

Né à Londres d'une famille de négociants en vins, il avait été élevé dans un milieu aristocratique et avait ensuite occupé des fonctions officielles dans l'entourage du roi. Envoyé en Italie comme ambassadeur, il avait certainement eu connaissance des écrits de Pétrarque et de Boccace. On ne sait pas s'il a pu rencontrer ces derniers, mais on peut penser que c'est la lecture du *Décaméron* de Boccace qui lui a inspiré la structure et une partie des thèmes des *Contes de Cantorbéry*. Toutefois, ce qu'il en a fait porte la marque incontestable de son génie personnel : une manière à lui, humoristique et pittoresque, de camper des personnages hauts en couleur, et dont les récits reflètent, avec une belle économie de moyens, les traits saillants de leur caractère, de leur éducation et de leur mode de vie.

LES CONTES DE CANTORBÉRY

Nous sommes à la fin du XIVᵉ siècle et Chaucer imagine qu'il se trouve près de Londres dans une auberge où arrive une trentaine de pèlerins en route sur le chemin du tombeau de saint Thomas de Cantorbéry, lieu de pèlerinage très fréquenté depuis la mort de Thomas Becket, l'archevêque assassiné dans sa cathédrale deux siècles auparavant à l'instigation du roi Henry II, mari d'Aliénor d'Aquitaine.

Pour rompre la monotonie de ce voyage de quatre jours, l'aubergiste propose aux pèlerins de raconter chacun deux histoires, l'une à l'aller et l'autre au retour. Celui qui aura distrait la compagnie avec les récits « les plus sentencieux et les plus délectables » sera régalé au retour, dans la même auberge, aux frais de tous les autres pèlerins.

La vingtaine de contes finalement recueillis sont ceux de personnages très divers : **un chevalier** plein d'honneur et de courtoisie voyageant avec son fils, « aussi frais que le mois de mai », **une mère prieure bénédictine**, à la voix légèrement nasillarde et aux chaussettes de couleur écarlate, **Madame Églantine**, « qui parlait le français de Stratford-atte-Bow » car elle ne connaissait pas le français de Paris ; **un clerc** d'Oxford se destinant à la prêtrise, **un marchand** plein de lui-même, **un laboureur** « qui battait le blé pour l'amour du Christ », **un médecin, un tisserand, un marin** batailleur, **un meunier** joueur de cornemuse, **un magistrat, une brave commère** de Bath qui avait eu cinq maris, **un frère** mendiant, un cuisinier, **un marchand d'indulgences, un pauvre curé** de village, instruit et généreux...

Bref, une vision bariolée et étonnamment vivante de la société de son temps.

Le triangle « magique » : Oxford-Cambridge-Londres

Avec Chaucer, on s'aperçoit que c'est le dialecte de la région de Londres, où il était né et où, après son séjour en Italie, il avait passé l'essentiel de sa vie, qui était en train de s'imposer à la fois comme la langue de la vie publique, du commerce et du savoir. L'université d'Oxford, créée au milieu du XIIe siècle, et celle de Cambridge, au XIIIe siècle, avaient été fondées à l'image de l'université de Paris et elles étaient devenues des pôles d'attraction pour des élites venues souvent de très loin.

Une nouvelle norme, fondée sur les usages de Londres et de ses environs, y fera graduellement son chemin.

Quelques éléments caractérisant la langue de Chaucer

Si l'on mesure le chemin parcouru entre la langue du vieil-anglais — représentée par le west-saxon de l'époque du roi Alfred — et celle du moyen-anglais telle qu'elle se manifeste chez Chaucer, on est étonné de l'étendue des nouveautés qu'on y constate. Elles concernent évidemment la prononciation et surtout le lexique, fortement marqué par l'influence du français. Mais ce qui frappe le plus, c'est peut-être le changement des formes grammaticales et de leurs emplois par rapport à celles du vieil-anglais.

RÉCRÉATION

CHEZ CHAUCER, DES MOTS VENUS DU FRANÇAIS

Combien y a-t-il de mots venus du français dans les quatre vers qui décrivent le médecin dans le Prologue des *Contes de Cantorbéry*[136] ?

> *He knew the cause of everich maladye,*
> *Were it of hoot or cold, or moyste or drye,*
> *And where they engendred and of what humour ;*
> *He was a verray parfit praktisour.*

> (Il connaissait la cause de toutes les maladies, qu'elles soient dues au chaud, au froid, au temps humide ou sec, il savait où elles se développaient et de quelles humeurs elles provenaient. C'était un praticien vraiment parfait.)

RÉPONSE : il y en a 8 : **cause** (cause), **maladye** (maladie), **moyste** (moite), **engendred** (du verbe français *engendrer*), **humour** (humeur), **verray** (vrai), **parfit** (parfait) et **praktisour** (ancienne forme pour « médecin »).

Le renouvellement grammatical

Le vieil-anglais était, comme le latin, une langue à cas, c'est-à-dire une langue dans laquelle la fonction des éléments de la phrase était indiquée par des désinences à la fin des noms et des adjectifs, selon une déclinaison aux formes variées. Par exemple, la « pierre » — *stone* en anglais moderne — avait diverses formes :

> *stān* au nominatif singulier (cas du sujet : « la pierre »)
> *stānes* au génitif singulier (cas du complément de nom :
> « de la pierre »)
> *stāne* au datif singulier (cas du complément d'attribution :
> « à la pierre »)
> *stānas* au nominatif pluriel (« les pierres »)[137].

La simplification des formes est radicale en moyen-anglais, où, en dehors du génitif singulier (terminé en *s*), *stone* devient la forme unique au singulier et *stones* la forme unique au pluriel[138].

En compensation, les prépositions *to, in, by, from...* s'imposent pour éviter que la perte de l'information, précédemment assurée par les désinences casuelles, n'aboutisse à des obscurités dans le discours.

On se trouve ainsi dans une situation proche de la situation actuelle, où la généralisation du *-s* au pluriel et de la forme *'s* pour le cas possessif au singulier font de l'anglais une langue d'accès facile... si l'on oublie toutefois les quelques exceptions qui en font aussi le charme.

« CHILDREN » : UNE FORME ARCHAÏQUE

C'est seulement pour quelques noms que le pluriel prend en anglais des formes exceptionnelles, qui sont des survivances du moyen-anglais, comme, par exemple :

child « enfant »   pl. *children*
ox « bœuf »   pl. *oxen*
brother « frère »   pl. *brethren*, pour les « frères en religion » mais *brothers*, pour les « frères » tout court

Pourquoi dit-on « miouzik » en anglais ?

Si l'on a coutume de se réjouir de cette simplicité apparente de la grammaire anglaise, personne n'oserait prétendre que la prononciation de l'anglais soit un jeu d'enfant. Pourquoi ? C'est que l'anglais a hérité de traditions diverses, et en particulier de prononciations d'origine française.

Lorsqu'une personne parle une langue étrangère, elle la prononce avec les habitudes articulatoires de sa propre langue — qui sont les unités phoniques que les linguistes nomment des *phonèmes*, ou sons distinctifs. C'est ce que l'on appelle communément « avoir un accent » et c'est ce qui s'est produit quand des anglophones se sont mis à parler français.

Dans le cas du mot *musique*, que l'anglais a emprunté au français à l'époque du moyen-anglais, c'est-à-dire avant 1500, il était difficile à un anglophone de naissance de réaliser le *u* de la première syllabe car, en anglais, si les voyelles de *pig* (brève) ou de *bee* (longue) sont prononcées à l'avant de la bouche et avec les lèvres rétractées, les voyelles de *book* (brève) et de *goose* (longue) le sont à l'arrière de la bouche et avec les lèvres arrondies. Dans cette langue, il n'y avait pas — et il n'y a toujours pas — de voyelle qui combine une articulation à l'avant avec un arrondissement des lèvres, comme c'est le cas en français pour des mots comme *pur, dur* ou *mur*.

Or c'est bien cette voyelle que l'on entend dans les mots français *muse* ou *musique*. Quand on n'a pas l'habitude de réaliser ces deux articulations en même temps, on les prononce successivement et c'est ce qui s'est produit en anglais, avec *miouze* pour *muse* et *miouzik* pour *music* « musique ». Voilà aussi pourquoi le mot français *entrevue* est devenu *interview* et pourquoi *muet* a abouti à l'anglais *mute*, prononcé *mioute*.

Cela a été d'autant plus naturel que cette succession *iou* existait en anglais, par exemple dans *new* « nouveau », dans *few* « peu de » ou dans *you* « vous ».

Tutoiement et vouvoiement

La facilité que représente aujourd'hui, en anglais, la forme unique *you* pour adresser la parole aussi bien à un égal qu'à un supérieur, semble aussi avoir pour origine l'habitude française d'employer le pronom personnel au pluriel pour s'adresser à une seule personne, qu'on veut honorer. Mais alors qu'en français *tu* et *vous* restent des manières de s'adresser la parole manifestant le degré d'intimité des interlocuteurs lorsqu'on parle à une seule personne, l'anglais a, dès la fin du XVIe siècle, définitivement renoncé au *thou* du tutoiement — réservé à des usages liturgiques ou poétiques — pour adopter l'unique forme *you* dans tous les cas.

Un rite social qui remonte au latin

On sait que la forme de la deuxième personne du pluriel du verbe pour s'adresser à une seule personne était déjà attestée en latin. Les textes d'ancien français témoignent à leur tour de l'habitude prise d'employer le pronom personnel *vous* en signe de respect pour l'interlocuteur.

En vieil-anglais, on distinguait aussi entre :

	NOMINATIF	ACCUSATIF
2e pers. sg.	*thou*	*thee*
2e pers. pl.	*ye*	*you*

À partir du XIIIe siècle, on peut constater dans les textes que la forme *thee* de l'accusatif disparaît progressivement au profit de *you*[139], quelle que soit sa fonction dans la phrase, et c'est un peu plus tard que, par imitation du français, on commence à prendre l'habitude d'employer la 2e personne du pluriel avec les personnes à qui l'on veut témoigner du respect.

Pourtant, la forme *you* ne s'est pas imposée en anglais de manière subite. L'usage en a été fluctuant entre le XIVe et le XVIe siècle, où l'on a pu constater dans un même texte, aléatoirement la plupart du temps, à la fois des formes de singulier (*thou*) et de pluriel (*ye* ou *you*) quand une personne s'adressait à un seul interlocuteur.

Cela est fréquent chez Chaucer, où le coq Chauntecleer, par exemple, emploie tour à tour les formes du singulier et du pluriel pour parler à sa femme Pertelote[140].

Mais aujourd'hui, comme le soulignait avec humour le linguiste danois Otto Jespersen, avec *you* comme unique forme d'adresse, l'anglais a choisi la seule « manière équitable » de s'adresser la parole dans une nation qui respecte les droits élémentaires de chaque individu[141].

COMMENT FAITES-VOUS FAIRE ?

Cette expression, qui a l'air d'être, dans *Astérix chez les Bretons*, la traduction humoristique mot à mot de l'anglais *How do you do ?* est en fait le calque d'une expression bien française, et utilisée réellement en ancien français : « Comment le faites-vous ? » était alors la façon de dire « Bonjour, comment allez-vous ? »[142].

La naissance des noms de famille

C'est vers la fin du XIVe siècle que l'on voit s'imposer en Angleterre la nécessité des noms de famille.

Après l'époque du haut Moyen Âge, où il suffisait d'avoir un prénom, il y avait eu l'époque où l'on ajoutait le suffixe *-son* « fils de », d'où *Johnson* ou *Thomson*, d'inspiration scandinave.

Comme en France, l'étape suivante avait été d'ajouter le nom du lieu de naissance ou de résidence (*Hill, Rivers, Brooks...*) ou encore celui du métier (*Miller* « meunier », *Taylor* « tailleur », *Mason* « maçon »). Avec l'arrivée des Normands, vont s'imposer des noms de France comme *Francis, Gascoygne, Lorraine, Vernon* ou *Raymond*, tandis que les Gallois choisissent *Evans, Owen, Lloyd* ou *Floyd*[143], ou encore *Morgan*, qui signifie « aux cheveux blancs » en gallois[144].

Mais, comme à Rome, les surnoms étaient chose courante, à partir de certaines caractéristiques désignant les

personnes. Certains sont neutres, comme *Whitehead*
« Tête blanche », d'autres laudatifs, comme *Armstrong*
« Bras fort ». Dans ce dernier cas, on reconnaîtra avec
l'adjectif suivant le nom, un ordre inhabituel dans les
langues germaniques, ce qui est un indice de l'influence
normande.

En matière de surnoms, le gaélique a parfois fourni
des expressions un peu plus moqueuses, comme *Ken-
nedy* « Tête laide », *Campbell* « Bouche tordue » ou
Boyd « Au visage jaune, maladif »[145].

┌─ **RÉCRÉATION** ──────────────────────────────

LE NOM DE CHAUCER

Chaucer :
1. Ce nom a pour origine un nom français de métier. Vrai ou
   faux ?
2. Ce nom correspond à un nom de lieu où l'on produisait de
   la chaux. Vrai ou faux ?
3. Ce nom provient du surnom **chaustier** « chausseur »
   qu'on lui avait donné parce que son grand-père habitait
   rue **Cordwainer** « rue du cordonnier ».

RÉPONSE : 1. Vrai • 2. Faux • 3. Vrai[146]

└──

DEUX LANGUES QUI S'AFFIRMENT
☞ *Deux langues savantes et leur orthographe*

Le rôle de l'imprimerie

S'il est vrai que Chaucer a largement contribué au XIVe siècle à faire entrer la langue anglaise dans la littérature par la voie royale, il ne faudrait pas oublier que cette langue n'aurait pas pu connaître la diffusion dont elle a ensuite bénéficié si elle n'y avait été aidée par l'introduction de l'imprimerie en Angleterre, grâce à un personnage hors du commun : William Caxton.

William Caxton était né dans le Kent et avait mené une grande partie de sa vie comme diplomate et marchand aux Pays-Bas, où il avait aussi appris l'art de l'imprimerie, qu'il allait introduire en Angleterre, vers 1476, dans les bâtiments mêmes de l'abbaye de Westminster. Un peu auparavant, en 1474, il avait publié à Bruges le premier livre imprimé en anglais par ses soins : la traduction en 700 pages d'un ouvrage français, sous le titre *The Recuyell of the Historyes of Troye*[147].

Non content d'imprimer ses propres ouvrages et ses traductions de quelques livres à succès déjà parus en France et aux Pays-Bas — par exemple le *Roman de Renart* —, Caxton a joué un rôle essentiel dans l'histoire de la littérature anglaise en contribuant à faire connaître par ses publications imprimées les œuvres de Chaucer et de ses contemporains anglais.

Pour y parvenir, parmi la grande diversité dialectale qui régnait alors, il avait tout naturellement choisi de reproduire les usages de Londres et de la région du Sud-Est (qui étaient aussi en grande partie ceux de son Kent natal). Fixés sur la page imprimée et désormais diffusés sous cette forme, les mots anglais de cette région allaient être adoptés avec d'autant plus d'empressement que c'est au centre de cette région que se trouvait le triangle prestigieux Oxford-Cambridge-Londres, où convergeaient savoir, pouvoir et activités commerciales (cf. § LE TRIANGLE « MAGIQUE » : OXFORD-CAMBRIDGE-LONDRES, p. 180).

BRÈVE HISTOIRE DE L'ORTHOGRAPHE ANGLAISE[148]

VIIᵉ siècle : premiers textes anglo-saxons en alphabet romain + 3 lettres supplémentaires : **w** (toujours en usage) et deux signes de l'alphabet runique, remplacés plus tard tous deux par **th**.

XIᵉ siècle : influence de la graphie normande : par exemple **cw** est remplacé par **qu** *(cwene > queen)* ; introduction du **z** et du **g** ; remplacement des deux runes par **th** à la fois pour les sons de *thick* et de *that*, et adoption du **ou** *(house, mouse)*.

1477 : premier livre imprimé, par William Caxton à Westminster.

Vers 1500, désordre orthographique, chaque mot — même les noms propres — pouvant être écrit de plusieurs manières différentes. Début de la tendance à l'uniformisation, mais l'orthographe se fixe à une époque où certaines prononciations vont disparaître : au XVIᵉ siècle, **k** et **g** se prononçaient encore dans *knight* ou dans *gnat* « moucheron », ainsi que **l** dans *folk* et *would*.

XVIIᵉ siècle : par respect de l'origine latine ou grecque, on ajoute des lettres, par exemple dans *debt, doubt, receipt, scissors, island, anchor, rhyme, adventure, describe, perfect*...

XVIIIᵉ et XIXᵉ siècles : projets de réformes en vue d'une simplification de l'orthographe : Benjamin Franklin, Mark Twain, Isaac Pitman...

XXᵉ siècle : George Bernard Shaw laisse à sa mort toute sa fortune pour promouvoir une réforme de l'orthographe... qui ne se fera pas.

Curiosités graphiques en moyen-anglais

Avant la naissance de l'imprimerie, les textes copiés par les scribes présentaient toujours des formes différentes pour le même mot, selon l'origine géographique du scribe et les traditions de l'atelier, et cette latitude se prolongera dans les livres imprimés puisqu'au XVIIᵉ siècle. On trouvera encore, par exemple, six façons différentes d'écrire le mot qui signifie « sang », aujourd'hui *blood*, à savoir : *blod, blode, blud, bludde, bloud, bloude*[149].

Certaines notations avaient été introduites à l'initiative des scribes venus de France entre le XIIIᵉ et le XIVᵉ siècle. Le nom de la maison, qui s'écrivait <hus> en vieil-anglais et qui se prononçait alors comme une voyelle simple et longue [u:] (comme la voyelle de *boue* en français) et non pas comme une diphtongue, commence à s'écrire *hous* au XIIIᵉ siècle. Cependant la diversité des formes est de règle car la graphie archaïque *hus* voisine alors avec *hous, house, howse, huse, huus* et même *huis* dans le nord du pays[150].

De plus, ce qui s'écrivait **y** en vieil-anglais était souvent transcrit par **u** par les scribes français. C'est ainsi que le vieil-anglais *mycel* « beaucoup » sera transcrit *muchel* en moyen-anglais, d'où *much* en anglais moderne. Mais quand **y** était l'équivalent d'une voyelle longue, la représentation était **ui**, d'où vieil-anglais *fyr* « feu » > moyen-anglais *fuir* > anglais moderne *fire* « feu ».

Les bizarreries de l'orthographe anglaise[151]

Si l'on constate sans peine que l'anglais se comprend beaucoup mieux à l'écrit qu'à l'oral, c'est peut-être parce qu'on y reconnaît plus directement tous les éléments lexicaux d'origine française ou latine qui s'y sont introduits au cours des siècles.

Mais il y a plus.

À reprendre l'histoire de la langue anglaise depuis les premiers écrits (fin du VIIᵉ siècle)[152], on se rend compte que sous sa forme écrite elle a souvent connu les mêmes expériences et les mêmes crises que l'orthographe française, avec toutefois certaines complications spécifiques.

Deux systèmes d'écriture pour le vieil-anglais

Afin de mieux comprendre leur raison d'être, il faut tout d'abord se rappeler que les plus anciennes inscriptions en vieil-anglais n'étaient pas écrites en alphabet latin mais en alphabet runique (cf. encadré L'ALPHABET RUNIQUE, p. 66).

L'une des plus célèbres avait été gravée sur une croix, la croix de Ruthwell, conservée près de Dumfries, au sud de l'Écosse[153]. Les mots y sont inscrits à la suite les uns des autres, sans espace ni ponctuation, ce qui ajoute aux difficultés de lecture.

En fait, cet alphabet peu pratique avait été progressivement abandonné en Grande-Bretagne à partir de l'évangélisation du pays, qui avait été portée par le latin. L'introduction du christianisme s'était faite conjointement par le Sud, avec l'arrivée en 597 du moine Augustin envoyé par le pape Grégoire le Grand dans le Kent, et par le Nord, où un moine venu du monastère de Iona en Écosse allait convertir la Northumbrie. Au VIIIe siècle, les cathédrales et les monastères s'étaient multipliés (Lindisfarne, Cantorbéry, York, Jarrow) : toute l'Angleterre était alors devenue chrétienne. Or, dans l'Église chrétienne, on parlait et on écrivait en latin[154].

On aménage l'alphabet latin

L'alphabet latin s'est donc progressivement substitué aux runes, non sans conserver pendant plusieurs siècles une consonne de l'ancien alphabet runique pour noter un phonème inconnu en latin, mais indispensable pour noter le vieil-anglais : cette lettre portait le nom de *thorn* « épine » et permettait justement d'écrire la première consonne de ce mot. Pour noter l'autre consonne interdentale (celle du démonstratif *that*, par exemple), un nouveau signe avait été créé au moyen d'une barre sur la hampe du <**d**> (ð), mais la distinction entre ces deux consonnes n'était pas essentielle en vieil-anglais et leur représentation se faisait le plus souvent uniquement par le *thorn*, indifféremment pour l'une ou l'autre consonne (par exemple dans ce qui est devenu *this* et *thick*).

L'alphabet du vieil-anglais était donc presque entièrement latin et comportait alors 24 lettres :

a, æ, b, c, d, e, f, g, h, i, k, l, m, n, o, p, r, s, t, þ, ð (les deux nouvelles lettres), u, w, y[155].

On remarquera l'absence de deux consonnes qui ont plus tard revêtu une grande importance : <j> et <v>. En effet, à l'instar du latin (et du français jusqu'aux XVIe et XVIIe siècles)[156], il n'y avait pas en anglais de <j> distinct de <i>, ni de <v> distinct de <u>.

Les lettres <x>, <q> et <z> ne se sont réellement installées qu'après l'arrivée des Normands (1066)[157].

De plus, certaines lettres avaient une forme un peu particulière : le <s> avait une forme allongée (à peu près <∫>) et le <g> était souvent représenté par un signe ressemblant à peu près au signe phonétique [ʒ] qui correspond à la consonne de *joue*. La graphie <g> a été importée du Continent[158].

Les chiffres étaient toujours en caractères romains, et le signe pour noter la conjonction *and* « et » (ce signe & qu'en français on nomme *esperluette* ou *perluette*, et en anglais *ampersand*) ressemblait à un 7 (non barré).

Pour les sons du vieil-anglais n'existant pas en latin, on avait recours à des combinaisons :

<sc> pour la consonne que l'on connaît aujourd'hui dans *show* ;

<cg> pour celle de *jam* (alors écrit *cgam*) « confiture » (par exemple dans *ecg*, ultérieurement *edge* « bord »), mais <c> pour *cyrice*, ultérieurement *church* « église » et pour *cildra*, ultérieurement *children* « enfants » ;

<cw> pour [kw] (par exemple *cwene*, ultérieurement *queen* « reine »).

Enfin, il n'y avait pas de lettres capitales.

Les scribes normands bouleversent les graphies

Au cours de l'époque suivante, celle du moyen-anglais, qui se termine vers le milieu du XVe siècle, un grand changement va transformer complètement l'aspect des graphies des manuscrits : non seulement elles manifestent visiblement l'effet de l'adéquation progressive aux changements phonétiques survenus au cours des siècles précédents, mais elles sont aussi le reflet des conditions sociolinguistiques provoquées par l'arrivée des Normands en 1066 et de leur domination dans le monde des lettres : les scribes normands avaient en effet tout naturellement transféré les habitudes graphiques qu'ils avaient en français à la notation du moyen-anglais.

C'est ainsi que <cw> sera progressivement remplacé par <qu> à la faveur des emprunts au français et <c> par <ch>, tandis que la lettre <c> représentera de plus en plus souvent la prononciation [ts], puis [s] comme en français, dans des mots comme *cercle* (ultérieurement *circle* « cercle »), *cell* « cellule » ou *city* « ville ».

On prendra aussi l'habitude d'écrire <ou> ou <ow> au lieu de <u> (ex. *town* « ville » ou encore *hous*, ultérieurement *house* « maison »). Quant au *thorn* hérité de l'alphabet runique, il est de plus en plus souvent représenté par <th> qui, à l'initiale, prend une forme ressemblant assez à un <y>. S'il vous arrive de voir en Angleterre l'inscription *ye olde shoppe* comme enseigne d'une boutique, il vous sera maintenant aisé de reconnaître sous *ye* l'ancienne forme de l'article défini *the*.

D'autre part, pour faciliter la lecture des successions de lettres telles que <u>, <n>, <m>, <w>, facilement confondues dans un tracé rapide, la lettre <u> sera souvent remplacée par un <o>, comme dans *luue*, devenu *loue* « amour », ensuite *love*, ou encore *sunu*, devenu *sone* et ultérieurement *son* « fils ».

Enfin, et toujours dans le souci d'une meilleure distinction des mots, on commence à la fin du XVIe siècle,

comme on le faisait déjà pour le français, à utiliser <v>
et <u> de façon complémentaire : <v> au début des
mots et <u> au milieu. Par exemple *vnder* « dessous »
(avec <v>) mais *hous* « maison » (avec <u>).

La consonne /v/ va d'ailleurs bientôt s'imposer, surtout du fait de sa présence dans de nombreux emprunts
au français, comme :

revenue	*servant*	*travel*	*vassal*	*novice*	*vicar*
clove	*veal*	*veil*	*volume*	*poverty*	*adventure*
river	*tavern*	*move*	*prove*	*receive*	*sovereign*
saviour	*serve*	*save*			

Toutes ces innovations dues à l'arrivée des Normands
aboutissent, au début du XVe siècle, à un système graphique hybride, qui mêle de nombreux traits hérités du
vieil-anglais à un certain nombre de principes régissant
la langue française écrite : un avant-goût des complications à venir.

Les graphies de la Chancellerie royale

Il faut ajouter que ces changements s'étaient produits
à un rythme lent, et qu'aucune norme ne s'était encore
imposée. Il faudra attendre la fin du XVe siècle pour se
rendre compte, dans les premiers textes imprimés par
William Caxton, qu'une graphie recommandée *(Chan-
cery standard)*, inspirée de la langue qui se développait
à Londres, avait graduellement pris corps dans la Chancellerie royale. C'est là qu'un petit nombre de scribes,
installés à la Chancellerie et qui auparavant voya-
geaient avec le roi et préparaient tous ses documents,
avaient, par exemple, choisi *such*, face aux diverses
autres variantes *sich, sych, swiche*, et on trouvera bientôt *can, could, shall* et *should* comme formes uniques
pour ces temps verbaux.

L'importance de la Bible

L'un des effets les plus directs de l'expansion de
l'imprimerie sur la langue anglaise a certainement été
la diffusion de la Bible dans ses différentes versions.
L'édition anglaise de la « Version autorisée de la

Bible », également connue sous le nom de *King James Bible* (1611), avait été elle-même influencée par les différentes versions anglaises qui avaient vu le jour tout au long du XVIᵉ siècle. L'une d'entre elles, dite *Bible de Douai-Reims*, publiée en entier en 1609 et qui reposait sur une traduction de la *Vulgate* latine, a été utilisée tout au long du XVIIᵉ siècle par les catholiques d'Angleterre[159].

« THE AUTHORIZED VERSION OF THE BIBLE »

Cette version de la *Bible*, publiée en 1611, est l'œuvre de vingt-quatre traducteurs érudits qui se réunissaient régulièrement pour discuter et résoudre d'un commun accord les problèmes que posait cette traduction. Au bout de deux ans de travail, la première édition avait pu voir le jour : un ouvrage où apparaissaient pour la première fois des expressions qui sont devenues depuis monnaie courante en anglais. Ainsi :

Eye for eye (Exod. 21) « Œil pour œil »
The apple of his eye (Deuter. 32) « La prunelle de ses yeux »
A man after his own heart (1 Sam. 13) « Un homme selon son cœur »
His enemies shall lick the dust (Ps. 72) « Ses ennemis lécheront la poussière »
The salt of the earth (Matth. 5) « Le sel de la terre »
The signs of the times (Matth. 16) « Les signes des temps »
In the twinkling of an eye (1 Cor. 15) « En un clin d'œil »
To the pure, all things are pure (Tit. 1) « Tout est pur aux purs »

Des réformes s'imposent

Dans les versions successives de la Bible aussi bien que dans les textes profanes, on était encore loin d'une standardisation générale et on l'était encore plus d'une parfaite cohérence puisque la voix des réformateurs se fait entendre dès le milieu du XVIᵉ siècle. Richard Mulcaster[160] a été l'un de ceux qui ont hâté l'unification de certaines graphies, par exemple pour marquer la longueur vocalique, soit par le redoublement de la voyelle (*soon* « bientôt », *deed* « action »), soit par l'adjonction d'un *-e* final non prononcé (*name* « nom »). Ces règles sont encore valables pour une majorité de mots anglais, malgré des exceptions remarquables, comme *foot* (voyelle brève) face à *food* (voyelle longue).

Une autre grande régularisation se fera un peu plus tard, au cours du XVIIᵉ siècle : sur le modèle de ce qui se faisait déjà en France, on prendra alors définitivement l'habitude de réserver la lettre <v> pour la consonne, la lettre <u> pour la voyelle, de même que la lettre <j> pour la consonne, et la lettre <i> pour la voyelle.

C'est aussi l'époque où l'on commence à écrire en capitales le début des phrases, la première lettre des noms propres et également celle des noms communs importants.

La ponctuation, jusque-là extrêmement réduite, s'enrichit du point-virgule *(semi-colon)*, des guillemets *(quotation marks* ou *inverted commas)* ainsi que de l'apostrophe, cette dernière pour indiquer, soit l'omission d'une ou de plusieurs lettres, soit pour marquer le cas possessif *(I don't, my father's house)*.

Des complications concertées ou venues d'ailleurs

Le XVIᵉ siècle a été celui où l'on a vu se multiplier de nouvelles complications de l'orthographe. Les érudits, très attachés à l'étymologie, insistent pour rappeler dans la forme graphique des mots une partie de leur histoire : c'est ainsi que *debt* « dette » et *doubt* « doute » — en souvenir du latin *debitum* et *dubitum* — acquièrent un <b> graphique qui n'avait jamais été prononcé, et *reign* « règne », le <g> de *regnum*. On va jusqu'à ajouter un <s> à *island* « île » en souvenir du latin *insula* alors que ce mot remonte au vieil-anglais *iegland* et ne doit rien au latin (contrairement à *isle*, emprunté à l'ancien français *île*, et dont le <s> est aussi une latinisation du XVᵉ siècle) [161].

D'autres complications enfin naîtront des divers emprunts aux autres langues de l'Europe aux XVIᵉ et XVIIᵉ siècles : *bizarre* ou *brusque* au français, *grotto*

ou *gazette* à l'italien, ce dernier mot sous sa forme
française, *mosquito* « moustique », *hurricane* « oura-
gan », *cockroach* « cafard » à l'espagnol, *port*
« porto », *buffalo* « buffle », *marmalade* au portugais,
ce dernier par l'intermédiaire du français, ou encore
cruise « croisière » au néerlandais. Au grec ancien, les
emprunts ont également été considérables *(epoch,
idiosyncrasy, epitome, ephemeral, rhythm...)* où abon-
dent les *th, ch, rh, y.*

L'orthographe anglaise actuelle

Avec les emprunts aux langues étrangères, qui n'ont
fait qu'aggraver la situation sur le plan de la langue
écrite du fait de l'adoption plus ou moins totale de graphies d'origine, le paysage orthographique de l'anglais
offre aujourd'hui une image composite et éminemment
déroutante car on y trouve entremêlées de façon inattendue, à la fois des traditions de l'anglo-saxon, du
français et des langues classiques mais aussi, partiellement, de diverses langues plus ou moins voisines et parfois très lointaines.

Une réforme ?

Il en résulte que l'orthographe de l'anglais est d'une
complication très comparable à celle que l'on connaît
en français, où l'orthographe grammaticale — en particulier celle qui concerne les phénomènes d'accord —
apporte toutefois un supplément de problèmes à
résoudre[162].

Face aux réformateurs remettant en cause jusqu'aux
symboles mêmes utilisés et en inventant d'autres, et
contrairement à ceux qui multiplient les diacritiques,
c'est-à-dire les adjonctions permettant de modifier un
même caractère, comme les accents, ou qui forgent de
nouveaux signes par un louable souci d'adéquation de
la graphie à la prononciation, un savant comme Richard
Mulcaster[163] avait préféré s'en tenir à l'essentiel de ce
qui existait. Considérant comme une utopie l'adoption
d'un phonétisme généralisé, il s'était contenté de pré-

coniser des alignements analogiques. Il faut croire que ces rectifications modérées étaient sans doute déjà dans l'air car l'orthographe anglaise se stabilise progressivement dans ce sens entre le début du XVIᵉ siècle et le milieu du XVIIᵉ siècle.

Parmi les nombreux projets de réforme qui se sont succédé depuis cette époque[164], il faut insister sur la guerre des dictionnaires qui a eu lieu au début du XIXᵉ siècle à propos des modifications proposées — et finalement en grande partie adoptées aux États-Unis — par Noah Webster pour son *American Dictionary*, publié en 1828, puis réédité et augmenté à plusieurs reprises[165].

Ces modifications, dont plusieurs avaient été suggérées précédemment par Benjamin Franklin, sont bien connues[166].

Citons, parmi les plus importantes :

-*or* au lieu de -*our* (*honor* aux EU, *honour* en GB)
-*er* au lieu de -*re* (*center* aux EU, *centre* en GB)
-*se* au lieu de -*ce* (*defense* aux EU, *defence* en GB)
-*am* au lieu de -*amme* (*program* aux EU, *programme* en GB, mais aujourd'hui, c'est *program* qui l'emporte en informatique).

En Angleterre, c'est la tentative d'Isaac Pitman et Alexander Ellis (1837) qui a eu le plus de succès : il s'agissait de la production d'une orthographe phonétique à partir d'un système sténographique, dans le but de faciliter l'apprentissage de l'orthographe traditionnelle et non pas de la remplacer. L'engouement pour ce système, nommé *Initial Teaching Alphabet*, s'est ensuite éteint à la suite des réticences de ceux qui, comme Henry Bradley, futur collaborateur du dictionnaire d'abord appelé *The New English Dictionary*, puis *The Oxford English Dictionary* (1895), pensaient que c'était une erreur de croire que la seule fonction de l'écrit était de représenter l'oral[167].

Enfin, une association, *The Simplified Spelling Society*, fondée en 1908, continue à encourager l'évolution de l'orthographe anglaise vers une meilleure adé-

quation à sa prononciation tout en la rendant plus
cohérente[168].

Mais les questions d'orthographe sont loin de susciter
en Angleterre les passions que les modestes rectifications de l'orthographe ont déchaînées en France en
1989-1990[169].

Il reste cependant que les curiosités et les incohéren-
ces de l'anglais écrit, dont certaines ont été rappelées
ici, représentent un handicap majeur pour l'étranger qui
cherche à acquérir cette langue et qu'il est la plupart du
temps impossible, à partir de sa forme écrite, de deviner
comment un mot anglais se prononce, comme par
exemple *-ough* dans *cough* « toux », *enough* « assez »,
tough « coriace », *hiccough* (ou *hiccup*) « hoquet »,
plough « charrue », *though* « quoique », *through* « à
travers » : prononciation [-f] pour les trois premiers
mots, en [-p] pour le quatrième et *-gh* non prononcé
pour les trois derniers, difficulté à laquelle vient s'ajouter le problème de la prononciation imprévisible de la
voyelle précédente.

Orthographe et prononciation

Lorsque, à partir du XVe siècle, délaissant à la fois le
latin et le français, les textes écrits en anglais selon la
norme de la Chancellerie présenteront en gros les caractéristiques qui constituent la base actuelle de l'orthographe anglaise[170], on ne peut pas dire que les
prononciations se soient alors conformées aux graphies
qui étaient en train de s'imposer. Des divorces entre
forme écrite et forme orale se sont manifestés et ont per-
duré jusqu'à nos jours comme autant d'aberrations
apparemment inexplicables de l'orthographe anglaise
moderne, mais qui trouvent souvent leur raison d'être
dans les diverses prononciations régionales.

Se méfier de la graphie <ch>

Des séquelles de l'influence française se manifestent
encore de nos jours dans la prononciation de la graphie

LA CURIEUSE PRONONCIATION DE *BURY* ET DE *BUSY*

Voilà un de ces cas, aussi fréquents en anglais qu'en français, où orthographe et prononciation ont pris des chemins divergents :

bury « enterrer » a conservé la graphie des dialectes de l'Ouest, mais s'est prononcé comme dans le Kent, c'est-à-dire comme *berry*

busy « occupé » a aussi gardé la graphie des dialectes de l'Ouest, mais a été prononcé comme à Londres et dans les Midlands de l'Est : quelque chose comme *bizy*[171].

---

ch, qui, à l'exception de *loch* « lac » prononcé à la façon écossaise, présente deux variantes :

> soit **tch**, comme dans l'anglais *chat* « bavarder » ou *charm* « charme » (et c'est la majorité)
>
> soit **ch**, comme dans le français *chatte*. Ce sont en grande partie des mots venus du français, ou par l'intermédiaire du français (cf. les exemples cités dans l'encadré MÉFIONS-NOUS DE LA GRAPHIE <CH>, p. 123), comme dans *chef* « chef de cuisine », *chiffon* « mousseline de soie », *charlotte* « charlotte » (en pâtisserie).

Enfin, une distinction qui se fait en anglais, et pas en français : *chamois* se prononce à la française lorsqu'il s'agit de l'animal, mais quelque chose comme *shami*, quand il s'agit de la « peau de chamois » qui sert à faire briller.

Cette influence de la langue française s'exercera d'une façon toute différente et bien moins précise à partir du XVIe siècle.

L'essor de la langue française

Comme langue nationale écrite, c'est à la fin du XVe siècle qu'à l'intérieur du pays, le français achèvera de triompher, et l'ordonnance de Villers-Cotterêts (1539), qui stipule l'emploi obligatoire du seul « langaige maternel françois », ne fera qu'officialiser un état de fait déjà bien implanté.

Tout en empruntant des centaines de formes au latin pour devenir une langue capable d'exprimer toutes les nuances de la pensée et de l'action, le français va lentement déloger le latin de ses places fortes traditionnelles. On commence à écrire des manuels d'arithmétique et de géométrie en français et Rabelais participe à l'élaboration d'un lexique médical français, mais qui puise abondamment dans le grec et le latin, tout en faisant la part belle à l'italien.

Le français attiré par l'italien

Le français se laisse à cette époque fortement séduire par la langue italienne : il est de bon ton d'employer des expressions italiennes, de s'habiller à la mode italienne, de vivre comme de l'autre côté des Alpes, et l'engouement devient tel qu'une vive réaction se dessine, comme on peut le voir dans la brillante satire que propose Henri Estienne dans un livre au long titre significatif : *Dialogues du nouveau langage françois italianizé et autrement desguisé, principalement entre les courtisans de ce temps. De plusieurs nouveautez qui ont accompagné ceste nouveauté de langage. De quelques courtisanismes modernes, et de quelques singularitez courtisanesques* (1578).

Ce sont des centaines de mots italiens qui entrent alors dans la langue française[172], dont une partie n'a pas survécu, comme on peut le voir dans l'encadré p. 201.

De son côté, le latin avait gardé tout son prestige, et restera encore pendant longtemps une source favorite de renouvellement lexical.

La langue française fidèle au latin

À partir du XIVe siècle, les latinismes savants avaient déjà multiplié les doublets du type *frêle / fragile* ou *hôtel / hôpital*[173].

Le XVIe siècle renforcera encore ce procédé, qui consiste à puiser à nouveau dans le latin classique des

---

EXTRAIT DU *NOUVEAU LANGAGE FRANÇOIS ITALIANIZÉ*[174]

« Etant sorti après le **past** pour aller un peu **spaceger**, je trouvay par la **strade** un mien ami nommé Celtophile. Or, voyant qu'il se monstret estre tout **sbigottit** de mon langage qui est toutefois le langage **courtisanesque** dont usent aujourd'huy les gentilsjommes francés qui ont quelque **garbe** [...], je me mis à **ragionner** avec luy. »

Aide à la traduction : **past** « repas », **spaceger** « se promener », **strade** « rue », **sbigottit** « étonné », **courtisanesque** « habituel aux courtisans », **garbe** « élégance », **ragionner** « raisonner, discuter ».

---

mots qui avaient déjà pris une forme évoluée en français : *pulsion* devient le doublet de *poussée* et *hirondelle*, celui d'*aronde*[175].

Certaines formes latinisantes, comme *extoller* « louer, exalter » ou *minatoire* « menaçant », ne dureront pas, tandis que la plus grande partie a traversé les siècles : *artifice, agile, audace, absence* ou *actualité* en sont quelques exemples[176].

Toutes ces formes se retrouvent dans les dictionnaires français.

LE PREMIER DICTIONNAIRE DU FRANÇAIS EST ANGLAIS

C'est en 1530 que paraît **Lesclarcissement** *(sic)* **de la langue françoyse** *(sic)*, un dictionnaire anglais-français qui est en même temps la première tentative d'élaboration d'une grammaire française.

Cet ouvrage était destiné à aider les lecteurs anglais à s'initier au français. Son auteur, **John Palsgrave**, érudit anglais, diplômé des universités de Cambridge et de Paris, avait été le précepteur de la sœur d'Henry VIII d'Angleterre, Mary, à qui il devait enseigner la langue de son futur époux Louis XII de France.

Les avancées du français dans les dictionnaires

Jusqu'au XVIe siècle, la seule langue des dictionnaires était le latin. C'est du milieu du XVIe siècle que l'on peut dater les débuts d'un recul progressif du latin dans ces ouvrages, qui aboutira bientôt à des dictionnaires français totalement unilingues.

À cet égard, il est une date doublement importante : 1539. En effet, 1539 est non seulement l'année de l'ordonnance de Villers-Cotterêts, qui enjoint de renoncer au latin pour tous les actes administratifs ou officiels en y substituant le « langaige maternel françois, et non autrement », mais c'est aussi l'année de la publication du *Dictionnaire françoislatin* de Robert Estienne, qui n'était autre que le texte inversé de son *Dictionarium latino-gallicum* publié l'année précédente.

C'était une grande première. En effet, jusque-là, l'objectif de tels ouvrages était essentiellement de faciliter la compréhension du latin, alors que ce dictionnaire donnait pour la première fois la vedette à la langue française : après le dictionnaire pour la version latine, on disposait d'un dictionnaire pour le thème.

À la suite des ouvrages de Robert Estienne (1503-1559), plusieurs dictionnaires ont emboîté le pas, en particulier celui de Jean Nicot (1530-1600), personnage plus connu du grand public comme introducteur du tabac en France. Cet homme érudit, alors qu'il était diplomate en poste à Lisbonne, avait en effet envoyé à Catherine de Médicis ce que l'on avait appelé « l'herbe à Nicot », dont le nom savant est plus précisément *Nicotiana tabaccum*.

Le **Thresor** de Nicot

En fait, le *Thresor de la langue françoise, tant ancienne que moderne* de Jean Nicot, publié en 1604, n'était que la stricte mise en application des principes énoncés par Robert Estienne, à savoir :

apporter des précisions sur la prononciation, la graphie et
la grammaire ;

présenter des citations (mais elles sont surtout d'auteurs
latins) ;

ajouter des remarques prescriptives, à l'occasion.

Ainsi, par exemple sous *cueur* « cœur », il est indi-
qué : « il semble plus raisonnable d'écrire Cœur,
comme Bœuf, Sœur, Mœurs » (on notera l'utilisation
généreuse des majuscules chez Nicot). Sous *chés*
« chez », il est précisé : « **chés**, qu'aucuns escrivent
chez, à cause de l'ouverture de la voyelle E, est une pré-
position qui signifie en la maison de ». On apprend
ainsi qu'au XVIᵉ siècle *chez* se prononçait avec une
voyelle ouverte, comme dans *très*.

On apprend également que l'élision se faisait à l'époque pour tous les mots terminés par une consonne, mais
uniquement à la finale absolue. En revanche, cette
consonne finale était supprimée dans la phrase lorsque
le mot suivant débutait lui-même par une consonne. À
l'article *sac*, on lit en effet : « il se prononce comme
adioinct quand on veut désigner ce qu'il contient, autrement non, comme sac de froment, d'avoine »[177]. Autrement dit un *sac* [sak], mais un *sac de froment* [sa],
comme nous disons encore un *œuf* (avec le [f] prononcé), mais des *œufs* (avec [f] non prononcé).

Mais le *Thresor de la langue françoise* n'est encore
qu'une œuvre hybride car, malgré son titre, ce n'est pas
un dictionnaire entièrement en français. Le français y
tient seulement une place prédominante. Dans les articles bilingues de cet ouvrage, où la traduction latine suit
les entrées, on trouve surtout des commentaires en français et sur le français et, de façon significative, de très
nombreux passages d'où le latin est totalement absent.

Le français et les autres langues

Des dizaines de dictionnaires destinés à mieux analy-
ser la langue française en la confrontant à d'autres langues vivantes paraîtront entre 1549 (édition complète
de Robert Estienne) et 1600[178].

Ils avaient eu un précurseur dont le succès ne s'était pas démenti jusqu'à la fin du XVIIIe siècle, le *Calepin*, ainsi nommé d'après le nom de son auteur Ambrogio Calepino. Cet ouvrage, destiné à mieux diffuser la connaissance du latin en donnant l'équivalent des mots latins dans différentes langues, n'a cessé de s'étoffer jusque dans ses multiples éditions posthumes — le français et l'anglais y avaient été ajoutés très tôt —, et sa dernière édition comprend onze langues[179].

Mais ce n'est qu'à la fin du XVIIe siècle que verront le jour les dictionnaires « tout français » : celui de Richelet en 1680, celui de Furetière en 1690, et celui de l'Académie française en 1694.

L'Académie française et son dictionnaire

Tout s'était passé comme si le XVIe siècle n'avait été qu'une lente maturation qui devait mener progressivement, au cours du XVIIe siècle, à l'éclosion d'une activité dictionnairique intense ayant pour sujet la langue française en elle-même et pour elle-même. Mais il ne faudrait pas penser que les options prises par l'Académie française, créée en 1635 par Richelieu, aient été l'œuvre de parfaits précurseurs dans l'établissement d'un premier dictionnaire unilingue en Europe. Le *Vocabolario degli accademici della Crusca* avait été pour les académiciens français un modèle qui les avait stimulés. Le Dictionnaire de l'Accademia della Crusca de Florence, publié à Venise en 1612, avait été le premier dictionnaire européen entièrement consacré à une autre langue que le latin et reposant sur des bases scientifiques, avec le souci de répertorier l'ensemble des termes de la langue littéraire italienne du XIIIe au XVIe siècle. Son objectif n'était pas encyclopédique mais philologique : la plupart de ses exemples étaient tirés des manuscrits eux-mêmes, et non pas de textes publiés, trop souvent modernisés et non conformes en tous points aux œuvres originales[180].

Après avoir projeté, sur le modèle italien de l'Accademia della Crusca, de mettre en chantier un dictionnaire français réunissant l'ensemble des termes employés par « les auteurs morts qui avaient le plus purement écrit dans notre langue », l'Académie française avait finalement renoncé à un projet sous cette forme : son dictionnaire ne serait pas le recueil d'une tradition littéraire séculaire mais celui de la langue contemporaine des « honnêtes gens », des orateurs et des poètes et apporterait « ce qui peut servir à la Noblesse et à l'Élégance » [181].

Le *Dictionnaire de l'Académie* constituera en définitive le premier dictionnaire de l'usage que l'on pourrait qualifier de synchronique, mais d'un usage restreint puisqu'il décrivait l'usage d'un seul milieu : celui « de la Cour et des meilleurs auteurs ».

Les options de la première édition (1694)

Entre 1635 et 1694, l'Académie française élabora un dictionnaire selon les principes suivants :

décrire le « bel usage », c'est-à-dire celui de la Cour et des meilleurs auteurs de l'époque ;

adopter une présentation des mots par familles en commençant par les « mots primitifs », suivis des dérivés et composés. Cette option, fort intéressante sur le plan linguistique, mais fort peu pratique, fut abandonnée dès la seconde édition ;

forger des exemples illustrant chaque définition et exclure toute citation ;

donner la préférence à l'orthographe étymologique ;

éliminer les mots hors d'usage ;

ne pas inclure « les termes des Arts et des Sciences », qui feront l'objet d'un ouvrage séparé, dirigé par Thomas Corneille (1694) [182].

On voit que le *Dictionnaire de l'Académie française* est résolument normatif. Il prend pour modèle l'usage contemporain, mais limité, selon la formule de Vaugelas, à « *la façon de parler de la plus saine partie de la Cour, conformément à la façon d'escrire de la plus saine partie des Autheurs du temps* » [183].

Il suit en fait la tradition puriste déjà prônée au XVIe siècle par Malherbe, qui refusait tout archaïsme, tout régionalisme, tout terme technique employé métaphoriquement et qui n'acceptait les emprunts, même ceux au latin classique, que si leur introduction dans la langue française n'entraînait aucune ambiguïté.

La question de l'orthographe

Un des sujets qui ont été au centre des réunions des académiciens depuis bientôt quatre siècles est celui de l'orthographe, qui comporte encore de nos jours des formes apparemment ou manifestement capricieuses, dont on ne peut comprendre la raison d'être que si l'on se rend compte qu'elles sont des vestiges de graphies anciennes correspondant à des prononciations aujourd'hui oubliées. En fait, toute l'histoire de l'ortho-

---

BRÈVE HISTOIRE
DE L'ORTHOGRAPHE FRANÇAISE[184]

Dès les premiers textes, le français utilise les 23 lettres de l'alphabet latin, qui devient insuffisant pour noter la langue du Moyen Âge car la prononciation avait beaucoup évolué et de nouvelles distinctions phoniques étaient nées, par exemple entre **u** et **ou**, ou encore entre **c** et **ch.**

XIIIe-XVe s. Dans les manuscrits, on rajoute des consonnes qui ne se prononçaient plus depuis longtemps : par ex. **sept, vingt,** sur le modèle du latin **septem, viginti.**

XVIe s. On introduit les distinctions graphiques — qui n'existaient pas en latin — entre **i** et **j** et entre **u** et **v,** dans les textes imprimés.

XVIIe s. Triomphe de l'orthographe latinisante.

XVIIIe s. Parution de la 3e édition du *Dictionnaire de l'Académie* (1740), qui favorise un système d'accents (aigu, grave, circonflexe) en remplacement des consonnes devenues muettes : **escrire** devient **écrire, mesme** devient **même, succez** devient **succès...**

La 4e édition du *Dictionnaire de l'Académie* (1762) présente une orthographe qui est presque celle de l'époque actuelle.

XIXe s. Retour au principe étymologique (**analise** redevient **analyse**) et naissance de l'orthographe grammaticale (phénomènes d'accord). En 1878, l'Académie ajoute une 26e lettre à l'alphabet : **w.**

XXe s. Nombreux projets de réformes, qui ont du mal à aboutir. Le dernier date de 1990[185].

graphe du français est celle des tentatives successives pour l'adapter aux changements des prononciations tout en s'efforçant de garder dans les nouvelles formes graphiques une trace visible des prononciations anciennes.

Dans les discussions qui animaient l'Académie des premiers temps s'affrontaient, d'une part, des réformateurs dans la ligne de Ronsard qui, dès 1550, s'était montré favorable à une adaptation de la forme graphique à la phonétique, de l'autre, les conservateurs, partisans de l'ancienne orthographe, celle « qui distingue les gens de lettres d'avec les ignorants et les simples femmes » [186].

C'est ce dernier parti qui l'emportera un temps, avec une petite nuance toutefois : cette ancienne orthographe, « il faut la maintenir partout, hormis dans les mots où un long et constant usage en aura introduit un contraire ».

En fait, l'orthographe française porte témoignage d'un effet de balancier qui a fait tour à tour triompher les partisans d'une graphie proche de la phonétique et les adeptes du respect des formes d'origine, témoins de l'étymologie et de l'histoire des mots. Parmi les académiciens du XVIIᵉ siècle, Corneille est à classer parmi les réformateurs, et Bossuet parmi les conservateurs [187].

L'Académie prise par le temps

Des difficultés de tous ordres avaient empêché l'Académie de faire aboutir ses efforts dans des délais raisonnables et c'est seulement près de soixante ans après sa création (1635) que la première édition avait enfin vu le jour (1694).

Richelet et Furetière

Entre-temps, et malgré l'interdiction légale de faire publier n'importe quel dictionnaire du français avant la parution du *Dictionnaire de l'Académie*, deux autres dictionnaires unilingues généraux avaient été diligemment mis en chantier : celui de Richelet, publié à Genève en 1680, et celui de Furetière en 1690. On ne

---

RÉCRÉATION

L'ACADÉMIE FRANÇAISE, À LA FOIS CÉLÈBRE ET MAL CONNUE

1. L'Académie française est la première académie d'Europe. Vrai ou faux ?

2. La 1ʳᵉ édition du *Dictionnaire de l'Académie* n'était pas présentée dans l'ordre alphabétique, mais par racines et regroupement des dérivés et des composés. Vrai ou faux ?

3. L'Angleterre a créé en 1640 une académie sur le modèle de l'Académie française. Vrai ou faux ?

RÉPONSE : 1. Faux. La première académie en Europe est l'Acca-demia della Crusca, fondée à Florence en 1582 • 2. Vrai. L'ordre alphabétique n'a été adopté qu'à partir de la 2ᵉ édition (1718) • 3. Faux. Toutes les tentatives pour créer une académie en Angleterre se sont révélées vaines.

---

peut toutefois pas les considérer comme des concurrents directs. En effet, contrairement au *Dictionnaire de l'Académie*, strictement limité à « la langue commune du bel usage », le *Dictionnaire françois contenant les mots et les choses* de Pierre Richelet est, comme l'annonce son titre, à la fois lexical — il définit « les mots » — et encyclopédique — il définit aussi « les choses ». Il décrit non seulement les usages de l'honnête homme mais donne aussi des indications sur les mots familiers, populaires ou vulgaires. Il contient 25 000 entrées, face aux 15 000 de la première édition du *Dictionnaire de l'Académie*.

Le dictionnaire d'Antoine Furetière, encore plus volumineux (40 000 entrées) et plus ambitieux, précise aussi très clairement son propos dans son titre : *Essay de dictionnaire universel, contenant généralement tous les mots françois tant vieux que modernes et les termes de toutes les Sciences et Arts*. La querelle de Furetière avec l'Académie, forte de l'exclusivité dont elle jouissait, se termina par l'exclusion du lexicographe, qui mourut en 1688, deux ans avant la parution de son ouvrage à La Haye, en 1690. Ce dictionnaire, qui, selon les paroles mêmes de son auteur, ne montre pas « les rapports d'un mot à un autre mot » mais donne « la définition des choses signifiées par les mots »[188], annonce déjà, en cette fin du XVIIe siècle, les préoccupations du siècle des Lumières.

En jetant un coup d'œil rétrospectif sur l'histoire des mots et des idées en France, on mesure ainsi le long chemin parcouru depuis le XVIe siècle.

Un même besoin de réunir dans un même ouvrage toutes les composantes de la langue allait aussi se manifester de l'autre côté de la Manche pour la langue anglaise qui, tout au long du XVIe siècle, connaîtra également un foisonnement lexical exceptionnel.

L'anglais puise dans les langues classiques

En Angleterre, le XVIe siècle est l'époque où, si c'est bien l'anglais — théoriquement la langue du peuple — qui s'affirme avec éclat en s'enrichissant, c'est, paradoxalement, en se rapprochant des langues anciennes.

Grâce à l'imprimerie, de plus en plus de textes en anglais s'étaient répandus auprès d'un public de plus en plus nombreux, un anglais teinté de latin et de grec, et dont les Anglais se sentiront de plus en plus fiers. Quand le mot leur paraît un peu trop savant, ils le gardent, mais en s'excusant, comme le fait Sir Thomas Elyot, homme d'État et érudit, par exemple pour les mots : *maternity, esteem* ou encore *education*, qui apparaissent en anglais pour la première fois au XVIe siècle, à la même époque que ceux qui figurent dans l'encadré ci-après[189].

Latin tout court et latin à la sauce anglaise

À côté de *appendix, axis, climax, delirium, species* ou *index*, qui gardent leur forme latine ancienne, d'autres

---

QUELQUES MOTS ANGLAIS VENUS DU LATIN ET DU GREC

Au XVIᵉ siècle, l'anglais emprunte aux langues classiques

VENUS DU GREC

acme	« point culminant, apogée »
atmosphere	« atmosphère »
criterion	« critère »
lexicon	« lexique »
skeleton	« squelette »

VENUS DU GREC PAR LE LATIN

asylum	« asile, refuge »
catastrophe	« catastrophe »
climax	« point culminant, apogée »
drama	« pièce de théâtre »
epitome	« abrégé, résumé »
scheme	« plan, projet »

VENUS DU LATIN

conspicuous	« manifeste, visible »
to emancipate	« émanciper, affranchir »
to expect	« s'attendre à »
genius	« génie »
indifference	« indifférence »
jocular	« jovial, enjoué »
malignant	« malfaisant »
to meditate	« méditer »
vacuum	« vide »

---

mots latins se glissent dans de nouvelles structures, dues à l'influence du français.

Ainsi, la finale en *-us* devient *-ous* :

lat. *anonymus* devient angl. *anonymous*,
lat. *conspicuus* devient angl. *conspicuous*,
lat. *praeposterus* devient angl. *preposterous*

et la finale en *-tas* devient *-ty* (sur le modèle de nombreuses formes déjà empruntées aux formes françaises en *-té*) :

integritas > *integrity* (cf. français *intégrité*).

Mais l'exemple français n'a pas toujours été la règle, comme on peut le voir dans les nombreux verbes anglais créés à la Renaissance à partir du participe passé latin en *-atus*, tels que *calculate*, alors que le français partait de la terminaison latine *-are* de l'infinitif pour former *calculer*. On peut encore citer *celebrate, complicate, congratulate, confiscate, contemplate, frustrate, illuminate, imitate, indicate, meditate, stimulate, subordinate, supplicate* et des dizaines d'autres.

Toutefois, il est parfois difficile de faire le départ entre le vocabulaire d'origine latine passé par le français et les mots empruntés directement au latin : *audible, dexterity, fidelity, sublime* et la plupart des mots en *-ation* (*nomination, operation, negotiation, simplification...*) sont dans ce cas.

Il faut dire qu'à cette époque, l'amour du latin était tel qu'on a souvent redonné aux mots déjà empruntés au français une allure plus latine. Par exemple, *aventure*, qui est attesté en anglais sous cette forme au XIVᵉ siècle, reparaît au XVIᵉ siècle sous la forme que nous lui connaissons aujourd'hui : *adventure*[190].

Par ailleurs, comme on l'a déjà signalé, on ajoute un *b* pour que *debt* « dette » ressemble à *debitum* et *doubt* « doute » à *dubitum*[191].

Des latinismes, parfois uniquement décoratifs mais souvent utiles parce qu'ils apportaient une nuance de sens, ont alors transformé la langue anglaise dans le but d'en faire une langue de savants, propre à exprimer des notions abstraites et à traduire le monde dans toute sa diversité.

L'anglais, entre latin et langue quotidienne

Pourtant, des voix se sont élevées contre ce vocabulaire né « au fond de l'encrier », ces *inkhorn terms* qui n'étaient compris que des érudits. Comme, face aux amateurs de ces « *latinate words* », il y avait aussi les défenseurs des mots de tous les jours — *plainnesse* « simplicité » était le mot employé à la Renaissance — c'est une langue participant de ces deux tendances

---
RÉCRÉATION

JOHN W. SMITH, ESQ.

1. Quel est, dans le titre honorifique d'un gentleman, le mot dont **Esq.** est l'abréviation ?
2. Ce mot est-il formé sur le mot latin **scutum** signifiant « bouclier » ou sur le mot latin **equus** signifiant « cheval » ?

à cheval.
erreur étymologique que l'écuyer est devenu celui qui sait monter
écu, c'est-à-dire son bouclier. À partir du XVIIe siècle, c'est par une
gnait un gentilhomme au service d'un chevalier et qui portait son
aussi à la base du mot français **écuyer**, qui, au Moyen Âge, dési-
RÉPONSE : 1. **Esquire** « écuyer ». 2. Sur le latin **scutum**, qui est

---

contraires qui émergera de cette époque exubérante, une langue où se côtoient harmonieusement, comme le dit Shakespeare, des suites de mots « soyeuses comme du taffetas », les *taffeta phrases*, tout comme les mots rudes faits de « bure » ou de « serge épaisse ». En effet, Shakespeare fait dire à l'un de ses personnages dans *Love's Labour's Lost* (Acte V, sc. 2) : « ... *my wooing mind shall be express'd in russet yeas and honest kersey noes* », où *russet* et *kersey* sont des noms d'anciennes étoffes grossières. (« Pour faire ma cour, j'aurai des « oui » vêtus de bure et des « non » de serge honnête »).

RÉCRÉATION

POURQUOI « COLONEL » SE PRONONCE-T-IL COMME « CORONEL » ?

Le mot, emprunté à l'italien **colonnello**, est passé en anglais sous la forme **coronel** au milieu du XVIe siècle. Pendant un siècle, les deux prononciations et les deux graphies se sont maintenues et c'est finalement la graphie **colonel** de type italien qui s'est imposée, mais il se prononce aujourd'hui en anglais comme le mot *kernel* (« noyau »)[192].

Des mots venus d'ailleurs

Ce XVIᵉ siècle est aussi celui où l'anglais ne s'est pas contenté de puiser dans le trésor des langues anciennes. Il s'est aussi ressourcé à de nombreuses langues étrangères : l'italien, l'espagnol, le portugais et encore le français y tiennent une place de choix.

À cette époque, la mode était de voyager en Italie, et les gentlemen revenaient en Angleterre avec des vêtements à la mode italienne et aussi avec le goût d'utiliser des mots italiens pour parler de dessin, de musique ou d'architecture. C'est de cette époque que datent :

> *balcony* « balcon », *cameo* « camée », *cupola* « coupole », *design* « dessin », *grotto* « grotte », *piazza* « place », *violin* « violon », *volcano* « volcan », *sonnet* « sonnet », *balloon* « ballon », *carnival* « carnaval », *madonna* « madone ».

L'espagnol et le portugais sont à l'origine de :

> *armada* « armada », *barricade* « barricade », *bravado* « bravade », *canoe* « canoë, pirogue », *cocoa* « cacao », *desperado* « desperado », *embargo* « embargo », *mosquito* « moustique », *hurricane* « ouragan », *maize* « maïs », *potato* « pomme de terre », *tobacco* « tabac », *cask* « tonneau », *sherry* « Xérès », *hammock* « hamac », *cockroach* « cafard ».

Parmi ces mots, on reconnaît certaines formes venues du Nouveau Monde, et pour lesquelles l'espagnol avait servi d'intermédiaire, comme :

> *cocoa*, du nahuatl
> *maize*, d'une langue caraïbe, par l'intermédiaire du français
> *hurricane, canoe*, de l'arawak.

De son côté, le portugais a aussi été le véhicule de mots venus d'Afrique ou d'Asie :

> *jaguar*, du tupi, langue amérindienne d'Amérique du Sud
> *banana*, du wolof, langue d'Afrique occidentale
> *amok*, du malais [193], où c'était un adjectif signifiant « qui combat avec fougue ». Aujourd'hui, le mot ne survit en anglais que dans l'expression *to run amok* « être pris d'un accès de folie furieuse ».

Le français de son côté reste toujours une source d'emprunts importants où l'anglais puisera volontiers, en faisant siens des mots comme *detail, progress, ticket*, mais aussi :

> *bizarre*, que le français avait déjà emprunté au basque ;
> *chocolate* et *tomato*, que le français avait lui-même pris à l'espagnol, qui l'avait emprunté au nahuatl, la langue des Aztèques ;
> *moustache*, que le français tenait d'un dialecte italien du Nord ;
> *comrade*, que le français avait emprunté à l'espagnol.

Enfin, entre le XVIᵉ et le XVIIᵉ siècle, l'anglais bénéficiera par ailleurs d'un renouveau lexical exceptionnel, dû cette fois à l'invention de ses grands écrivains, et en particulier à celle de Shakespeare.

RÉCRÉATION

ANAGRAMME ÉLISABÉTHAINE

We all make his praise[194]
(Nous chantons tous ses louanges)

Le jeu consiste à composer avec toutes les lettres de cette phrase anglaise le prénom et le nom d'un grand écrivain anglais, mort le même jour que le grand écrivain espagnol Cervantes.

RÉPONSE : **William Shakespeare**, anagramme de **We all make his praise.** Il mourut, comme Cervantes, le 23 avril 1616 mais, en raison de la réforme du calendrier, qui était appliquée en Espagne et pas encore en Angleterre, ce 23 avril était un mardi à Stratford-upon-Avon mais un samedi à Madrid[195].

Le mystère Shakespeare

Parce qu'une partie de la vie de Shakespeare (1564-1616) est restée dans l'ombre, entre son départ de Stratford-upon-Avon vers 1584 et son succès à Londres vers 1592, et qu'il semble avoir quitté l'école à l'âge de 14 ans, on a beaucoup spéculé sur l'identité de Shakespeare, souvent qualifié de « simple auteur sans bagage universitaire[196] ».

On a avancé par exemple que le véritable auteur de son œuvre pourrait être le philosophe érudit Francis

Bacon, mais on trouve dans le théâtre de Shakespeare certains mots et certaines expressions de la région de Stratford, que Francis Bacon ne pouvait pas connaître, attendu qu'il n'avait jamais quitté Londres et qu'à l'époque, il fallait quatre jours pour aller d'une ville à l'autre.

Un autre mystère demeure sur la forme exacte de son nom. A-t-il été accueilli dans le Lancashire, entre 1584 et 1592, par un riche seigneur qui le cite dans son testament sous le nom de « William Shakeshafte, now dwelling with me » [197] ?

Un argument joue en faveur de cette hypothèse : ce riche seigneur mentionne dans son testament l'existence d'une troupe de théâtre qui faisait partie de sa maisonnée et Shakeshafte pourrait désigner Shakespeare, d'autant plus que Shakespeare lui-même ne semblait pas très sûr de la forme à donner à son nom.

SHAKESPEARE NE SIGNAIT JAMAIS « SHAKESPEARE »

À l'époque élisabéthaine, l'orthographe était très fluctuante, jusque dans les noms propres. Ainsi **Shakespeare** écrivait-il son nom de différentes façons :

Shakp(er) • Shakspe(r) • Shaksper • Shakspere • Shakspeare

Curieusement, c'est la forme graphique **Shakespeare**, qu'il n'employait jamais lui-même, qui a traversé les siècles[198].

Shakespeare, grand fournisseur de mots

Parmi les centaines de mots employés pour la première fois, et peut-être inventés par Shakespeare — on a pu en dénombrer environ 1700[199] —, on peut citer les mots suivants, encore en usage aujourd'hui :

barefaced	*to dwindle*	*excellent*
« effronté »	« diminuer »	« excellent »
to castigate	*lonely*	*gloomy*
« punir »	« solitaire »	« lugubre »

pedant	*fretful*	*to hurry*
« pédant »	« agité »	« se hâter »
reclusive	*frugal*	*radiance*
« solitaire »	« économe »	« rayonnement »
gust (of wind)	*summit*	*leap-frog*
« rafale »	« sommet »	« saute-mouton »

On pense que c'est aussi à Shakespeare que l'on doit

prodigious « prodigieux », *vast* « vaste », *critical* « critique », *emphasis* « emphase », *antipathy* « antipathie »[200]…

Shakespeare, omniprésent

Aucun écrivain, semble-t-il, n'a connu le destin hors norme de Shakespeare, non seulement parce qu'il est un géant de la littérature par la diversité de son talent, mais aussi parce qu'il a été un « passeur » de mots et d'expressions hors pair. La meilleure preuve de son influence sur l'usage de tous, c'est que, sans même s'en douter, les gens qui parlent anglais font sans cesse des citations de Shakespeare[201].

Bien sûr, ce n'est pas tous les jours que l'on entendra l'expression shakespearienne *green-eyed monster* pour désigner la jalousie (mot à mot « le monstre aux yeux verts »), mais bien d'autres expressions, lancées par Shakespeare, font encore partie de l'anglais d'aujourd'hui, comme par exemple :

It is high time : « Il est grand temps »

It's all one to me : « cela m'est égal »

To have seen better days : « avoir connu des jours meilleurs »

Good riddance : « Bon débarras ! »

To send someone packing : « envoyer promener quelqu'un » ou « l'envoyer sur les roses », ou encore « l'envoyer se faire cuire un œuf » (mot à mot « l'envoyer faire ses bagages »)

To be the laughing stock of : « être la risée de »

An eyesore : « une horreur » (mot à mot « une blessure pour l'œil »)

The devil incarnate : « le diable incarné ». On remarquera la position insolite de l'adjectif *incarnate*, plus proche des habitudes du français que de l'anglais

Blinking idiot : « parfait crétin » (mot à mot : « idiot qui cligne des yeux »)

The long and the short of it : « le fin mot de l'histoire » ou « en un mot comme en mille » (mot à mot : « le long et le court de l'affaire »)

The game is up : « tout est perdu, tout est tombé à l'eau »

The primrose path : « la voie de la facilité »

To vanish into thin air : « disparaître sans laisser de traces »

To play fast and loose with somebody : « jouer double jeu »

To be in a pickle : « être dans le pétrin » (proprement « dans la marinade »[202].

RÉCRÉATION

C'EST DU SHAKESPEARE, MAIS DANS QUELLE PIÈCE ?

Dans quelles pièces de Shakespeare trouve-t-on les brefs extraits suivants ?

1. **It was the nightingale, and not the lark, [...] Believe me, love, it was the nightingale** « C'était le rossignol, ce n'était pas l'alouette... »
2. **A foregone conclusion** « Une conclusion hâtive »
3. **I come to bury Caesar, not to praise him** « Je viens pour inhumer César, non pour faire son éloge »
4. (Stage direction) **Exit, pursued by a bear** (Indication scénique) « Le personnage sort, poursuivi par un ours »
5. **It's all Greek to me** « Pour moi, c'est du chinois (ou de l'hébreu) »
6. **To sleep, perchance to dream** « Dormir, peut-être rêver »
7. **The world's my oyster** « Le monde est mon domaine » (mot à mot « mon huître »)
8. **Parting is such sweet sorrow** « Se séparer est un si doux chagrin »

Vous avez le choix entre **Jules César** (2 fois), **Hamlet, Othello, Roméo et Juliette** (2 fois), **Un conte d'hiver** et **Les Joyeuses Commères de Windsor**.

RÉPONSE : 1. *Roméo et Juliette* (III, 5) • 2. *Othello* (III, 3) • 3. *Jules César* (III, 2) • 4. *Un conte d'hiver* (III, 3) • 5. *Jules César* (I, 2) • 6. *Hamlet* (III, 1) • 7. *Les Joyeuses Commères de Windsor* (II, 2) • 8. *Roméo et Juliette* (II, 2).

Parfois, c'est un nouveau sens d'un mot déjà ancien qui se manifeste clairement chez Shakespeare. Un des

cas les plus étonnants est celui de l'adjectif *egregious*,
qui avait à l'origine un sens tout à fait laudatif puisqu'il
est formé sur *ex* « hors de » + *gregis* « troupeau », et
qui qualifiait donc quelqu'un sorti du troupeau,
quelqu'un de remarquable. Mais c'est un sens tout à fait
opposé qui apparaît dans la pièce *Cymbeline*, où *egregious* signifie « remarquablement mauvais ». C'est ce
sens péjoratif qui s'est maintenu de nos jours.

RÉCRÉATION

TOUT CE QU'IL Y A DE PLUS MORT

En anglais, il y a au moins trois façons imagées d'exprimer
l'absence totale de vie :

1. **Dead as mutton,** mot à mot : « (mort) comme de la viande
   de mouton »
2. **Dead as a doornail** « (mort) comme un clou de porte »
3. **Dead as the dodo** « (mort) comme le dodo », un oiseau
   qui a disparu de l'île Maurice peu après sa découverte en
   1598 par des marins hollandais et dont le nom savant est
   Raphus cucullatus.

L'une de ces expressions est due à Shakespeare. Laquelle ?

RÉPONSE : 2.

Écrivains et savants au service de l'anglais

Si Shakespeare a été le plus grand fournisseur de
vocabulaire à l'anglais, il n'a pas été le seul. Avant lui,
Sir Thomas More, homme politique et humaniste
(1478-1535), avait été le premier à employer les mots
absurdity, acceptance, exact, to explain, to exaggerate.

Contemporain de Shakespeare, Ben Jonson (1572-
1637), l'auteur de *Volpone*, a par exemple laissé les
adjectifs *damp* « humide », *defunct* « défunt », *clumsy*
« maladroit », *strenuous* « ardu, fatigant ».

Un peu plus tard, Isaac Newton (1642-1727), mathématicien, physicien et astronome, dont les premiers travaux étaient écrits en latin, avait préféré utiliser
l'anglais dès 1704, par exemple pour son traité *Opticks*

sur la réfraction de la lumière. C'est à lui que l'anglais doit des mots comme *centrifugal, centripetal*, formés à partir du latin.

La naissance des dictionnaires anglais

Toute cette effervescence lexicale allait créer un besoin pressant : celui de faire comprendre et de faire connaître au grand public tous ces mots nouveaux. Les premiers « dictionnaires » anglais portent uniquement sur les mots difficiles (*hard words*) et n'ont de ce fait aucune prétention à l'exhaustivité. Le premier d'entre eux, *A Table Alphabeticall of Hard Words* (1604) de Robert Cawdrey explique seulement environ 3 000 mots[203].

En fait, les premiers embryons de dictionnaires remontent en Angleterre au lointain VIIe siècle, à l'époque où prêtres et érudits, après avoir ajouté des gloses rédigées en latin dans les marges des textes latins, avaient éprouvé le besoin d'en faire des listes que les scribes recopiaient, dans l'ordre alphabétique pour une meilleure consultation. Mais l'anglais n'y figurait pas.

Les premiers lexiques bilingues (latin-anglais et anglais-latin) n'étaient apparus que vers le milieu du XVe siècle et s'étaient multipliés au XVIe siècle. Les mots y étaient alors classés soit par thèmes, soit selon leur étymologie, avec les formes dérivées à la suite des racines. C'est dès 1604 que l'ordre alphabétique semble définitivement acquis, mais le mot pour « dictionnaire » n'apparaît qu'en 1623, avec *The English Dictionarie*, de Henry Cockeram.

Un désir d'Académie anglaise, qui n'aboutit pas

Bientôt, la création de l'Académie française en 1635 suscitera un réel enthousiasme en Angleterre, si bien que des auteurs comme Daniel Defoe envisageront sérieusement d'en fonder une sur le modèle français, « afin de garantir la pureté et la justesse de la langue, de la purger des ajouts illicites que l'ignorance et la pédanterie y ont introduits[204] ».

Mais après des discussions et des polémiques passionnées, l'Académie anglaise ne verra jamais le jour et il faudra attendre encore plus d'un siècle pour qu'un grand dictionnaire de la langue anglaise réponde à l'attente des plus exigeants.

Entre-temps, la langue anglaise allait, tout comme la langue française, quitter le sol natal.

En effet, à cette même époque où les langues française et anglaise acquéraient, du fait de leurs grands écrivains et de leurs institutions, une stabilité qui allait renforcer leur prestige en Europe, l'une et l'autre allaient aussi connaître l'aventure américaine.

À LA DÉCOUVERTE
DU NOUVEAU MONDE
☞ *Sur les traces de Samuel Champlain et de Walter Raleigh*

Le XVIIe siècle avait donc été, pour le français comme pour l'anglais, une époque de réflexion sur la langue, avec le désir de l'améliorer, de l'embellir et de la fixer en élaborant des répertoires lexicographiques et encyclopédiques dignes des langues de prestige qu'elles étaient devenues.

C'est aussi l'époque où, presque à la même date, l'anglais et le français vont traverser l'Atlantique pour s'y faire progressivement une place parmi les langues du Nouveau Monde, un territoire où elles auront encore l'occasion de se rencontrer et de rivaliser.

« Les » découvertes de l'Amérique

Christophe Colomb, en 1492 ? Les Vikings, vers l'an 1000 ? Le moine irlandais Brendan et ses compagnons quatre siècles plus tôt, comme le révèle un vieux texte latin intitulé *Navigatio Sancti Brendani Abbatis* ? D'autres Irlandais, encore plus tôt [205] ?

On ne saura peut-être jamais qui avaient été les tout premiers Européens à fouler le sol de ce « Nouveau Monde » qui semble bien avoir été découvert — et perdu de vue — à plusieurs reprises.

À partir de la fin du XVe siècle, les expéditions maritimes européennes se multiplient et c'est alors que navigateurs français et anglais s'installent vraiment sur les côtes de l'Amérique du Nord. L'aventure américaine commence pour eux et pour les langues qu'ils parlent, qui vont évoluer en fonction des nouvelles conditions de vie et des peuples qu'ils vont rencontrer.

LES ANGLAIS ET LES FRANÇAIS EN AMÉRIQUE
QUELQUES POINTS DE REPÈRE[206]

CÔTÉ ANGLAIS

1497 Giovanni CABOTTO et son fils Sebastiano, navigateurs génois au service de l'Angleterre, découvrent Terre-Neuve et reconnaissent les côtes américaines jusqu'à la Caroline du Sud.

1583 Fondation de Terre-Neuve, première colonie anglaise du Nouveau Monde.

1600 Début de l'immigration forcée (en Virginie et en Caroline) d'esclaves capturés en Afrique.

1607 Expédition anglaise aboutissant dans la baie de Chesapeake et fondation de Jamestown.

1620 Le *Mayflower*. Fondation de *Plymouth* (Massachusetts).

1626 Fondation de *Neuwe Amsterdam* sur l'île Manhattan par les Hollandais.

1636 *Harvard*, première université anglaise en Amérique.

1664 Les Anglais chassent les Hollandais de *Manhattan* et *Neuwe Amsterdam* devient New York.

1713 *Traité d'Utrecht :* l'Angleterre obtient la Nouvelle-Écosse, Terre-Neuve et la baie d'Hudson.

1763 *Traité de Paris :* perte, au profit de l'Angleterre, de tout le Canada français et des terres de l'est du Mississippi.

1776 Arrivée massive de colons de langue anglaise en *Acadie*.

1783 *Traité de Versailles* instituant l'indépendance de la République fédérale des États-Unis et mettant fin à la guerre d'indépendance (1775-1783).

1787-1790 Les Treize « États fondateurs »

1848 Découverte de mines d'or en Californie et début de la ruée vers l'or.

1865 Abolition de l'esclavage

1921 Loi sur les quotas réglementant l'immigration aux États-Unis.

CÔTÉ FRANÇAIS

1500 Dès le début du XVIe siècle, visites de pêcheurs de morue venus de France, puis de trappeurs dans le golfe du Saint-Laurent.

1524 Giovanni VERRAZZANO, navigateur toscan au service de la France, donne aux côtes orientales du Canada le nom d'*Arcadia* (plus tard *Acadia*).

1534 Jacques CARTIER, navigateur malouin, découvre les îles ultérieurement appelées *îles de la Madeleine* et *du Prince-Édouard*. Il fonde à Gaspé la « Nouvelle-France ».

1604 Fondation de *Port-Royal* (Nouvelle-Écosse), première colonie française du Nouveau Monde.

1608 Fondation du comptoir de *Québec* par Champlain.

1634 Fondation de *Trois-Rivières*.

1635 Établissement de postes français sur le Mississippi pour le commerce des peaux.

1642 Fondation de *Montréal*.

1718 Fondation de *La Nouvelle-Orléans*. Plantations entretenues par des esclaves capturés en Afrique.

1755 « Le Grand Dérangement » : déportation des deux tiers des Acadiens. Les Cajuns en Louisiane.

1803 Vente de la *Louisiane* par la France aux États-Unis.

1840-1860 Émigration de plus de 100 000 Québécois vers les États-Unis (Nouvelle-Angleterre)

1977 « Loi 101 » ou Charte de la langue française faisant du français la seule langue officielle du Québec.

L'ANGLAIS PREND LE LARGE
☞ *L'anglais en Amérique et ailleurs*

Les premières colonies anglaises

C'est une langue anglaise à la fois en plein foisonnement inventif et en voie de stabilisation qui prend le large à la fin du XVIe siècle et qui débarque pour la première fois en Amérique du Nord en 1584 avec l'expédition de Sir Walter Raleigh, près de *Roanoke Island*, dans ce qui est aujourd'hui la Caroline du Nord. Mais cette première expédition sera sans lendemain car, quatre ans plus tard, aucun des premiers arrivants n'y était plus : la disparition de cette « colonie perdue » reste un mystère non résolu jusqu'à nos jours.

Plus de vingt ans plus tard, en 1607, une deuxième expédition devait mieux réussir et aboutir, un peu plus au nord, dans la baie de *Chesapeake*, à la création de *Jamestown* dans une région qui reçut le nom de *Virginie* en l'honneur de la « Reine vierge », Élisabeth Ire.

Enfin, en 1620, ce fut l'arrivée sur le *Mayflower* de 35 pèlerins de l'Église séparatiste d'Angleterre, accompagnés de 67 autres colons. Empêchés par le mauvais temps de poursuivre leur route jusqu'en Virginie, ils accostent à Cape Cod, en face de Boston et créent une colonie à Plymouth, dans l'actuel Massachusetts (cf. CARTE DES PREMIÈRES EXPÉDITIONS ANGLAISES, p. 224).

Ce groupe d'une centaine de personnes, qui reçurent ultérieurement le nom de *Pilgrim Fathers* « les Pères pèlerins », était très disparate sur le plan de l'âge, de la condition sociale et de la compétence professionnelle, mais elles étaient toutes unies par le même désir de fon-

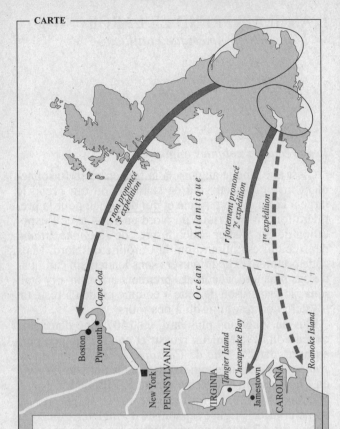

CARTE

Océan   Atlantique

r non prononcé
3ᵉ expédition

r fortement prononcé
2ᵉ expédition

1ʳᵉ expédition

Cape Cod

Boston

Plymouth

New York   PENNSYLVANIA

VIRGINIA

Tangier Island

Chesapeake Bay

Jamestown

CAROLINA

Roanoke Island

**CARTE DES PREMIÈRES EXPÉDITIONS
ANGLAISES**

La 1ʳᵉ expédition (1584) a été sans lendemain
(tracé en traits discontinus) mais la 2ᵉ (1607) a
abouti à la première colonie de Virginie et la 3ᵉ
(1620) correspond à l'installation des pèlerins du
Mayflower dans ce qui deviendra la Nouvelle-
Angleterre.

der une communauté religieuse « purifiée », loin des pratiques qu'elles avaient parfois connues dans l'Église d'Angleterre. Avec succès, car ces immigrants — qui n'étaient qu'une centaine au départ — ont vu, moins de vingt ans plus tard, leur nombre porté à 25 000.

L'anglais s'installe en Amérique

Sur le plan linguistique, la première expédition (1584), restée sans lendemain, n'a évidemment laissé aucun vestige. Cela n'a pas été le cas de la deuxième expédition, qui aboutit en 1607 à la fondation de la Virginie, ni de la troisième, celle du *Mayflower*, qui avait été suivie de la création de Plymouth, embryon de la future Nouvelle-Angleterre, un État où, jusque de nos jours, les habitants ont une façon de prononcer l'anglais qui rappelle celle des premiers arrivants.

Des variétés d'anglais identifiables

Sur le plan de la phonétique, des différences existaient en effet entre les deux premières colonies permanentes. Celle qui était installée le plus au sud — dans l'actuelle Virginie — était composée en majorité d'habitants originaires des régions du sud-ouest de l'Angleterre, du Somerset et du Gloucestershire. Leur « accent » se signalait surtout par une prononciation très forte et probablement roulée du *r* après voyelle et devant consonne (par exemple dans *car* ou dans *cart*), une caractéristique dont on peut encore retrouver quelques vagues traces en Amérique dans les vallées isolées autour de Chesapeake Bay. On se plaît à imaginer que ces usages archaïques représentent ce qu'il y a de plus proche de la prononciation de l'anglais au temps de Shakespeare.

L'autre colonie, située plus au nord, dans l'actuelle Nouvelle-Angleterre, comprenait plutôt des immigrants en provenance des comtés de l'est de l'Angleterre et en particulier du Lincolnshire, du Nottinghamshire, de l'Essex, du Kent et de Londres. Contrairement aux colons de Virginie, ils ne prononçaient pas le *r*

après voyelle mais allongeaient cette même voyelle
(dans *car* ou *cart*). Cette prononciation, qui est un
des traits les plus marquants de la *Received Pronunciation*[207] actuelle en Grande-Bretagne, est aussi
celle qui caractérise encore les usages de la Nouvelle-
Angleterre aujourd'hui[208].

Migrations successives : l'anglais se modifie

L'histoire de l'élaboration de la langue parlée en
Amérique du Nord depuis trois siècles se confond
ensuite avec celle des migrations successives, d'abord
uniquement en provenance de divers pays d'Europe,
puis d'Afrique jusqu'à l'abolition de l'esclavage, le tout
sur une base d'anglais venu de Grande-Bretagne.

C'est en bordure de la côte atlantique que s'établis-
sent les treize premières colonies, avec une majorité
d'Anglais au nord — la Nouvelle-Angleterre mérite
donc bien son nom — alors que la Pennsylvanie
actuelle se peuplait de Gallois, d'Écossais et d'Irlandais, rejoints à la fin du XVIIe siècle par des protestants
allemands fuyant la persécution dont ils étaient l'objet
dans leur pays. Installés en communautés unies par un
même idéal, certains d'entre eux ont maintenu vivante
leur langue d'origine, que l'on connaît sous le nom de
Pennsylvania Dutch, un nom fallacieux car il ne s'agit
pas du néerlandais de Pennsylvanie.

Plus tard, avec l'arrivée, renouvelée pendant deux
siècles, de populations noires transportées de force
d'Afrique pour être employées comme esclaves dans
les plantations du Sud, celle en 1840 des Irlandais,
poussés à émigrer par la famine due à une maladie de
la pomme de terre en Irlande, puis celle des Italiens et
des Allemands, suivis dès 1880 par les Juifs persécutés
d'Europe centrale, on peut comprendre que l'anglais
parlé par tous ces immigrés ne se soit pas maintenu tel
qu'il avait été introduit par les premiers colons venus
d'Angleterre.

« PENNSYLVANIA DUTCH » :
CE N'EST PAS CE QUE L'ON CROIT

Quand les membres d'une communauté religieuse allemande s'installèrent en Pennsylvanie à la fin du XVIIᵉ siècle, ils parlaient l'allemand (**Deutsch**, en allemand) de leur région d'origine, le Palatinat.

Mais, par une confusion fâcheuse de **Deutsch** « allemand » (en allemand) et du mot anglais **Dutch** « hollandais », on a aujourd'hui l'impression que le **Pennsylvania Dutch** est une variété du néerlandais, alors qu'en fait il s'agit d'une variété de l'allemand. C'est cette variété d'allemand, qui a évolué au contact de l'anglais pendant trois siècles, que parle encore un groupe religieux de Pennsylvanie, les **Amish**.

Il en est résulté une langue anglaise renouvelée, qui s'est adaptée aux nouvelles conditions de vie et aux nouveaux besoins de la communication.

L'influence des langues amérindiennes

Devant les réalités nouvelles (paysages, flore, faune) trouvées en Amérique, les Anglais, tout comme les autres Européens, ont eu deux sortes de réactions.

Pour les nommer, ils ont, dans certains cas, utilisé les termes anglais traditionnels désignant des réalités familières, en y ajoutant simplement un qualificatif destiné à les distinguer de ces dernières. Ainsi, la grosse grenouille d'Amérique, que l'on appelle aussi *grenouille mugissante*, a été nommée simplement *bull-frog*, c'est-à-dire « grenouille-taureau », sans doute parce qu'elle avait l'air de meugler comme un bovidé, et la marmotte d'Amérique a été baptisée *ground hog*, autrement dit « pourceau de terre » pour sa ressemblance avec un petit cochon. On sera par ailleurs surpris d'apprendre que *prairie dog* ne désigne pas un « chien des prairies » comme son nom le laisserait entendre, mais un petit rongeur ainsi nommé en raison de ses cris qu'on pourrait prendre pour des aboiements. Le *ground squirrel*, « écureuil terrestre », est effectivement un rongeur de la même famille que l'écureuil, qui hiberne comme une marmotte (cf. encadré « JOUFFLU COMME UN SUISSE », p. 263). Enfin, c'est parce qu'il ressemblait à un petit loup, que les nouveaux arrivants avaient d'abord appelé *little wolf* le canidé qui porte aujourd'hui le nom de *coyote*, emprunté à la langue des Aztèques par l'intermédiaire de l'espagnol du Mexique[209].

Parfois, les nouveaux venus avaient adopté le nom amérindien, mais en l'adaptant tant bien que mal à leur propre prononciation. Les premières langues responsables des nouveautés lexicales entrées en anglais d'Amérique ont été celles des Iroquois et des Algonquins, qui avaient évidemment des noms particuliers pour désigner des animaux, des végétaux ou des objets inconnus en Europe[210].

Parmi les noms d'animaux, on peut citer :

raccoon, le raton laveur, petit mammifère carnivore à la fourrure brun grisâtre, à la face noire et à la longue queue annelée de noir et de blanc, et dont le nom, attesté dès 1608, signifiait en algonquin « qui gratte avec ses mains » ;

moose est le nom amérindien de l'élan aux États-Unis, alors qu'il a reçu au Canada le nom d'*orignal*, un nom basque que lui ont donné des trappeurs français originaires du pays Basque ;

skunk est le nom d'un animal de la même famille que le putois ou le vison, et qui a la particularité, pour éloigner ses agresseurs, d'émettre des sécrétions nauséabondes. Son nom vient aussi de l'algonquin ; en France, on le nomme *skunks* ou *sconse*, et au Canada, *mouffette* ;

terrapin est le nom de la « tortue aquatique d'Amérique » ou *terrapène*, dont la carapace colorée peut fermer entièrement tous ses orifices, d'où son autre nom : *tortue-boîte* ;

opossum est également d'origine algonquine. C'est le nom d'un petit marsupial à la queue fine et longue et au museau allongé, qui vit surtout dans les arbres et chasse la nuit. En français, on lui donne aussi le nom de *sarigue*, emprunté au tupi, langue amérindienne du Brésil, par l'intermédiaire du portugais. Le mot *opossum* a donné naissance à une expression anglaise, *to play possum* « faire le mort », inspirée par le curieux comportement de cet animal qui, lorsqu'il est pris, feint effectivement d'être mort. Cette capacité de l'opossum à se cacher sous une autre apparence peut faire penser à certains écrivains et artistes qui se dissimulent sous des pseudonymes.

RÉCRÉATION

PSEUDONYMES FRANÇAIS ET ANGLAIS

Les écrivains et les artistes changent souvent de nom dans leur vie publique. Voici deux listes dans l'ordre alphabétique de pseudonymes et de noms de personnages anglais et français.

Retrouvez le vrai nom sous chaque pseudonyme.

PSEUDONYMES	NOMS D'ORIGINE (dans le désordre)
A. Lewis Carroll	1. Norma Jane Baker
B. Charlie Chaplin	2. Marie-Henri Beyle
C. Curnonsky	3. Frédéric Dard
D. D'Alembert	4. Charles Dodgson
E. John Le Carré	5. Giovanna Gassion
F. Molière	6. John Griffith
G. Jack London	7. Léon Le Rond
H. Marilyn Monroe	8. Oscar Fingall O'Flahertie
I. Édith Piaf	9. David J. Moore Cornwell
J. Oscar Wilde	10. Jean-Baptiste Poquelin
K. San Antonio	11. Edmond Sailland
L. Stendhal	12. Charles Spencer

RÉPONSE : A4. B12. C11. D7. E9. F10. G6. H1. I5. J8. K3. L2.

Certains végétaux ont aussi conservé leur nom amérindien : *hickory* est le nom, dans une langue amérindienne de Virginie, du « noyer blanc d'Amérique » : un arbre qui peut atteindre des hauteurs gigantesques, au bois élastique et résistant, qui sert à la fabrication de skis, de canots ou de manches d'outils, et dont une variété donne les noix de pécan.

C'est aussi de l'algonquin que vient le *persimmon* « plaqueminier », grand arbre au bois très dur, de la même famille que l'ébène.

Enfin, remarquons, parmi les légumes, que *squash* « courge » vient d'une langue amérindienne, le massachuset, qui semble n'avoir donné que ce mot à l'anglais d'Amérique.

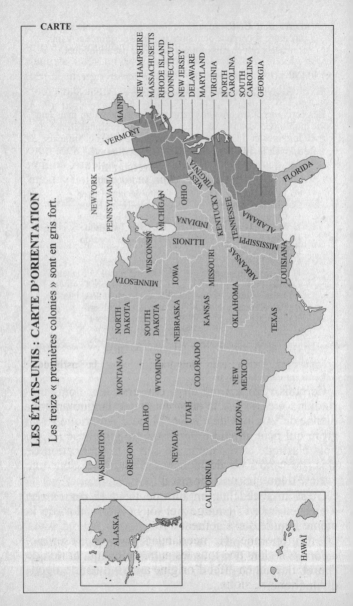

CARTE

LES ÉTATS-UNIS : CARTE D'ORIENTATION
Les treize « premières colonies » sont en gris fort.

Les noms des États

C'est également aux langues amérindiennes que plus de la moitié des États doivent les noms sous lesquels on les connaît de nos jours. Ces noms évoquent le plus souvent des réalités naturelles du pays. Ainsi, dans leurs langues d'origine, *Massachusetts* est « le lieu de la grande colline » et *Missouri* signifie « les eaux boueuses ».

Les thèmes qui reviennent le plus souvent sont ceux de l'eau, des vastes étendues ou des couleurs, comme on pourra le vérifier si l'on se prête au petit jeu suivant.

RÉCRÉATION

LES NOMS DES ÉTATS ET LEURS SENS CACHÉS

Un même trait de sens réunit les noms de chacune des trois listes suivantes :

1	2	3
Colorado	Alaska	Connecticut
Oklahoma	Massachusetts	Michigan
Rhode Island	Michigan	Minnesota
	Mississippi	Mississippi
	Wyoming	Missouri
		Nebraska
		Ohio

Vous avez le choix entre trois traits de sens : **la vastitude, l'eau, la couleur rouge**.

RÉPONSE : 1. la couleur rouge • 2. la vastitude • 3. l'eau²¹¹. Voir commentaires au prochain paragraphe.

Des noms amérindiens

Parmi les quatorze noms d'États figurant dans la récréation précédente, on aura peut-être reconnu, sous *Rhode Island* « l'île rouge » et sous *Colorado* « le pays coloré » ou plus exactement « rouge », un écho des langues européennes (le néerlandais *rood* et l'espagnol *colorado*), alors que tous les autres n'évoquent rien de connu. Ils sont en effet d'origine amérindienne : algonquin, choktaw, sioux...

Il n'est d'ailleurs pas indifférent de connaître la signification complète de ces noms dans leur langue d'origine car ils sont en quelque sorte une « mise en mots » explicite des lieux et des paysages que découvraient ces aventuriers venus de la lointaine Europe :

Oklahoma	« peuple rouge » (en choktaw) [212]
Alaska	« grand pays » (en inuktitut, langue des Inuits)
Massachusetts	« lieu de la grande colline » (en algonquin)
Michigan	« grandes eaux » (en algonquin)
Mississippi	« grand fleuve » (en sioux)
Wyoming	« pays des grandes prairies » (en delaware)
Connecticut	« pays du long fleuve » (en algonquin)
Minnesota	« eau couleur du ciel nuageux » (en sioux)
Missouri	« eaux boueuses » (en algonquin)
Nebraska	« eaux plates, calmes » (en sioux)
Ohio	« beau comme de l'eau » (en iroquois)

Également des noms anglais, espagnols et français

En outre, sur l'ensemble des cinquante États-Unis d'Amérique, il y en a douze qui portent des noms venus de l'anglais, qu'il s'agisse de noms de lieux évoquant l'Angleterre, comme

New Hampshire, New Jersey, New York,
ou de noms de personnages à honorer, par exemple :

Carolina (*North* et *South*), en l'honneur de Charles II, roi d'Angleterre de 1660 à 1685

Delaware, en l'honneur de Lord de la Warr, gouverneur de la Virginie (1610)

Georgia, en l'honneur de George II (1683-1760)

Maryland, en l'honneur d'Henriette-Marie (1609-1669), épouse du roi Charles Ier d'Angleterre et fille du roi de France Henri IV

Pennsylvania, en l'honneur de William Penn, qui fonda cette colonie ainsi que la ville de Philadelphie

Virginia et *West Virginia*, en l'honneur de la reine d'Angleterre Élisabeth Ire (1533-1603), dite « la Reine Vierge »

Washington, en l'honneur de George Washington, premier président des États-Unis (1789-1797)

Rhode Island est le seul nom d'État qui soit formé sur un mot néerlandais. Un explorateur hollandais aurait en effet nommé *Rood Eiland* « l'île rouge », la petite île où se trouve le port de Newport, du fait de la couleur rouge de ses terres. Le nom a été anglicisé en 1636, après la

PHILADELPHIE[213] : L'ÉGALITÉ DES NOMS DE RUES

L'amiral **William Penn**, qui a fondé la Pennsylvanie, a aussi inventé le nom de **Philadelphie** « amour fraternel ». En quaker convaincu, c'est pour des raisons philosophiques et religieuses qu'il a choisi de donner des numéros ou des appellations botaniques aux noms des rues de la ville en remplacement de noms d'hommes : tous les hommes étant égaux devant Dieu, aucun ne devait être honoré plus particulièrement. Il fit donc dresser un plan strictement géométrique de sa ville, avec d'une part des numéros : *1st street, 2nd street...*, et de l'autre des noms d'arbres : *Walnut Street, Pine Street* [214]...

Les rues actuelles *Arch, Race* et *South* portaient à cette époque des noms inspirés de la botanique : *Mulberry, Sassafras* et *Cedar* [215].

fondation des plantations de Providence et il désigne depuis lors l'ensemble de l'île et des terres avoisinantes[216].

D'autre part, parmi les autres noms d'États, il y en a six qui sont plus ou moins d'origine espagnole. Cela est clair pour *Colorado* « rouge », *Florida* « fleurie » ou *Nevada* « neigeuse », mais cela l'est beaucoup moins pour *Montana*, qui a été proposé en 1864 quand on a détaché ce territoire de celui du *Nebraska* voisin, ainsi que pour *Texas*, tous deux d'origine amérindienne et simplement retransmis par l'espagnol.

Quant à *California*, le nom de cet État est celui d'une île imaginaire, riche en or et en pierres précieuses, figurant dans un roman de chevalerie (1510) et dont Hernan Cortes gardait le souvenir[217].

Enfin, trois noms d'États sont d'origine française :

Louisiane, en l'honneur de Louis XIV,
Maine, qui évoque une province française,
Vermont, où l'antéposition de l'adjectif de couleur attire
l'attention par son archaïsme — à moins qu'il ne s'agisse
d'un anglicisme plus ou moins inconscient.

Le français, plus présent qu'on ne le croit

En observant les noms de lieux des États-Unis, on ne se doute pas à quel point la langue française fait aussi partie de leur histoire. Certains noms d'origine amérindienne doivent même leur forme actuelle au français, que ce soit dans leur prononciation ou dans leur forme écrite.

Ainsi, c'est d'avoir été prononcé d'abord par des Français que le nom de la ville de *Chicago* doit de se prononcer « à la française » pour sa première consonne, c'est-à-dire *ch*, et non pas *tch*. Il en est de même pour *Cheyenne*, capitale du Wyoming[218].

Le nom de l'État d'*Iowa*, qui est celui d'une tribu amérindienne, avait été noté *Ayavois* ou *Ayauois* dans un texte écrit par un jésuite français en 1774. Après un temps d'hésitation entre plusieurs formes graphiques, la graphie définitivement choisie a été *Iowa*, qui garde en anglais quelque chose de l'ancienne prononciation *ayowa*.

On reconnaîtra dans *Illinois* et *Iroquois* le suffixe français *-ois*, ajouté à des noms de tribus amérindiennes : les *Illini*, une tribu algonquine dont le nom signifiait simplement « hommes » ou « guerriers », et les *Iroqu*, dont le sens était, soit « les vrais serpents », soit « les pires ennemis ». Ce nom s'opposait à celui des *Sioux*, abréviation de *Madowessioux*, qui signifiait « les petits serpents », ou encore « les moindres ennemis » : une façon de les distinguer des Iroquois.

Ajoutons que c'est dans un texte français que le nom du *Wisconsin* est attesté pour la première fois, sous sa forme *Ouisconsing*, à la fin du XVIIIe siècle, pour noter un mot algonquin évoquant l'eau[219].

Enfin, des centaines de noms de lieux des États-Unis remontent en fait à l'époque où la plus grande partie du territoire situé à l'ouest des monts Appalaches était sous domination française (cf. CARTE DE LA LOUISIANE EN 1803, p. 253). Certains noms ont gardé à l'évidence leur ancienne forme, comme la capitale de la Louisiane, *Baton Rouge* (mais sans accent circonflexe), tandis que dans le nom de la capitale de l'Idaho, *Boise*, l'absence d'accent aigu empêche l'identification immédiate du participe passé français *boisé*.

Dix capitales aux noms français

En dehors de *Baton Rouge*, capitale de la Louisiane, et de *Boise*, capitale de l'Idaho, huit autres capitales d'États ont des noms d'origine française :

> *Concord*, capitale du New Hampshire, précédemment nommée *Pennycook*, d'un nom algonquin signifiant « descente »
>
> *Providence*, capitale de Rhode Island
>
> *Saint Paul*, capitale du Minnesota, d'après le nom d'une chapelle dédiée à saint Paul en 1841.
>
> *Pierre*, capitale du Dakota du Sud, d'après le prénom du Français Pierre Chouteau, qui y avait précédemment installé un marché pour commercer avec les Indiens
>
> *Montgomery*, capitale de l'Alabama, d'où les Français ont été chassés par les Anglais en 1763 (traité de Paris). Le nom de famille *Montgomery* est un nom de France, qui apparaît en Normandie dès le Xe siècle *(Mont-Gomery)* [220]
>
> *Montpelier (sic)*, capitale du Vermont, ville fondée en 1780 et dont le nom est un témoignage de gratitude à la France pour son aide au cours de la guerre d'Indépendance américaine
>
> *Juneau*, capitale de l'Alaska, nom donné en 1881 en mémoire de l'explorateur français Joseph Juneau, qui y avait découvert des mines d'or.

Il faut cependant parfois résister aux interprétations hâtives, comme on pourra s'en rendre compte dans la récréation suivante.

RÉCRÉATION

« DES MOINES », CAPITALE DE L'ÉTAT DE L'IOWA

D'où vient ce nom français ?

1. Du fait qu'une communauté de moines trappistes s'y était installée à l'origine
2. De l'abréviation d'un nom amérindien prononcé à la française
3. De *moins*, parce que la terre y était moins généreuse qu'au voisinage

RÉPONSE : 2. De **Moingwena**, nom d'une tribu iroquoise, abrégé et remotivé en **Des Moines** [221]

D'autres toponymes remontant au français

On peut aussi s'amuser à tenter de retrouver les anciens noms français qui se dissimulent sous un certain nombre de noms de villes évoquant aujourd'hui, du fait de leur nouvelle graphie, tout autre chose que ce qu'ils signifiaient à l'origine et qui vont parfois jusqu'à être devenus complètement incompréhensibles.

RÉCRÉATION

ET POURTANT, C'ÉTAIT BIEN DU FRANÇAIS À L'ORIGINE

Tous ces toponymes[222] des États-Unis remontent à des noms français.

Pouvez-vous les retrouver ? Les indications fournies entre parenthèses devraient vous y aider.

1. *Low Freight* (nom d'un lac aux eaux glaciales, en Alaska)
2. *Monbo* (lieu élevé, en Caroline du Nord)
3. *Lemon Fair* (espace de verdure, en hauteur)
4. *Siskiyou Mountains* (monts cailouteux, en Californie et dans l'Oregon)
5. *Bob Ruly* (évocation d'un incendie de forêt, dans le Michigan)

RÉPONSE : 1. Low Freight vient de L'eau froid *(sic)* (ancienne orthographe de ce toponyme) • 2. Monbo vient de Mont beau • 3. Lemon Fair vient de Les monts verts • 4. Siskiyou vient de Six cailloux • 5. Bob Ruly vient de Bois brûlé

Manifestes ou dissimulés, plus de 1 000 toponymes français

Plus sérieusement, en parcourant des yeux une carte des États-Unis un peu détaillée, on ne peut manquer d'être frappé par les dizaines de noms de lieux où figurent les adjectifs français *Bel* ou *Belle, Bon* ou *Bonne,* comme dans :

Belair (Maryland),
Belmont (Ohio et Wisconsin),
Belpre (Ohio),

Belleville (Kansas et Arkansas),
Bonpas (Illinois),
Bon Secours (Alabama),
Bonneterre (Missouri) et *Terrebonne* (Louisiane).

Mais les lieux habités n'ont pas toujours été accueillants, et on trouve aussi *Mauvaises Terres* (Dakota du Nord) et même *Malheur*, qui est le nom d'un cours d'eau dans l'Oregon.

Parfois, le passage à l'anglais brouille un peu les pistes, comme dans :

Little Tabeau (Missouri), où *Tabeau* est le résultat méconnaissable de *Terrebeau* « belle terre », et
Bouff (Arkansas), l'adaptation de *Bœuf*, à côté de
Bayou Bœuf, tout à fait identifiable, en Louisiane, ainsi que
Lebœuf, en Pennsylvanie.

Ailleurs, c'est grâce à la présence de l'article que l'on reconnaît l'origine française de toponymes comme :

Lafourche (Louisiane),
Laporte (Indiana),
Lagrue (rivière de l'Arkansas, fréquentée par des oiseaux migrateurs),
La Crosse (Wisconsin), qui, avant de devenir le nom de cette ville, était le nom d'un jeu de ballon très prisé par les Amérindiens,
Les Chevaux (Michigan),
Deschutes (Oregon),
Des Plaines (Illinois),
Lapeer, malgré l'altération de *pierre* en *peer*.

Enfin, les avis sont partagés sur l'origine du nom de la capitale du Wyoming, *Cheyenne*, qui est aussi celui d'une tribu amérindienne de l'Amérique du Nord. Certains[223] font remonter ce nom à celui que les Sioux avaient donné à cette tribu dont ils ne compreniaent pas la langue (*shaiena* « ceux qui parlent une langue étrangère »). D'autres[224] suggèrent une origine française (*chien*, ou plutôt *chienne*), car ce sont les premiers trappeurs français qui ont finalement diffusé cette dénomination. En dehors de la capitale du Wyoming, on trouve de nos jours ce nom de lieu dans divers autres États précédemment occupés par les Français (Colorado, Kansas, Nebraska et Dakota du Sud).

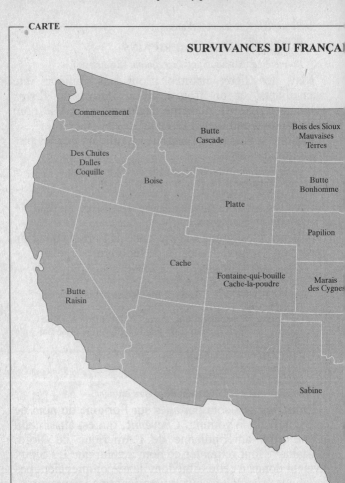

CARTE

SURVIVANCES DU FRANÇAI

On a réuni sur cette carte un certain nombre de noms de lieux actuels, qui ont gardé leur forme française d'origine (si l'on ne tient pas compte de curiosités graphiques comme *Papillion, Trempealeau, Ca ira, Grand Isle* ou *Terre Noir*). L'emplacement de ces noms de lieux n'y est pas précisé mais il se trouve toujours dans les limites de l'État où il a été situé sur la carte.

...ANS LES NOMS DE LIEUX AMÉRICAINS

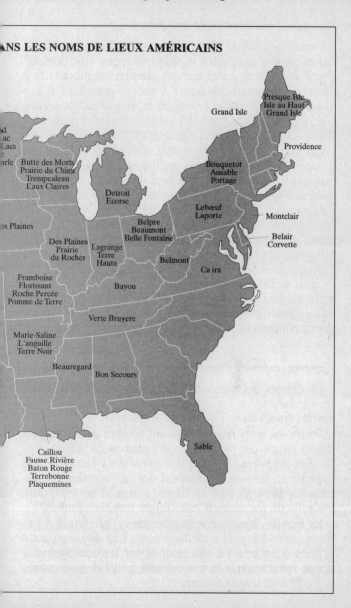

Presque Isle
Isle au Haut
Grand Isle

Grand Isle

Providence

Butte des Morts
Prairie du Chien
Trempealeau
Eaux Claires

Bouquetot
Ausable
Portage

Detroit
Ecorse

Leboeuf
Laporte

Montclair

es Plaines

Belpre
Beaumont
Belle Fontaine

Belair
Corvette

Des Plaines
Prairie
du Rocher

Lagrange
Terre
Haute

Belmont

Ca ira

Framboise
Florissant
Roche Percée
Pomme de Terre

Bayou

Verte Bruyere

Marie-Saline
L'anguille
Terre Noir

Beauregard

Bon Secours

Sable

Caillou
Fausse Rivière
Baton Rouge
Terrebonne
Plaquemines

Des noms qui racontent une histoire

Certains noms de lieux sont un peu plus explicites. Il existe par exemple dans le Wisconsin une ville appelée *Butte des Morts*, parce que les premiers explorateurs y avaient découvert plusieurs tombes, un cours d'eau appelé *Malheur* dans l'Oregon et une crique nommée *Cache-la-Poudre* dans l'Utah, souvenirs probables d'événements militaires marquants.

On trouve dans le Minnesota une étendue d'eau qui a sans doute toujours été suffisamment agitée, donc bruyante, pour avoir reçu le nom de *Lac qui Parle*, tandis que *Bois brule* tout comme *Babruly* (Missouri) rappellent peut-être quelque incendie de forêt. Quant à *Ca ira*, où l'on remarque l'absence de la cédille, c'est sans doute un nom totalement opaque pour les habitants de Virginie mais qui a probablement pour origine la fameuse chanson révolutionnaire « Ah ! ça ira, ça ira, ça ira... ». On trouvera en outre sur la carte ON SE CROIRAIT EN FRANCE..., p. 246-247, un certain nombre de toponymes (parfois issus de patronymes) qui témoignent clairement de la présence française séculaire en Amérique.

Apports lexicaux français, néerlandais, allemands

En dehors des noms de lieux, le français, mais aussi le néerlandais et l'allemand ont également laissé très tôt des traces dans l'anglais d'Amérique.

Parmi les mots français qui ont pénétré dans l'anglais dès le temps des pionniers, on remarquera le sens particulier de *portage* — qu'il a gardé au Canada — qui désigne un lieu où le transport des embarcations et des marchandises devait se faire à dos d'homme, aux endroits où les voies d'eau étaient trop accidentées[225].

Le mot *levee* peut se rencontrer dans l'anglais d'Amérique pour désigner spécifiquement une digue en terre le long d'un cours d'eau pour éviter les conséquences d'une inondation. On y reconnaît, privé de son accent aigu, le mot *levée* (de terre).

Le mot *bureau* a le sens particulier de « commode » (meuble à tiroirs) en anglais d'Amérique, et, sous *chowder*, on a de nos jours un peu de mal à identifier le mot français *chaudière* dans le sens qu'il a acquis outre-Atlantique, où il désigne une sorte de soupe où se mêlent fruits de mer, oignons, bacon et divers légumes. Au Québec et en Acadie, on emploie l'équivalent français *chaudrée*.

Les premiers emprunts au néerlandais[226] se retrouvent dans le vocabulaire de la cuisine, avec

> *cruller* : beignet dont la pâte est torsadée
> *waffle* : gaufre
> *coleslaw* : salade de chou cru mêlé à des carottes et à des oignons râpés
> *cookie* : petit sablé, terme générique correspondant à *biscuit* en anglais britannique. Le mot est maintenant passé dans l'usage courant en français, mais pour désigner uniquement une sorte de gâteaux secs un peu particuliers, souvent additionnés de pépites de chocolat ou de raisins secs.

Parfois, par exemple pour *dope*, le mot a changé de sphère d'emploi. *Dope* vient du néerlandais *doop*, qui était une sorte de sauce et c'est avec ce sens qu'il est attesté en anglais d'Amérique dès 1807. Pendant tout le XIXe siècle le sens n'a cessé de dériver puisque *dope* a pu désigner une personne aux possibilités intellectuelles un peu limitées, une espèce de lubrifiant, un narcotique, un somnifère et une préparation pour améliorer les performances des chevaux de course. À signaler enfin un usage plutôt argotique de *dope* en anglais : on le traduirait par *tuyau* (information que l'on transmet dans le tuyau de l'oreille)[227].

Les emprunts au néerlandais concernent aussi la vie du travail, avec *boss* « patron, chef », ou encore la navigation, avec *scow*, par exemple, qui désigne la péniche, le chaland, ainsi que *caboose*, à l'origine « magasin de vivres sur un navire » et qui est aujourd'hui aux États-Unis le « fourgon de queue » dans le langage des chemins de fer.

PERSONNAGES FRANÇAIS À L'HONNEU

Les noms de ces personnages se regroupent pratiquement tous à l'est du pays, la partie ouest n'ayant été véritablement explorée qu'à partir du milieu du XIXe siècle, après la cession, par la France, de la Louisiane aux États-Unis (1803). Le nom du marquis de *La Fayette* y est particulièrement fréquent en raison de sa participation à la guerre d'Indépendance des États-Unis (1775-1783).

ANS LES TOPONYMES DES ÉTATS-UNIS

Vergennes Lamoine

Juneau
La Fayette
Lamartine
Marquette
Pepin-le-Bref

ago
adette
ueur

Le Roy
Marquette
Montcalm

La Salle
Massena
Champlain
Bonaparte
La Motte
Moreau

La Fayette

Bayard
Marion
Bonaparte
Fayette
Massena
Talleyrand
Massilion

Bourbon
Marietta
Louisville
Vergennes
La Fayette
La Salle
Marion
Marquette
Menard

Marion
Napoleon
Bourbon
Le Roy
La Fayette
La Fontaine

Laramie
Napoleon
Louisville
Marietta
Marsilion
Fayette
Le Roy

Fayette
Duquesne

Lavalette

Marion
La Fayette

Marion
Bayou
Montcalm
La Fayette
Racine
Nemours

Marion
Chateau
La Clede
La Fayette
Napoleon

Louis
La Fayette
Bourbon Rousseau
Louisville Marion
Richelieu

Marion Sener
La Fayette Leconte

Marion

Franceway
La Fayette
La Fave
Marion
Dumas

Bourbon
La Fayette
Marietta
Beaumont
Dumas
Magnol
Beauregard

Marion
La Fayette

Marion
La Fayette

Napoleon
Marion
La Fayette
Richelieu
Colbert
Ponchartrain
Maurepas
La Salle

Marion

De l'allemand viennent *sauerkraut* « choucroute »,
dont la forme n'a pas été modifiée, mais aussi *noodles*
« nouilles », à partir de *Knödel*, et *delicatessen* « épice-
rie fine ». Il en est de même pour l'adjectif *dumb*
« muet » qui prend alors aussi le sens de « stupide »,
pour *to loaf* « traîner, flâner » et finalement pour *loafers*
« chaussures de marche très souples, comme des
mocassins ».

Après la ruée vers l'or, l'espagnol

C'est surtout à partir du XIXᵉ siècle — la découverte
de mines d'or en Californie date de 1848 — que des
termes espagnols vont pénétrer en anglais, comme par
exemple *mustang*, d'un terme espagnol signifiant « animal égaré », *lasso, corral, canyon* ou *rodeo*. Autant de
formes incontestablement hispano-américaines. On
pourrait penser qu'il en est de même pour *gringo*, le
sobriquet donné aux Américains par les hispanophones,
mais on se tromperait car *gringo* était déjà très usité en
Espagne au XVIIIᵉ siècle. Cette forme représente en
effet la déformation de *griego* « grec », pour désigner
des prononciations étrangères totalement incompréhensibles, ce qui rappelle l'expression anglaise, qui
remonte à Shakespeare (cf. p. 217), *it's all Greek to
me* « pour moi, c'est de l'hébreu » (mot à mot « du
grec ») [228].

C'est aussi par l'intermédiaire de certains emprunts
aux langues des immigrés que l'anglais des États-Unis
s'est enrichi de quelques suffixes particulièrement pro-
ductifs, comme *-eria*, emprunté à l'espagnol, ou *-ette*,
au français.

Chicago a été la première ville où a été ouvert en 1890
un établissement appelé d'abord *cafitiria*, puis *cafete-
ria*, à partir de l'espagnol de Cuba. Jusqu'en 1925, on
prononçait d'ailleurs ce mot à l'espagnole, c'est-à-dire
avec l'accent sur le *i*. Il y a eu ensuite une mode, parfois
éphémère, pour créer des établissements nommés
*washeteria, groceteria, drugteria, shaveteria, beaute-
ria, furnitureteria*...

De même, *luncheonette* (parfois réduit à *lunchette*) fait son entrée en 1920 et entraîne à sa suite *kitchenette, drum majorette, roomette* et même *realtyette* pour désigner une femme dirigeant une agence immobilière (*realty* « immeuble ») [229].

Enrichissement interne

À ces emprunts aux autres langues de l'Europe s'ajoutaient de nouvelles formes puisées dans l'anglais lui-même.

Dans ce pays aux paysages impressionnants, de nombreuses formes évoquent la géographie. C'est ainsi qu'apparaissent comme typiquement américains :

bluff	« falaise à pic »
foothills	« contreforts »
watershed	« ligne de partage des eaux »
clearing	« clairière »
underbrush	« sous-bois, broussailles »
prairie	mot emprunté au français pour désigner les grandes plaines dépouillées de l'Amérique du Nord

D'autres décrivent le nouveau mode de vie des pionniers, qui vivent dans des *logcabins* « cabanes en rondins », aux toits recouverts de *clapboards* « bardeaux », pour qui le *snowplow* (en graphie américaine) « chasse-neige » est d'usage fréquent, et qui se déplacent en *sleigh* « traîneau ».

Enfin, une partie du lexique diffère encore de nos jours entre les usages britanniques et ceux des États-Unis.

Des formes identiques, pour des sens différents

Mais les changements les plus sournois ont peut-être été ceux qui ont donné un sens nouveau à des mots déjà existants. C'est ainsi que *robin*, qui était en Angleterre le nom du rouge-gorge, également appelé *robin redbreast*, en est venu à désigner le merle d'Amérique, qui, lui aussi, a la gorge rouge, mais qui est une autre variété, qui migre en hiver aux Caraïbes alors que le rouge-gorge est sédentaire[230].

CARTE

ON SE CROIRAI

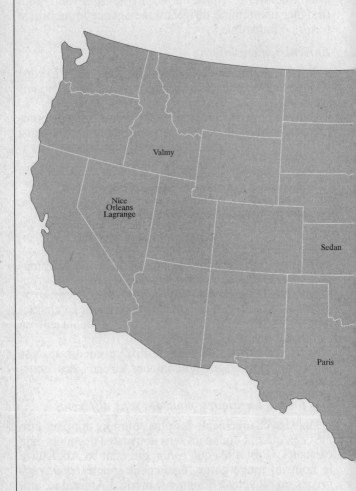

Valmy

Nice
Orleans
Lagrange

Sedan

Paris

On se croirait en France... tout au moins dans toute la partie orientale des États-Unis, où des noms comme *Paris, Versailles, Calais* ou *Montpelier (sic)* se retrouvent dans plusieurs États.

...N FRANCE...

Montpelier
Calais

Calais
Paris

Saint-
Cloud

Plessis

...es)

Saint-
Clair

...ontpelier
...lermont

Colmar
Macon
Toulon
Versailles
Marseille
Lille

Menton
Orleans
Paris
Montpelier
Versailles
Vincennes

Dunkerque
Belfort
Versailles
Clermont
Marseille
Paris

Havre de Grâce

Metz
Verdunville
Troy

Metz
Meudon
Macon
Vichy
Versailles
Fontainebleau
Paris

Toulouse
Versailles
Montpelier

Carcassonne
Clermont
Beaumont

Malmaison

Beaufort

Paris
Bordeaux

Troyes
Macon

Abbeville
Beaufort
Bordeaux

Paris

Macon
Montpelier
Paris

Bonsecours

Orleans
Abbeville
Charenton

CHANGER DE MOTS EN TRAVERSANT L'ATLANTIQUE[231]

ANGLAIS BRITANNIQUE	ANGLAIS D'AMÉRIQUE	SIGNIFICATION
aluminium	**aluminum**	aluminium
block of flats	**apartment building**	immeuble
ringroad	**beltway, circular route**	périphérique
hair grip	**bobby pin**	pince à cheveux
sweets	**candy**	bonbons
diversion	**detour**	déviation (d'une route)
driving licence	**driver's license**	permis de conduire
torch	**flashlight**	lampe de poche
French window	**French door**	porte-fenêtre
suspenders	**garters**	jarretelles
trade union	**labor union**	syndicat
pillar box	**mailbox**	boîte aux lettres
stalls	**orchestra**	fauteuils d'orchestre
trouser suit	**pants suit**	tailleur-pantalon
swede	**rutabaga**	rutabaga
saltcellar	**saltshaker**	salière
patience	**solitaire**	réussite (aux cartes)
marrow	**squash**	courge
braces	**suspenders**	bretelles
dinner-jacket	**tuxedo**	smoking
vest	**undershirt**	tricot de corps
holiday	**vacation**	vacances
waistcoat	**vest**	gilet
postcode	**zip code**	code postal

Dans les dénominations géographiques, le sens des mots anglais déjà existants va aussi se modifier pour mieux coller aux vastes paysages américains :

> *pond :* de simple petite mare artificielle en Angleterre, ce mot en est venu à désigner de grandes étendues d'eau telles qu'elles se présentent dans la nature américaine ; il est même parfois, en langage familier, le nom de l'Atlantique.

> *creek*, qui désignait en Angleterre une crique, c'est-à-dire une échancrure de la côte, désignera finalement en Amérique un cours d'eau.

Enfin, il est intéressant de constater que les Américains n'ont jamais employé le mot anglais *maize* pour

---

DEUX FORMES POUR LE MÊME SENS

Jouons avec l'**anglais britannique** et l'**anglais d'Amérique**.
Le jeu consiste à remplir les cases vides.

FRANÇAIS	ANGLAIS BRITANNIQUE	ANGLAIS D'AMÉRIQUE
1. trottoir	pavement	...
2. ascenseur	...	elevator
3. ...	petrol	gas, gasoline
4. rez-de-chaussée	ground floor	...
5. chips	...	potato chips
6. frites	chips	...

RÉPONSE : 1. sidewalk • 2. lift • 3. essence • 4. first floor • 5. crisps • 6. (French) fries

---

désigner le maïs. Puisque c'était la seule céréale du pays, ils ont gardé le terme générique *corn* qui, au XVIIe siècle, servait en anglais à désigner n'importe quelle céréale, mais en spécifiant à l'origine *Indian corn* « graine indienne », ce qui rappelle le nom du maïs chez les Acadiens et les Québécois, pour qui le maïs est toujours du *blé d'Inde* depuis la lointaine époque de la « Nouvelle-France ».

LE FRANÇAIS PREND LE LARGE
☞ *La langue française et la francophonie*

La « Nouvelle-France »

C'est Verrazzano qui, vers 1524, a été le premier à découvrir et à nommer la « Nouvelle-France », après avoir reçu de François Iᵉʳ la mission de découvrir à l'extrême nord-ouest un passage vers l'Asie. Dix ans plus tard, Jacques Cartier prendra possession du Canada en 1534 à Gaspé, à l'entrée du Saint-Laurent, et, en 1604, Champlain créera Port-Royal, première colonie française d'Amérique et lieu de naissance mythique de l'Acadie. Il fondera Québec quatre ans plus tard.

LÀ OÙ LES EAUX DEVIENNENT PLUS ÉTROITES

Comme une grande partie des noms de lieux d'Amérique, **Québec** et **Canada** sont d'origine amérindienne, mais alors que le nom de Québec est, si l'on peut dire, descriptif — en tout cas pour ceux qui comprennent l'algonquin —, le nom du Canada est dû à une erreur d'interprétation des premiers colons.

Québec est l'altération de **Quilibec** « l'endroit où les eaux se rétrécissent », ce qui est bien le cas puisque, à partir de Québec, l'estuaire du Saint-Laurent s'effile considérablement.

En revanche, **Canada**, du huron ou de l'iroquois **Kanata**, est simplement la façon de désigner n'importe quel village dans ces langues amérindiennes, mais les premiers colons, sans interprète pour les détromper, ont alors cru qu'il s'agissait du nom du pays.

L'Amérique : un vaste territoire, peu peuplé

Au cours du XVIIᵉ et d'une partie du XVIIIᵉ siècle, des expéditions hardies outre-Atlantique aboutissent successivement à la prise de possession des Grands Lacs, des territoires de la baie d'Hudson et des terres qui bordent le Mississippi jusqu'à son embouchure, pour aboutir à la création de La Nouvelle-Orléans en 1718. Si bien qu'à la fin du XVIIIᵉ siècle, tandis que les Anglais s'étaient surtout établis entre la côte atlantique et les monts Appalaches, la France occupait la presque totalité des territoires découverts à l'ouest des Appalaches et jusqu'aux Rocheuses. C'est cette ancienne « Louisiane » gigantesque mais peu peuplée, dont la superficie était près de six fois celle de la France, que Napoléon Bonaparte vendra en 1803 aux États-Unis pour 15 millions de dollars.

Peuplement de la « Nouvelle-France »

Alors que la population des immigrants venus de Grande-Bretagne n'avait fait que s'accroître du début du XVIIᵉ siècle au milieu du XVIIIᵉ — on estime à un million et demi de personnes la population de la Nouvelle-Angleterre en 1760 —, la Nouvelle-France à la même époque ne comptait que 75 000 habitants, c'est-à-dire vingt fois moins. Mais il se produisit ensuite un renouvellement démographique considérable dans ce pays catholique — « la revanche des berceaux » — dans les régions où le français s'était le mieux implanté : en Acadie (Nouveau-Brunswick et, dans une moindre mesure, Nouvelle-Écosse), en Ontario et dans la région qui allait devenir le Québec. C'est là que la langue française s'est maintenue mieux qu'ailleurs, en partie grâce aux écoles, tenues essentiellement par des religieux jusqu'en 1960. Depuis août 1977, la loi 101 instaure le français comme langue officielle du Québec. Elle garantit le droit des individus à recevoir des services en français dans les administrations, les magasins, etc.[232].

CARTE

CARTE DE LA LOUISIANE EN 1803

Sur un fond de carte des États-Unis actuels, on peut prendre la mesure de ce que représentait la Louisiane au début du XIXe siècle : près du tiers de l'ensemble du territoire[233]. Pour mieux repérer l'ancien territoire de la Louisiane, on y a fait figurer les frontières et les États tels qu'ils existent de nos jours. La partie hachurée délimite l'État de Louisiane d'aujourd'hui.

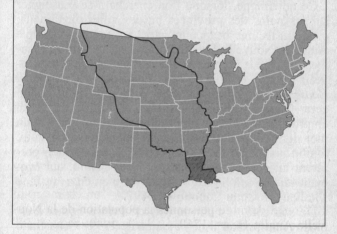

Les provinces canadiennes

Au point de vue administratif, le Canada se compose aujourd'hui de dix provinces, auxquelles il faut ajouter les Territoires du Nord-Ouest et le Yukon. Ce sont, d'ouest en est : Colombie britannique, Alberta, Saskatchewan, Manitoba, Ontario, Québec, Terre-Neuve, Nouveau-Brunswick, Nouvelle-Écosse et île du Prince-Édouard.

Au point de vue linguistique, il faut distinguer une vaste partie anglophone, dans laquelle se trouvent des enclaves francophones (par exemple en Ontario ou au Manitoba), et une partie francophone, plus réduite, à l'est du pays : le français est très largement majoritaire au Québec, important en Ontario, beaucoup moins répandu au Nouveau-Brunswick (36 % de francophones) et faible et dispersé en Nouvelle-Écosse, où la population francophone ne se trouve que sur la côte ouest de la presqu'île. C'est là que Port-Royal, la première colonie, a été fondée en 1604 par Champlain.

Des noms de lieux qui changent

Ce qui frappe, lorsque l'on cherche à se renseigner sur les noms des provinces ou des villes du Canada, c'est qu'ils ont beaucoup varié au cours du temps. Ainsi, la Nouvelle-Écosse correspond en fait à l'Acadie, qui a été la première colonie française dans le Nouveau Monde, et dont le nom figure sous la forme *la Cadie* dès le début du XVIIe siècle, alors que Champlain écrit *Acadie*. L'origine de ce nom est probablement un emprunt à une langue amérindienne (le micmac) d'un mot signifiant « lieu fertile ». Mais lorsque ce territoire tombe aux mains des Anglais en 1621, ces derniers préfèrent lui donner un nom latin, *Nova Scotia*, qui évoquait mieux, selon eux, la découverte qu'en avait faite l'Italien Giovanni Cabotto en 1497.

De son côté, le nom de l'île du Prince-Édouard est plus récent puisqu'il ne date que de 1799 : Sebastiano Cabotto — le fils de Giovanni Cabotto (cf. p. 222) — y ayant débarqué le 24 juin 1497, jour de la Saint-Jean, c'est ce nom d'*île Saint-Jean* qui s'est perpétué pendant trois siècles. Aujourd'hui, cette île porte le nom qui lui a été donné plus tard en l'honneur du prince Édouard d'Angleterre, futur père de la reine Victoria.

Il semble en revanche que certains noms d'origine amérindienne se soient mieux maintenus au cours des siècles : ainsi, *Saskatchewan* vient d'un mot amérindien signifiant « courant rapide » et *Manitoba* d'un autre nom amérindien signifiant « lac des prairies ». Ces deux provinces n'ont jamais changé de nom, ce qui n'est pas le cas de l'Ontario, dont la traduction pourrait être « le lac », qui a d'abord été nommé *Lac Saint-Louis*, puis *Lac Frontenac*. De son côté, *Toronto*, après

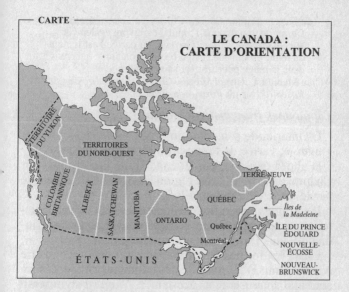

CARTE

**LE CANADA :
CARTE D'ORIENTATION**

TERRITOIRE DU YUKON

TERRITOIRES DU NORD-OUEST

TERRE-NEUVE

COLOMBIE BRITANNIQUE

ALBERTA

SASKATCHEWAN

MANITOBA

ONTARIO

QUÉBEC

Québec

Montréal

Îles de la Madeleine

ÎLE DU PRINCE ÉDOUARD

NOUVELLE-ÉCOSSE

NOUVEAU-BRUNSWICK

É T A T S - U N I S

avoir été baptisé *York* par les Anglais en 1793, a repris son nom amérindien *Toronto*, dont l'origine est controversée : il viendrait soit de l'iroquois « arbre sortant de l'eau », soit du huron « lieu de rassemblement »[234].

Enfin, *Québec* a gardé son nom algonquin, dont le sens est « l'endroit où le fleuve se rétrécit », malgré Champlain qui avait proposé, sans succès, le nom de *Ludovica*, en l'honneur de Louis XIV[235].

Même à l'Ouest, des noms français

Alors que c'est surtout au Québec et dans les Provinces Maritimes que l'on s'attend à trouver des noms français, on remarquera qu'ils subsistent aussi un peu dans les régions de l'Ouest actuellement anglophones, témoignages vivants de l'ancienne présence française dans cette région. Ainsi,

en Colombie britannique : *isle Pierre, Babine Lake*
en Alberta : *Embarras Portage, Lac La Biche, Grande Cache*

au Saskatchewan : *île à la Crosse, La Loche* ou encore
Carcajou, qui évoque l'animal carnivore également
appelé *glouton*, et *Lac Caribou*, où *caribou* est le nom
du renne du Canada et signifie en algonquin « qui creuse
dans la neige pour trouver sa nourriture »

au Manitoba : *Grand Marais, Grande Pointe, Grosse Isle,
Roseau River* ou *Portage-la-Prairie*[236].

Toponymes français en Ontario[237]

L'Ontario, de son côté, offre une liste beaucoup plus
longue et variée de toponymes d'origine française.

D'abord explorée par Étienne Brûlé (1610) puis par
Champlain (1615), cette région est cédée à l'Angleterre
par le traité de Paris en 1763.

Les toponymes reflètent donc dans leur forme l'histoire des dénominations successives : d'abord amérindienne, puis française, enfin anglaise.

Parmi les formes amérindiennes, on peut reconnaître
Niagara ou *Érié*, mais les étymologies proposées en
sont malheureusement incertaines. *Niagara* signifierait
en iroquois « l'endroit coupé en deux », ce qui se justifie par le fait que les eaux, à cet endroit, se divisent
en deux cataractes. Pour *Érié*, les Français ont inter-
prété le mot comme le « lac du chat » ou « lac des
chats », traduction non confirmée[238].

On pense par ailleurs que *Baie du Tonnerre*
(aujourd'hui *Thunder Bay*) est en fait la traduction de
ce que les tribus amérindiennes nommaient *Animikie
Wekwed*, ce qui signifie justement « baie du tonnerre ».

La période d'exploration française donne naissance à
des toponymes qui se multiplient pendant 140 ans à
mesure que se développent les routes de la traite des
fourrures. On rencontre ainsi *Rivière Creuse, Pointe
aux Pins, Rivière au Raisin* ou encore *Portage du
Paresseux*.

Avec l'arrivée des loyalistes anglais réfugiés dans la
région après la guerre d'Indépendance américaine, de
nouveaux toponymes forment une troisième couche
chronologique, qui est nettement la plus importante. En
dehors des nouvelles appellations totalement anglaises

PORTAGE DU PARESSEUX

Ce toponyme porte aujourd'hui un nom partiellement anglais, **Paresseux Falls**, qui, grâce à **Falls**, évoque la situation géographique d'un endroit où le cours d'eau connaît d'importantes chutes. Cela explique aussi l'appellation précédente (**portage**) qui désignait en Amérique du Nord les parties très accidentées des voies d'eau, là où les premiers arrivants devaient transporter, le plus souvent à dos d'homme, bagages et canots[239].

Reste à tenter de comprendre la référence au **paresseux**. L'explication en est plus anecdotique. On raconte que ce nom aurait été donné à la suite d'un accident de canot et qu'une partie des voyageurs était retournée à Montréal chercher un autre canot, en laissant sur place deux hommes qui devaient transporter les ballots de marchandise au-delà du portage. Mais, à leur retour, deux semaines plus tard, le transport n'était toujours pas terminé[240].

---

comme *Deep River* ou *Lake of the Woods*, on trouve des formations hybrides où l'on devine, parfois sans trop de peine, mais souvent avec difficulté, l'ancienne forme française. Ainsi, par exemple, *Rivière aux Sables* est devenu *Ausable River* et *Petite Côte*... *Petticoat Creek* « la rivière du jupon ».

Dans le nord-ouest de la province, on trouve aussi *Kenora*, forme mystérieuse qui s'éclaire grâce aux archives, où cette localité figure sous son nom français *Portage du Rat*, anglicisé ensuite en *Rat Portage*. La présence des deux premières syllabes de *Kenora* s'explique lorsque l'on apprend qu'en 1905 on a relié les premières syllabes de deux localités voisines *(Keewatin* et *Norman)* à la première syllabe de *Rat Portage*.

Mais parfois, c'est justement grâce à la traduction anglaise que l'on comprend le sens que certains mots français avaient alors. Tel est le cas de *Pigeon River*, qui est la traduction de *Rivière aux Tourtes, tourte* désignant en français à cette époque une espèce de pigeon sauvage.

Un peu d'histoire

Le voisinage de noms français et de noms anglais en Amérique rappelle discrètement que l'affrontement des deux pays — et des deux langues —, qui avait déjà eu lieu en Europe au cours de la guerre de Cent Ans, s'est encore poursuivi de l'autre côté de l'Atlantique à partir du début du XVIIᵉ siècle.

On comprend ainsi que l'histoire linguistique du Canada puisse se lire en trois temps, marqués par les rapports conflictuels entre les deux langues[241].

1608-1763 : LE FRANÇAIS DOMINE

De la fondation de Québec jusqu'au traité de Paris par lequel la France cède le Canada à l'Angleterre, le français reste pratiquement la seule langue de la « Nouvelle-France » : 95 % des habitants y sont d'origine française. Ils sont, avant 1700, en très grande majorité originaires de l'ouest et du centre du domaine d'oïl en France.

Certaines formes lexicales ont dû se répandre très vite puisqu'on les retrouve aujourd'hui aussi bien au Québec qu'en Acadie ou dans les îles de la Madeleine (et jusqu'en Louisiane), comme par exemple :

> *achaler* « ennuyer, importuner ». Ce verbe, qui à l'origine
> signifie « s'échauffer » — on y reconnaît la même racine
> que dans *chaleur* —, figure dans la dernière édition du
> *Dictionnaire de l'Académie française* (1992)
> *catin* « poupée » (plutôt en tissu et de fabrication
> domestique à l'origine)
> *trâlée* « grande quantité, ribambelle » (d'enfants, de
> personnes)
> *couverte* « couverture »
> *boucane* « fumée ». Le mot a été emprunté à un mot tupi,
> langue amérindienne d'Amérique du Sud, qui signifiait
> « viande séchée »[242].

1763-1960 : LE FRANÇAIS FACE À L'ANGLAIS

C'est à la fin du XVIIIᵉ siècle que commencent à apparaître dans le français du Canada des anglicismes comme *mop* « balai à franges » par exemple, qui alterne avec une forme attestée également en France, dans le Calvados, *vadrouille*[243].

Au moment de l'Indépendance américaine (1776), qui a pour conséquence l'arrivée au Canada de nombreuses familles de loyalistes fidèles à la couronne britannique, puis avec l'afflux des Irlandais chassés de leur pays par la famine au début du XIXe siècle, la proportion d'anglophones va augmenter régulièrement et des éléments de vocabulaire anglais s'infiltreront tout naturellement dans le français du Canada, malgré les efforts considérables de l'Office de la langue française du Québec pour en endiguer le flot. À observer le vocabulaire de l'automobile, particulièrement anglicisé jusqu'aux années 1970, on peut constater aujourd'hui que ces efforts de résistance sont souvent couronnés de succès puisque le mot anglais *tire* se trouve de plus en plus souvent remplacé par *pneu*, de même que *brake* par *frein, gas* par *essence* ou encore *wiper* par *essuie-glace*[244].

DEPUIS 1960 : RÉSISTANCE ET LÉGISLATION

C'est surtout au Québec que s'organise la résistance avec, en particulier, l'instauration de l'école française obligatoire pour les immigrants. Plusieurs lois linguistiques seront votées en faveur du français, dont la plus célèbre est la loi 101 ou « Charte de la langue française », faisant du français, au Québec, la seule langue officielle de l'Assemblée nationale, de la justice, de l'affichage, etc.[245]

Le français en Acadie

Après avoir été française pendant plus d'un siècle et demi, l'Acadie passe aux mains des Anglais en 1713 et c'est en 1755 que se déroule la tragédie du « Grand Dérangement », cette déportation massive qui a endeuillé l'histoire des Acadiens : ayant refusé de prêter serment au roi d'Angleterre, qui exigeait aussi leur soumission en cas de conflit avec la France, plusieurs milliers d'entre eux ont été mis de force dans des bateaux et dispersés dans les États américains voisins. Beaucoup périront en mer, d'autres se réfugieront dans les forêts, d'autres enfin retraverseront l'Atlantique pour retrouver leur lieu d'origine (Poitou, Saintonge, Belle-Île-en-Mer...).

Le français en Louisiane

Ceux qui avaient réussi à s'installer en Louisiane ont eu du mal, depuis leur arrivée en 1755, à résister à la pression de l'anglais envahissant. Le français y refait pourtant un peu surface depuis 1968, date à laquelle il acquiert, à côté de l'anglais, le statut de langue officielle[246].

Mais c'est un français parfois un peu déconcertant, et où l'anglais colore plus ou moins dangereusement toutes les phrases, comme dans *nous allons marcher à l'office*, pour « nous irons au bureau à pied », ou *il a drive jusqu'à la maison de cour*, pour « il est allé en voiture jusqu'au palais de justice »[247].

Le français au Québec

La situation est bien différente au Québec, où le français est incontestablement la langue dominante.

Commencée en 1630 sur les rives du Saint-Laurent, l'expansion du français s'était faite d'abord dans la vallée située entre Québec et Montréal, et devait bientôt atteindre Trois-Rivières, qui fut fondée en 1634. Mais après une période de croissance due en grande partie à une fécondité exceptionnelle, qui donnait nettement l'avantage aux francophones sur les anglophones, la situation du français va changer au milieu du XVIIIᵉ siècle, avec l'arrivée de colons britanniques qui s'installent en majorité dans le Haut-Canada (aujourd'hui l'Ontario)[248].

D'autre part, une poussée d'émigration de francophones canadiens vers les États-Unis, dans les États de la Nouvelle-Angleterre, se développe vers le milieu du XIXᵉ siècle. Il en résultera, pour le XXᵉ siècle, un retournement de la situation : de majoritaires, les francophones du Canada deviennent minoritaires.

Cela est vrai partout, sauf au Québec, où au contraire c'est la population anglophone qui est en baisse continuelle depuis plus d'un demi-siècle : on y dénombre de nos jours 93 % de francophones contre 5 % d'anglophones et 2 % de locuteurs d'autres langues[249].

Archaïsmes, régionalismes et innovations

Le grand intérêt du lexique français du Canada réside dans le fait qu'il est à la fois détenteur de vestiges de formes anciennes du français et évocateur de mots encore vivants dans certaines régions de France, tout en étant résolument novateur, ce qui justifie l'impression de charme et d'étrangeté qui le caractérise par rapport au français de France.

On ne devrait pourtant pas s'étonner de constater que *garde-robe* peut y désigner un placard, mot répertorié avec ce sens dans le *Dictionnaire de l'Académie* en 1835, *jaquette*, une chemise de nuit (1922), *suce*, une tétine (1904), *cadran*, un réveille-matin (XVIIᵉ s.). Ces mots, avec ces sens spécifiques, sont aujourd'hui perdus pour le français de France mais rien ne dit qu'ils ne pourraient pas à leur tour reprendre vigueur hors du Canada.

Les formes conservées à la fois outre-Atlantique et dans différentes régions de France sont très nombreuses, par exemple les verbes *mouiller, mouillasser* pour « pleuvoir, pleuvoir légèrement », ou des substantifs comme *place* pour désigner le « sol de la maison » (dans tout le domaine d'oïl de l'Ouest), *gadelles* « groseilles » (en Normandie) ou *fale* « jabot » (en Normandie et en pays gallo) ou encore *beurrée*, qui peut être n'importe quelle tartine, qu'elle soit recouverte de beurre ou non.

Enfin, le caractère novateur des usages au Canada se révèle aussi bien dans quelques emprunts — rares — aux langues amérindiennes (*atoca* « airelle », *caribou* « renne », *pichou* « mocassin »), que dans les solutions trouvées pour résister à l'influence envahissante de leur grand voisin, l'anglais : *traversier* (pour *ferry*), *magasinage* (pour *shopping*), *courriel* (pour *e-mail*), *ballon-panier* (pour *basket-ball*) [250] ...

Ces caractéristiques s'appliquent aux usages des Québécois comme à ceux des Acadiens.

Québec et Acadie : ressemblances et différences

S'il est difficile à un Européen de reconnaître à sa façon de parler un Québécois par rapport à un Acadien, il est pourtant, dans la prononciation, un indice qui devrait le mettre sur la voie : alors qu'au Québec une grande partie de la population articule ses /t/ en [ts] et ses /d/ en [dz] dans des mots comme *tu dis*, [tsy dzi], cette prononciation particulière — ou assibilation (*sic*), pour être plus précis — ne se produit pas chez les Acadiens[251].

Il faut reconnaître par ailleurs que le vocabulaire employé est en grande partie le même. Témoin les formes suivantes, choisies à titre d'exemples parmi beaucoup d'autres :

abrier	abriter
achaler	importuner, taquiner
barrer	fermer à clef
blé d'Inde	maïs
bleuet	airelle, myrtille
bordée (de neige)	chute de neige abondante
boucane	fumée
bourrier	amas de balayures, de poussière
brunante (nf)	tombée du jour
châssis	fenêtre
chaudière	seau
claques	couvre-chaussures en caoutchouc
coquerelle	blatte, cancrelat
couverte (nf)	couverture
jaser	bavarder agréablement et longuement
placoter	bavarder, faire des commérages
rouge-gorge	merle d'Amérique (*Turdus migratorius*)
serein (nm)	humidité de l'air à la tombée de la nuit
suisse (nm)	tamia rayé, sorte de petit écureuil
tanner	importuner
tourtière	tourte

« JOUFFLU COMME UN SUISSE »

Ne nous y trompons pas, ce Suisse-là n'est pas helvétique : c'est une sorte de petit écureuil au pelage rayé longitudinalement, un peu comme l'uniforme des gardes suisses du Vatican, et qui amasse dans ses abajoues des graines en prévision de l'hiver.

Son nom savant est **Tamia striatus**, mais comme on le voit plus souvent sur le sol que dans les arbres, il a été appelé **ground squirrel** « écureuil terrestre » par les premiers arrivants anglophones, qui ont par la suite préféré reprendre la forme amérindienne **chipmunk**, plus mystérieuse.

Des particularités régionales[252] s'y découvrent pourtant, qui font apparaître que certaines formes, encore vivantes chez les Acadiens, ne le sont plus qu'à titre de termes vieillis au Québec, comme par exemple

  le verbe *bailler*, avec le sens de « donner », qui est resté d'un usage courant en Acadie mais qui est en récession au Québec depuis le début du XIXe siècle ;

  le verbe *amarrer* pour « attacher », fréquent en Acadie (en dehors de tout contexte maritime) ;

  le verbe *baranquer* « bavarder » ;

  le substantif *batelée* « groupe, bande (d'enfants) », que l'on ne trouve en fait que dans le nord-est du Nouveau-Brunswick,

  ou encore *baboune*, qui correspond au sens de « grosse lèvre » chez les Acadiens et les Québécois (mais dont le sens de « gorille » n'est attesté que chez les Acadiens, et seulement au sud-est du Nouveau-Brunswick et dans l'île du Prince-Édouard).

LA NATURE EN ACADIE, AU QUÉBEC
ET EN FRANCE

Alors que la plus grande partie du lexique est la même en Acadie et au Québec, on peut relever quelques différences :

EN ACADIE	AU QUÉBEC	EN FRANCE
prusse (*sic*)	épinette	épicéa
(petit) violon	épinette rouge	mélèze
bonhomme couèche	siffleux	marmotte
pomme de prée	atoca	canneberge (variété d'airelle) [253]

Par ailleurs, il existe également des termes absolument courants dans les Provinces Maritimes, mais qui, semble-t-il, ne sont plus du tout attestés au Québec (ou qui ne l'ont jamais été), comme par exemple :

bâsir	disparaître subitement
béluette	étincelle
bouillard	courte ondée
buvard	ivrogne
chalins	éclairs de chaleur, mais sans tonnerre
petouner	maugréer
raves	œufs de poisson (mais leur nom est *croques* dans l'île du-Prince-Édouard)
rayer	briller (en parlant du soleil ou de la lune)
une beauté de...	une grande quantité de...
zirable	dégoûtant
(faire) zire	dégoûter

Toutes ces formes, ou presque toutes, se retrouvent en France, dans le français régional des zones d'oïl de l'Ouest.

Quelques îlots francophones dans des zones anglophones

En dehors du Nouveau-Brunswick, où le tiers de la population parle le français, c'est en Ontario que se trouve un autre groupe important de francophones (près d'un demi-million). Ces derniers résident principalement à l'est de la province, le long de la frontière avec le Québec, mais aussi dans les régions situées à l'est et à l'ouest de Toronto.

Bien que moins nombreux, les francophones du Manitoba méritent une mention spéciale car ils ont le privilège d'avoir été, à la fin du XVIIIᵉ siècle, parmi les premiers immigrants d'origine européenne à coloniser cette région. En revanche, les francophones de l'Alberta sont souvent des personnes venues du Québec seulement dans les années 1970-1980.

Le problème le plus préoccupant, hors du Québec et des Provinces Maritimes, c'est que de plus en plus nombreux sont les Canadiens de langue maternelle française qui parlent maintenant l'anglais à la maison. Il faut aussi ajouter que l'anglais est devenu de plus en plus souvent le mode de conversation habituel dans la jeune génération[254].

L'anglais omniprésent

La proximité vivante et quotidienne de la langue anglaise dans la plupart des régions et la présence toute-puissante du grand voisin américain rendent la situation du français particulièrement menacée au Canada, et parfois même au Québec, où l'on s'efforce toutefois d'éviter certains anglicismes adoptés plus libéralement en France.

Ainsi, *stop* est remplacé par *arrêt* ou *ferry* par *traversier* : excellentes solutions de remplacement. En revanche, remplacer *speaker* par *annonceur*, n'est-ce pas retomber sans s'en rendre compte sur un autre anglicisme à partir de l'anglais *announcer* ?

Les calques : des anglicismes bien compris

Ce qui est frappant, lorsque l'on compare les anglicismes qui se sont infiltrés au Canada face à ceux qui ont été adoptés en France, c'est l'abondance des traductions de l'anglais — ce que les linguistes appellent des *calques* —, autrement dit le grand nombre d'emprunts faits par des personnes qui comprennent bien l'anglais (ce qui n'est pas toujours le cas en France).

On sera surpris en France (tout en les comprenant parfaitement) par des anglicismes comme *pâte à dents*, calque de *toothpaste* « pâte dentifrice », ou comme *papier de toilette*, calque de *toilet-paper* (que l'on nomme plutôt *papier hygiénique* en France). On aura certainement en revanche une véritable hésitation devant *papier sablé*, calque de *sandpaper* « papier de verre », et on ne s'apercevra pas tout de suite du « faux ami » que représente *breuvage*, calqué sur l'anglais *beverage* « boisson non alcoolisée » car on serait tenté de l'interpréter comme « boisson » tout court ou même « potion ». De la même façon, *liqueur* surprendra plus d'un Français lorsqu'il apprendra qu'au Canada ce terme ne désigne pas une boisson alcoolisée sucrée, mais une boisson gazeuse et sans alcool.

Quels anglicismes en France et au Canada[255] ?

Parce que *week-end, interview* ou *parking* sont d'un usage courant en France alors que les Québécois leur préfèrent *fin de semaine, entrevue* et *parc de stationnement*, on n'est pas loin de penser que les anglicismes s'implantent plus facilement en France, plus laxiste, qu'au Québec, plus vigilant. En fait, s'il est vrai que la résistance à l'invasion des formes anglaises est extrêmement active et efficace au Québec et en Acadie, des anglicismes s'y infiltrent malgré tout, et on peut se demander quelle est leur proportion par rapport aux anglicismes devenus courants en France.

Aucune enquête importante n'a été menée spécifiquement sur ce point mais on peut identifier[256] à la fois une certaine quantité d'anglicismes communs aux deux communautés, et des anglicismes propres à l'une ou à l'autre.

Ainsi, sont **également présents** dans le français parlé de part et d'autre de l'Atlantique : *addiction, badge, boss, brain-trust, coach, déodorant, free-lance, gag, item, know-how, lifting, panel, prime time, rap, stress, versus, zoom...*

D'autre part, sont **inconnus en France** les anglicismes suivants, relevés au Québec[257] :

diète	« régime »
shampoo	« shampooing »
van	« fourgonnette »
engagé	« occupé »
watcher (v.)	« surveiller, regarder »
préservatif	« agent de conservation »
termes faciles	« facilités de paiement »
faire une application	« faire une demande »
argent de papier	« billets de banque »
disposer d'un objet	« mettre un objet à la poubelle »
parade (de mode)	« défilé (de mannequins) »
tapis mur à mur	« moquette »...

Et sont **inconnus dans le français du Canada,** mais usuels en France :

> *pin's* (au Canada, on dit *épinglette*)
> *rocking-chair* (au Canada, on dit *chaise berçante*)
> *puzzle* (au Canada, on dit *casse-tête*).

Limites et succès de la résistance québécoise

Ces derniers exemples montrent la vigilance et le don d'invention dont font preuve les Québécois, qui remplacent aussi *zapper* par *pitonner* ou *alcootest* par *ivressomètre*, qui favorisent *télécopier* face à *faxer* et qui forgent astucieusement *courriel* pour traduire *e-mail* (courrier électronique).

En revanche, les équivalents pour *chips (croustilles), peanut (cacahuète), beans* ou *bins (fèves au lard), céduler (programmer)* ne semblent pas avoir réussi à s'y imposer jusqu'à présent[258].

Des nuances à ne pas méconnaître

Vu de loin, le français du Québec apparaît fallacieusement comme une variété de français se distinguant comme un tout du français de France, d'Afrique, de Suisse ou de Belgique. Or, si l'on n'y prend garde, on perd une grande partie de sa dimension, qui recouvre en fait des variations temporelles, spatiales, sociales, stylistiques et situationnelles[259].

C'est ainsi que certains mots, que l'on peut entendre à l'occasion au Québec, sont en fait ressentis comme désuets dans la communauté québécoise générale (par exemple *bombée* pour le contenu d'une bouilloire) ou comme propres à une région ou à un groupe particulier, alors que d'autres se rencontrent partout et dans tous les milieux, comme *polyvalente* « école d'enseignement à la fois générale et professionnelle », *cégep* « collège d'enseignement à la fois général et professionnelle » ou encore *débarbouillette*, qui est l'équivalent du gant de toilette en France, mais qui a la forme d'une petite serviette en tissu éponge.

En revanche, *char*, pour désigner une voiture auto-mobile, mot que les Français ont tendance à croire d'un usage général au Québec, est considéré au Québec comme le propre de gens peu ou mal scolarisés. En fait, c'est *voiture* qui, à partir des milieux instruits, se répand aujourd'hui progressivement dans les milieux les plus divers. Très souvent, tout se passe en quelque sorte comme s'il n'y avait pas de mot neutre pour désigner la même réalité, par exemple entre *balayeuse* (plus familier) et *aspirateur* (plus respectable) ou entre *moto-neige*, forme fortement recommandée, et *skidoo*, forme sévèrement stigmatisée.

Les dictionnaires québécois[260] se font l'écho de ces usages circonstanciés mais n'omettent jamais de men-tionner la norme conseillée, tout comme l'avaient fait depuis le XVIIe siècle les dictionnaires de la langue fran-çaise parus en France.

LE TEMPS
DES GRANDS DICTIONNAIRES
☞ *Et l'afflux des mots venus d'ailleurs*

À la suite de l'exemple donné en 1612 par le Dictionnaire de l'*Accademia della Crusca* en Italie, les dictionnaires ont la cote, et c'est toute l'Europe qui connaîtra une activité lexicographique sans précédent, surtout après 1694, date de parution de la première édition du *Dictionnaire de l'Académie française*. Il est remarquable par exemple que la 4e édition de La Crusca publiée entre 1728 et 1738 ait été dédiée par les académiciens de cette association de savants italiens à leurs confrères de l'Académie française[261].

C'est à la même époque (1726-1739) que paraît le *Diccionario de Autoridades* en six volumes de la Real Academia Española qui, dans sa première édition, ne suit pas le modèle de l'Académie française, et fonde ses définitions sur les « autorités » que représentent les grands auteurs espagnols. Mais à partir de son édition de 1780, à l'instar du *Dictionnaire de l'Académie française*, les illustrations de cet ouvrage ne seront plus des citations d'écrivains renommés mais seront forgées par leurs auteurs et représenteront donc des usages contemporains[262].

En Grande-Bretagne, l'échec de la création d'une académie sur le modèle de l'Académie française n'avait pas empêché la réflexion sur la langue et l'élaboration d'ouvrages sur les mots, leur inventaire et leurs sens.

La réalisation la plus réussie et la plus spectaculaire fut celle de Samuel Johnson (1709-1784).

Le dictionnaire anglais du Dr Johnson

Des dictionnaires existaient de longue date en Grande-Bretagne, mais on a déjà vu (cf. § LA NAISSANCE DES DICTIONNAIRES ANGLAIS, p. 219) qu'au XVIIe siècle, ils avaient été essentiellement consacrés à l'explication des « mots difficiles » (*hard words*) comme par exemple :

magnitude	« grandeur »
ruminate	« remâcher, étudier en détail »
parentate	« commémorer la mort de ses parents »

ou encore

serendipity	« don de faire par hasard des découvertes heureuses ».

Ce dernier mot avait été créé par l'écrivain Horace Walpole en 1754, sur *Serendip*, ancien nom de Ceylan (aujourd'hui Sri Lanka), à partir d'une nouvelle, *Les trois princes de Serendip*, « qui faisaient constamment, accidentellement et grâce à leur sagacité, des découvertes d'objets qu'ils ne recherchaient pas[263] ».

Ce qui irritait les détracteurs de ces mots savants et incompréhensibles, c'était leur lourdeur et surtout leur longueur, qu'ils estimaient démesurée. Ils avaient d'ailleurs eux-mêmes un mot très savant pour cela : *sesquipedalian*.

┌─ RÉCRÉATION ─────────────────────────────

SESQUIPEDALIAN : BEAUCOUP TROP LONG

Ce nom interminable servait en anglais à désigner toute une série de mots savants qui avaient proliféré au cours du XVIIe siècle et qui avaient suscité l'élaboration de dictionnaires destinés à expliquer toutes ces formes incompréhensibles (**hard words**).

En sachant que **sesqui-** est un préfixe issu du latin **semis** + **que** « et un demi », pouvez-vous reconstituer l'étymologie de **sesquipedalian** ?

RÉPONSE : mot d'un pied (latin **pedis**) et demi (du latin **semi** + **que**), c'est-à-dire long de 45 cm.

C'est à la fin du XVIIᵉ siècle et surtout au XVIIIᵉ siècle que débute la production de dictionnaires visant à embrasser l'ensemble du vocabulaire anglais, même si parfois en sont exclus les mots vieillis ou des mots considérés comme barbares ou trop bizarres[264].

Avec la parution du *Dictionary of the English Language* (1755) de Samuel Johnson, on avait enfin une image complète de l'anglais dit « standard », qu'il avait puisée dans un vaste corpus de textes existants. Il y incluait non seulement des citations d'auteurs reconnus mais aussi des définitions originales où se manifestaient sa propre sensibilité et son art consommé de fin lettré, dans des définitions qui ont traversé les siècles, à la fois élégantes et pittoresques, et le plus souvent agrémentées d'une pointe d'humour. Cela explique le succès sans précédent de cet ouvrage d'un nouveau genre, à la fois savant et d'une valeur littéraire certaine.

Un dictionnaire pour l'anglais d'Amérique

La façon de procéder et les réalisations de Samuel Johnson susciteront l'admiration de ses contemporains, et ses successeurs seront nombreux à utiliser abondamment sa méthode de recueil des données. Certains diront même qu'à lui seul il en avait fait autant que quarante lettrés dans un pays voisin, et Voltaire ira jusqu'à proposer de prendre le dictionnaire de Johnson comme modèle pour un nouveau dictionnaire français.

Ajoutons que parmi ses admirateurs se trouvait l'Américain Noah Webster qui, tout en suivant les mêmes principes, ne s'était pas contenté d'imiter son illustre prédécesseur. Il innovait vraiment, en apportant surtout un supplément d'informations inédites sur l'anglais tel qu'il avait évolué outre-Atlantique.

Une autre orthographe et d'autres mots

Le but clairement avoué de Webster était en fait de montrer l'indépendance de l'anglais d'Amérique face aux usages de la Grande-Bretagne, qui ne pouvait plus être le modèle à suivre aveuglément. Son *American*

ENCORE UN PEU D'ANGLAIS D'AMÉRIQUE

Cette langue anglaise coupée en deux par l'Atlantique a développé des façons de dire différentes sur les deux continents. Quelle est la forme usuelle aux États-Unis ? Vous avez le choix entre :

		1		2
A.	« limonade »	*lemonade*	et	*lemon soda*
B.	« plaque minéralogique »	*license plate*	et	*number plate*
C.	« passage à niveau »	*grade crossing*	et	*level crossing*
D.	« tailleur-pantalon »	*pants suit*	et	*trouser suit*
E.	« librairie »	*bookshop*	et	*bookstore*
F.	« jeu de morpions »	*noughts and crosses*	et	*tick-tack-toe*
G.	« jeu de dames »	*draughts*	et	*checkers*
H.	« vente d'objets d'occasion »	*rummage sale*	et	*jumble sale*

RÉPONSE : A2 • B1 • C1 • D1 • E2 • F2 • G2 • H1

Dictionary, publié seulement en 1828, arbore par exemple pour la première fois des formes orthographiques nord-américaines spécifiques, comme :

> *honor, color, favor* (et non *honour, colour, favour*)
> *traveler, wagon* (et non *traveller, waggon*)
> *meter, center, theater, scepter* (et non *metre, centre, theatre, sceptre*)
> *jail* (et non *gaol*)
> *plow* (et non *plough*)
> *medieval* (et non *mediaeval*) [265]...

On y trouve aussi des précisions sur les particularités grammaticales et lexicales propres aux usagers de l'autre côté de l'Atlantique. Encore de nos jours, on peut remarquer des différences lexicales qui s'étirent en chaîne : par exemple, le « dessert » se dit *dessert* en Amérique, mais parfois *pudding* en Angleterre, et ce que les Américains appellent un *pudding* est désigné en Angleterre par le mot *custard*, tandis que la *custard* des États-Unis correspond souvent à *egg custard* en anglais britannique.

Grâce à Webster et à Samuel Johnson, la langue anglaise, sous sa forme américaine et sous sa forme bri-

tannique, avait désormais des ouvrages de référence
devenus indispensables.

Un projet gigantesque, à Oxford

Mais le véritable renouvellement de la lexicographie,
c'est avec le *New Oxford Dictionary*, au XIXe siècle,
devenu ensuite *Oxford English Dictionary*, plus connu
de nos jours chez les spécialistes sous sa forme abrégée
OED, qu'il eut lieu, car il faut préciser que le projet
était grandiose. Il ne s'agissait plus de faire un choix
de mots considérés comme valables et d'illustrer ce
choix par des citations de grands auteurs ou par des
exemples appropriés, mais de recueillir **tous** les mots
de la langue anglaise, et de retracer pour chacun son
origine et son histoire : une entreprise colossale qui ne
pouvait être menée à bien qu'avec une équipe de grande
taille et de grande compétence.

Le mode de recrutement avait été vraiment sans précédent, à la fois nouveau, ambitieux et aventureux. Par
voie de presse, on fit appel à des lecteurs volontaires
— et bénévoles — qui devaient proposer des livres à
dépouiller, puis préparer des listes de mots tirés de leurs
lectures, et enfin établir une fiche par mot, en indiquant

JAMES MURRAY, LEXICOGRAPHE AUTODIDACTE ET POLYGLOTTE

Fils d'un tailleur écossais, James Murray avait dû quitter
l'école à l'âge de 14 ans, mais à 15 ans, en dehors de l'**anglais**,
il savait déjà le **français**, l'**italien**, l'**allemand** et le **grec**, en
plus du **latin** (on raconte qu'il parlait aux vaches en latin). Il
avait ensuite appris le **tsigane**, le **gaélique** d'Écosse et étudié
l'**anglo-saxon** et le **moyen-anglais**. Plus tard, il devait se fami-
liariser avec le **portugais**, le **vaudois** et le **provençal**. Parmi
les langues germaniques, en dehors de l'**allemand**, il maîtrisait
le **néerlandais** et le **danois** et, parmi les langues slaves, le
russe. Enfin, il avait étudié le **persan**, l'**hachémite** cunéiforme
et le **sanskrit**. Il pouvait lire l'Ancien Testament en **hébreu**
et en **syriaque** mais il avouait avoir quelques difficultés
avec l'**araméen**, le **copte** et le **phénicien**[266].

la référence de l'ouvrage d'où il était issu, et en reproduisant la citation complète illustrant le sens du mot en question. On confia en 1878 la direction et la responsabilité des nombreuses vérifications et de la difficile rédaction finale de cet ouvrage, qui serait publié par la Oxford University Press, à un membre de la société de philologie de Londres, James Murray, premier rédacteur en chef de l'*OED*.

La réalisation de ce projet avait été sa seule préoccupation passionnée jusqu'à sa mort. Elle lui avait aussi apporté la plus grande surprise de sa vie.

Parmi les collaborateurs, un érudit pas comme les autres

Lorsqu'on recrute des collaborateurs par petites annonces, le hasard peut faire que l'on tombe sur le pire comme sur le meilleur. Cette fois, pour le dictionnaire d'Oxford, ce fut le meilleur, en la personne du savant docteur William Minor, chirurgien de l'armée américaine, né à Ceylan, puis diplômé de Yale University, et qui durant vingt ans envoya régulièrement à Murray les réponses les plus érudites, les plus précises et les plus nombreuses. Il lui arrivait parfois de fournir cent fiches par semaine, et jusqu'à vingt par jour.

Or, quelle ne fut pas la surprise du rédacteur en chef de l'*OED* lorsqu'il apprit un jour avec stupeur que le merveilleux docteur Minor, ce grand érudit et l'un de ses plus fidèles et plus sérieux collaborateurs, n'était pas du tout ce qu'il pensait : le docteur Minor était interné depuis trente ans dans un asile d'aliénés criminels. Il avait été profondément ébranlé à la suite d'un choc au cours de la guerre de Sécession en Amérique : en tant que médecin militaire, il avait été contraint de marquer au fer rouge un déserteur irlandais. À la suite de cette traumatisante épreuve, il était devenu fou, comme l'indiquent tous les rapports médicaux de la clinique, et criminel puisqu'il avait été condamné pour le meurtre d'un homme qu'il ne connaissait même pas.

Mais c'est un fait qu'il retrouvait toute sa raison dès qu'il s'occupait de lexicographie.·

Le « plus grand dictionnaire du monde » lui doit beaucoup.

Dictionnaires des mots et dictionnaires des idées

Cinq ans après la nomination de Murray comme rédacteur en chef de l'*OED*, paraissait enfin le premier fascicule de ce dictionnaire et, de *A* à *ANT*, il contenait tous les mots anglais connus en 1884. Mais la première édition de l'ensemble de l'ouvrage ne pourra être publiée qu'en 1927, douze ans après la mort de Murray.

Entre-temps avait paru, en 1852, le *Thesaurus* de Peter Mark Roget, qui était d'une tout autre conception, comme son long titre l'explicite : *Thesaurus des mots et des locutions anglais, classés, mis en ordre, pour faciliter l'expression des idées et aider à la composition littéraire*. Il est intéressant d'ajouter pour notre propos qu'à la suite du séjour d'un professeur français en Angleterre, celui-ci avait convaincu Pierre Larousse de publier sur les mêmes bases le *Dictionnaire analogique de la langue française*, premier du genre en France[267].

Mais une nouvelle distinction s'impose entre « dictionnaire de langue » et « dictionnaire encyclopédique ».

Le *Thesaurus* de Roget et le dictionnaire de Pierre Larousse, tout comme le dictionnaire que nous nommons l'*Oxford* en France et l'*OED* en Angleterre, peuvent être considérés comme des dictionnaires de langue typiques puisque leur objet est effectivement de décrire les mots et les sens qu'ils véhiculent.

À côté de ce type d'ouvrages de référence dont l'objet est essentiellement la langue, on ne peut pas ne pas évoquer ceux que l'on nomme depuis le XVIIIe siècle des *encyclopédies*, un terme dont le sens a évolué car, à l'origine, ce nom ne désignait pas des livres.

DICTIONNAIRES ET ENCYCLOPÉDIES

Historiquement, le **dictionnaire** a d'abord été bilingue et se distinguait du **trésor**, qui était unilingue ou quasi unilingue. Le mot a ensuite pris le sens actuel d'ouvrage où les mots sont généralement — mais pas forcément — classés par ordre alphabétique, brièvement définis et illustrés par des exemples.

De son côté, l'**encyclopédie**, à l'origine, ne désignait pas concrètement un livre, mais un cycle d'études complet. Il semble que le mot soit apparu en français pour la première fois chez Rabelais en 1532, avec le sens de « recherche de la totalité des connaissances ». Mais c'est seulement au XVIIIe siècle que se répandent la notion et le terme même d'**encyclopédie**. Il était alors encore bien ambigu puisque pour l'ouvrage de d'Alembert et Diderot on a cru bon de préciser le sens par un sous-titre : **Encyclopédie ou Dictionnaire raisonné des sciences, des arts et des métiers**.

Depuis, on peut dire qu'il est rare qu'un dictionnaire de langue ne comporte pas aussi pour chaque définition une partie plus ou moins encyclopédique[268].

De la Cyclopaedia de Chambers
à la « grande » Encyclopédie

Le concept d'une encyclopédie, c'est-à-dire d'un livre contenant l'ensemble des connaissances du temps, s'est trouvé réalisé presque à la même époque de part et d'autre de la Manche, avec, une fois de plus, une légère avance du côté anglais. En effet, Ephraïm Chambers avait déjà publié les deux volumes de sa *Cyclopaedia or Dictionary of Arts and Sciences* depuis 1727 quand un libraire français demanda à Diderot, en 1746, d'en faire une traduction. En fait, commencée en principe comme une simple traduction du modèle anglais, l'*Encyclopédie* (1751-1772) de Diderot deviendra une œuvre totalement originale et d'une tout autre envergure, avec ses 35 volumes, ses planches illustrées, et ses 150 collaborateurs, parmi lesquels figurent des personnalités expertes aussi différentes que Buffon, d'Alembert, Daubenton ou Turgot, ou encore Voltaire,

Rousseau, Condillac et Montesquieu. Cet ouvrage innovera en outre en faisant la part belle aux « arts mécaniques » et aux différents métiers, à côté des problèmes philosophiques, religieux et politiques : une véritable somme des connaissances à la fin du XVIIIe siècle, à juste titre nommé le « Siècle des Lumières », et qui est aussi celui de la Révolution française.

Des idées révolutionnaires

Les idées exposées par les encyclopédistes se sont trouvées au centre des revendications de la Révolution française éprise de liberté, qui manifestera sa révolte contre le despotisme tyrannique et absolutiste des nobles et du clergé aussi bien que contre celui des corporations, et qui œuvrera pour faire triompher la raison contre toutes les formes de superstition. Ces idées venues de France embraseront bientôt toute l'Europe et auront pour conséquence de renforcer le prestige de la langue française hors de ses frontières, tandis que cette même langue à la même époque était de son côté fortement attirée par l'anglais.

La Révolution française : une anglomanie débutante

En effet, avec la Révolution commence aussi une nouvelle étape dans les relations entre la langue française et la langue anglaise : on décèle chez les Français les débuts d'une véritable *anglomanie* — mot que l'on trouve pour la première fois sous la plume de d'Alembert — qui se révèle non seulement dans un sentiment d'admiration pour la philosophie, le régime parlementaire et les jardins anglais, mais aussi dans l'introduction d'un premier contingent de mots anglais dans la langue française[269].

Ce qui frappe dans ces premiers emprunts du français à l'anglais — ce sont effectivement presque les premiers car, avant le XVIIIe siècle, les emprunts avaient été tout à fait insignifiants — c'est qu'on est bien en peine de les reconnaître comme tels.

Ainsi, sur le modèle de l'anglais entreront en français des formes comme *confortable, sentimental,* ou encore *influencer, libéraliser* ou *utiliser*, alors que jusque-là seuls *confort, sentiment, influence, liberté* ou *utile* avaient été attestés en français. Parfois, on traduira des expressions anglaises, qui se trouvent aujourd'hui totalement naturalisées sous la forme *liberté de la presse, hors-la-loi, machine à vapeur, lune de miel* ou *prendre en considération*.

Par ailleurs, ce sont de nouveaux sens que certains mots ou certaines expressions, déjà présents dans la langue française, vont acquérir, comme par exemple *désappointé*, qui n'avait jusque-là que le sens de « destitué », ou encore *motion* qui, depuis le Moyen Âge, avait le sens de « mouvement », et qui désigne à la fin du XVIIIe siècle l'action d'un orateur qui fait une proposition dans une assemblée.

D'autres mots, comme *bol* ou *partenaire*, pénètrent en français sous leur forme primitive *(bowl* et *partner)* et c'est d'abord uniquement en référence à la Grande-Bretagne que l'on parle de *club*, de *vote*, de *pétition* ou de *jury* dans la vie politique. Enfin, le mot anglais *roast-beef* est attesté pour la première fois en 1698 sous la forme *rot-de-bif*, que Voltaire préfère graphier à l'anglaise *(roastbeef)* en 1756 et c'est seulement à la fin du XVIIIe siècle que se généralisera *rosbif*[270].

Des modes venues d'Angleterre et des mots pour les dire...

Pendant une grande partie du XIXe siècle, le vocabulaire venu d'Angleterre se répand surtout dans quelques domaines privilégiés : le sport, la mode, les voyages, le commerce ou l'industrie.

Le sport hippique se trouve particulièrement bien représenté avec *poney* (1825), *handicap* (1827), *pedigree* (1828), *turf* (1828), *outsider* (1859), et la mode

LES ROSBIFS ET LES GRENOUILLES

Ces deux noms sont des sobriquets plutôt moqueurs employés d'une part par les Français pour désigner les Anglais (**rosbifs**) et d'autre part par les Anglais pour désigner les Français (**frogs** ou **froggies**) mais l'origine de ces sobriquets n'est pas élucidée.

Pour **rosbif**, trois solutions sont proposées :

- les Anglais portaient jadis des uniformes rouges
- les Anglais ont l'habitude de manger du rosbif bien rouge tous les dimanches (en fait ils le préfèrent bien cuit)
- les Anglais ont un joli teint rosé.

Pour **frog**, on a avancé que c'est parce que les Français ont la réputation de raffoler des cuisses de grenouille, mais ce n'est pas l'avis de tous les Français.

venue d'Angleterre est aux tissus de *tweed* ou de *jersey*, au *cheviotte* (d'abord orthographié *cheviot*), au *macfarlane*, qui est une sorte de manteau ample à effet de cape, et aux *leggins*, qui sont des jambières de cuir ou de toile.

Mais alors que *spencer* « jaquette courte » est attesté en 1797, que *redingote*, de *ridingcoat* « veste d'équitation » l'était déjà en 1725 et que *paletot* remonte à 1370, c'est seulement au XXᵉ siècle que le français empruntera *sweater* (1910), *pull-over* (1920), *socquette* (1930) et *blazer*.

Le goût du voyage vient aussi d'Angleterre et c'est alors que font leur entrée en français des mots comme *touriste* (1816), *rail* (1817), *chemin de fer* (1823), qui est une traduction de l'anglais *railway, tunnel* (1829), *train* (1830), *terminus* (1842), *station* (1842)...

Il s'agit toutefois bien souvent, comme ces derniers exemples le montrent, de formes d'origine française sous de nouveaux habits : *rail*, par exemple, avait été emprunté dès le Moyen Âge à l'ancien français *raille* « barre », lui-même issu du latin *regula*, et *tunnel* n'est qu'une altération du français *tonnelle*, lui-même venu du gaulois à travers le bas-latin. Sous sa nouvelle forme anglaise et avec son nouveau sens, le mot sera aussi emprunté par d'autres langues comme l'italien, l'espagnol ou l'allemand.

Au siècle suivant, c'est l'anglais venu d'Amérique qui déferlera sur les langues de l'Europe.

... et bientôt, l'irrésistible afflux venu d'Amérique

Avant le XXe siècle, l'anglais d'Amérique avait toutefois déjà donné au français de nombreux mots comme *trappeur* (1833), *cocktail* (1860), *télescoper* (1873), *câbler* (1877), *manager* (1884), *bluff* (1895), *magnat* (1895), *basket-ball* (1898), mais c'est surtout au XXe siècle que cet apport s'intensifiera, et tout d'abord avec l'essor du cinéma, qui répand en français des mots comme *film, rushes, flash-back, western, remake, star* et *superstar, starlette, sunlight, casting...*

RÉCRÉATION

LE RETOUR DES ENFANTS PRODIGUES

Les mots français suivants, que l'on prendrait sans peine pour du franglais répréhensible, ne sont en fait que des exemples d'**allers et retours** de formes françaises qui ont fait le voyage en sens inverse après quelques siècles passés de l'autre côté de la Manche.

Un seul mot fait exception. Lequel ?

1. **cash** « au comptant »
2. **challenge** « défi »
3. **computer** « ordinateur »
4. **match** « compétition »
5. **mess** « salle à manger des officiers »
6. **porridge** « bouillie »
7. **rosbif** « rôti de bœuf »
8. **supporter** (n) « adepte »
9. **ticket** « billet »
10. **toast** « pain grillé »

RÉPONSE : 1. **cash** vient de l'ancien français *casse* « caisse » • 2. **challenge** vient d'un mot d'ancien français signifiant « accusation », puis « défi », disparu du français au XVIIe et revenu par l'anglais au XIXe siècle • 3. **computer** vient du verbe de l'ancien français *computer* « calculer » issu du latin *computare* • 4. **match** vient de l'anglais *match* « compétition » • 5. **mess** vient de l'ancien français *mes*, aujourd'hui « nourriture » • 6. **porridge** vient de l'ancien français *potage* • 7. **rosbif** vient de *rot-de-bif* « rôti de bœuf » • 8. **supporter** est formé sur l'ancien français *supporter*, verbe dont le sens était alors effectivement « soutenir » • 9. **ticket** vient de l'ancien français *estiquette* « petit écriteau » • 10. **toast** vient du verbe de l'ancien français *toster* « griller ».

Le français prenait vraiment goût aux mots anglais : il faut y voir une réponse tardive mais enthousiaste à la vieille attirance que l'anglais avait manifestée pour le français depuis des siècles.

Pendant ce temps, l'anglais...

Après les emprunts massifs de l'anglais au français au cours du Moyen Âge (cf. chapitre TROIS SIÈCLES D'INTIMITÉ, p. 103), les apports du français à la langue anglaise s'étaient en effet poursuivis à l'époque d'Élisabeth Iʳᵉ. En dehors du vocabulaire militaire (*cartridge* « cartouche » au XVIᵉ siècle, puis *cartouche* « cartouche » au XVIIᵉ, *brigade, colonel*...), de nombreux mots de la vie quotidienne et sociale s'étaient encore introduits en anglais, avec *potage, cordon, gauze* « gaze », *portmanteau* « grosse valise », *coquette, madame*, ou encore *table d'hôte*, ainsi que *façade, faux pas* ou *tête-à-tête* et jusqu'à *memoirs* et *nom de plume*.

Vers la fin du XVIIIᵉ siècle avaient été empruntés de nombreux autres mots : *bouquet, rouge, salon* et *saloon, brochure, vis-à-vis, connoisseur, nuance, souvenir, casserole* « plat mijoté », *hors d'œuvre, carte blanche* et même *douceur*, qui, en anglais, prend le sens de « petit cadeau, pourboire ».

Les exemples sont si nombreux au cours de la première moitié du XIXᵉ siècle que l'on ne peut les citer tous. On les trouve dans les domaines les plus divers, comme par exemple :

> celui des vêtements : *blouse, deshabille (sic), lingerie* « peignoir »...
> ou de la cuisine : *menu, gratin, consommé, sauté*...

On peut aussi signaler des adjectifs comme *blasé* ou encore des expressions comme *bric-à-brac* ou *bête noire*[271]...

UN INTRUS ET UN ENFANT
QUI REVIENT DE VOYAGE

Voici cinq mots anglais :

1. *bracelet* • 2. *castanet* • 3. *budget* • 4. *toilet* • 5. *ticket*

A. Ces 5 mots anglais ont tous été empruntés au français, sauf un. Lequel ?

B. L'un d'entre eux était à l'origine un mot gaulois qui, après être passé par le français et après un séjour de plusieurs siècles en Angleterre, est revenu en français. Lequel ?

RÉPONSE : A. 2. **castanet** « castagnette », qui est un emprunt à l'espagnol. • B. 3. **budget**, formé sur le gaulois **bouge** « poche, sac », est revenu en France au XVIIIᵉ siècle, mais avec le nouveau sens de « budget ».

Parmi les emprunts de l'anglais au français au cours du XXᵉ siècle, certains mots sont encore sentis comme étrangers en dehors des milieux instruits, par exemple *chic, nouveau riche* ou *pied-à-terre*, alors que d'autres, comme *garage*, emprunté en 1902, et qui se prononce soit à la française, soit à l'anglaise, semblent être aujourd'hui sentis comme totalement intégrés à la langue anglaise[272].

De vrais cadeaux, mais différemment accueillis

On voit donc que si le français s'est enrichi depuis deux siècles d'une grande quantité de mots venus de l'anglais, ce dernier de son côté n'a pas cessé de puiser dans le français depuis le Moyen Âge jusqu'à nos jours. Cependant l'attitude des uns et des autres usagers est bien différente : alors qu'un Anglais ou un Américain est tout heureux d'employer des mots français ou d'origine française pour donner du piquant à ses paroles[273], nombreux sont les francophones qui, tout en étant attirés par cette langue anglaise qui les fascine, considèrent pourtant les mots anglais comme des intrus.

QUELQUES MOTS FRANÇAIS QUI « FONT BIEN » EN ANGLAIS...	QUELQUES MOTS ANGLAIS QUI « FÂCHENT » EN FRANÇAIS
Si vous voulez paraître cultivé en parlant anglais, n'hésitez pas à émailler vos phrases de formes françaises comme *déjà vu*, *à propos*, *faux pas*, *fait accompli*, *joie de vivre* [274]...	Mais si vous voulez vous attirer les foudres des puristes en France, il vous suffira de dire quelques mots comme *booster*, *fast-food*, *casting*, *look*, *cool*, *overbooké*, ou encore *start up*...

Pourquoi des attitudes aussi opposées ?

Un coup d'œil rétrospectif sur l'histoire des deux langues éclaire sans les expliquer ces différences de point de vue. D'un côté, le français bénéficie vis-à-vis de l'anglais d'une tradition de prestige séculaire. N'a-t-il pas été la langue des puissants et des gens cultivés pendant plusieurs siècles en Angleterre ? Il y a donc des raisons historiques solides pour que le français soit accepté et même recherché en anglais. En revanche, il a fallu attendre le XVIIIe siècle pour que l'anglais exerce à son tour son charme de l'autre côté de la Manche et le XXe siècle pour qu'il devienne irrésistible sous sa nouvelle forme américaine.

L'évolution des langues dans le monde d'aujourd'hui semble donner raison à l'anglais qui, parce qu'il a de tout temps emprunté aux autres langues — et en particulier de façon massive au français —, a acquis une faculté d'adaptation devenue une seconde nature et qui lui permet d'intégrer toutes les formes venues d'ailleurs avec une aisance extrême.

L'anglais, langue accueillante

On a vu tout au long des chapitres précédents que c'est au français que l'anglais avait emprunté la plus grande partie de son vocabulaire, mais de nombreuses autres langues du monde ont contribué à son enrichissement, à commencer par celles d'Europe :

l'italien, avec	*bandit* « bandit »
	violin « violon »
	umbrella « parapluie »
	volcano « volcan »
	studio « atelier, studio »
	piano « piano »
	design « dessein » et « dessin »... (cf. aussi p. 213)
l'espagnol, avec	*mosquito* « moustique »
	bonanza « aubaine, prospérité »
	tornado « tornade »
	cigar « cigare »... (cf. aussi p. 213)
le portugais, avec	*marmalade* « confiture d'oranges »
	albatross « albatros »
	molasses « mélasse »...
le néerlandais, avec	*dock* « bassin (dans un port) »
	deck « pont (d'un navire) »
	landscape « paysage »
	boss « patron »
	waffle « gaufre »...
le yiddish, avec	*to nosh* « faire un petit repas, grignoter » (EU)
	to schlep « tirer, traîner » (EU) [275]
l'allemand, avec	*cobalt* « cobalt »
	zinc « zinc »
	quartz « quartz »
	waltz « valse »
	delicatessen « épicerie fine »
	kindergarten « jardin d'enfants »
	seminar « séance de travail, à l'université »
	snorkel « tube respiratoire » (plongée sous-marine)...
le hongrois, avec	*hussar* « hussard »
	paprika « paprika »...
le russe, avec	*steppe* « steppe »
	mammoth « mammouth »

samovar « samovar »
cosmonaut « cosmonaute »
intelligentsia « intelligentsia »...

le tchèque, avec   robot « robot »
pistol « pistolet »...

le polonais, avec   mazurka « mazurka »...

et les langues scandinaves, dont l'influence est beaucoup
plus ancienne (cf. chapitre LA LANGUE DES VIKINGS,
p. 69).

À ce vocabulaire puisé dans les langues européennes,
il faut ajouter quelques langues du Moyen-Orient :

l'arabe, avec   mattress « matelas »
algebra « algèbre »
cipher « chiffre, zéro »
cotton « coton (botanique) »
syrup « sirop »
monsoon « mousson »
sofa « sofa, canapé »
zero « zéro »...

l'hébreu, avec   amen « amen »
jubilee « jubilé »
seraph « séraphin »...

le persan, avec   taffeta « taffetas »
shawl « châle »...

le turc, avec   caviar(e) « caviar »
jackal « chacal »
kaftan « caf(e)tan »
kiosk « kiosque »...

L'anglais a aussi emprunté du vocabulaire à plusieurs
langues d'Asie, parmi lesquelles :

le chinois, avec   silk « soie »
typhoon « typhon »
tea « thé » (par l'intermédiaire du
néerlandais, qui l'avait lui-
même emprunté au malais)...

le japonais, avec   geisha « geisha »
harakiri « harakiri »
kimono « kimono »
judo « judo »
kamikaze « kamikaze »
karate « karaté »...

le malais, avec   bamboo « bambou »
amok « folie meurtrière »

                           cockatoo « cacatoès » (par le
                                 néerlandais)
                           orang-outan(g) « orang-outan »
                           batik « batik »
                           kapok « kapok »...

le hindi, avec   *bungalow* « bungalow »
                           jungle « jungle »
                           shampoo « shampooing »
                           bangle « bracelet porte-bonheur »
                           chutney « chutney » (condiment à
                                 base de légumes)
                           gymkhana « gymkhana »...

le tamoul, avec   *curry* « cari, curry »
                           catamaran « catamaran » (voilier
                                 à deux coques accouplées)
                           pariah « paria » (par le
                                 portugais)...

Les **langues d'Afrique** sont moins bien représentées :

banana « banane » (du bantou)
chimpanzee « chimpanzé » (d'une langue du Congo)
mumbo-jumbo « baragouin, charabia » (du mandingue)
voodoo « vaudou » (de l'éwé-fon)...
kraal « village » (chez les Hottentots)
trek « randonnée à pied sur des sols difficiles » (mot de
   l'afrikaans, emprunté à une langue africaine)…

Enfin, en dehors des quelques emprunts de l'anglais aux **langues amérindiennes** déjà signalés (cf. p. 227), on peut encore citer :

moccasin « mocassin » (de l'algonquin)
woodchuck « marmotte » (de l'algonquin)
tepee « tipi, tente conique en peau de bête » (du sioux) [276]
kayak « embarcation » (de l'eskimo)
anorak « anorak » (de l'eskimo)
tomato « tomate » (du nahuatl)
chocolate « chocolat » (du nahuatl)
coyote « coyote » (du nahuatl)
hammock « hamac » (de l'arawak, par l'espagnol)
canoe « canoë » (de l'arawak, par l'espagnol)
maize « maïs » (de l'arawak)
tobacco « tabac » (de l'arawak)
iguana « iguane » (de l'arawak)
jaguar « jaguar » (du tupi-guarani)
piranha « piranha » (du tupi)...

RÉCRÉATION

QUI A EMPRUNTÉ LE PREMIER :
L'ANGLAIS OU LE FRANÇAIS ?

Voici dix mots anglais et dix mots français venus d'ailleurs, mais chaque fois d'une même langue. Ainsi, le mot anglais **shawl** et le mot français **châle** viennent tous deux du même mot **persan**.

Quels sont ceux qui ont été empruntés par l'anglais après être passés par le français et, inversement, quels sont ceux qui ont transité par l'anglais avant d'être adoptés en français ?

ANGLAIS	FRANÇAIS	ORIGINE
1. *bandit*	**bandit**	italien
2. *boss*	**boss**	néerlandais
3. *bungalow*	**bungalow**	hindi
4. *catamaran*	**catamaran**	tamoul
5. *geisha*	**geisha**	japonais
6. *jubilee*	**jubilé**	hébreu
7. *marmalade*	**marmelade**	portugais
8. *mazurka*	**mazurka**	polonais
9. *shawl*	**châle**	persan
10. *syrup*	**sirop**	arabe

RÉPONSE : Sont d'abord passés par le français avant d'être empruntés par l'anglais : 1, 6, 7, 8, 10
Sont d'abord passés par l'anglais avant d'être empruntés par le français : 2, 3, 4, 5, 9

Des sources identiques et des voies de passage parallèles

En survolant, même d'un regard superficiel, cette petite sélection de mots anglais venus d'ailleurs, on ne peut manquer de remarquer que ces mêmes emprunts se retrouvent en français, avec seulement des adaptations différentes :

ANGLAIS	FRANÇAIS
balcony	balcon
albatross	albatros
mammoth	mammouth
mattress	matelas
jackal	chacal
bamboo	bambou
banana	banane
chocolate...	chocolat...

Très souvent, ces emprunts ont transité par l'anglais avant de passer en français, ou, inversement, par le français avant de passer en anglais. La récréation de la p. 287 vous permettra d'en reconnaître quelques-uns.

Ajoutons que de son côté, le français n'a pas cessé d'emprunter des mots à de très nombreuses langues du monde.

Le français, langue hospitalière[277]

Au lieu de passer en revue les nombreuses langues dans lesquelles le français a puisé au cours de sa longue histoire, on pourra se rendre compte, grâce à la petite sélection présentée ci-dessous, que c'est dans les domaines les plus variés que l'on trouve en français des mots d'origine étrangère.

ARBRES

acajou < tupi-guarani
aulne < germanique
bambou < malais
if < gaulois
okoumé < bantou
palissandre < arawak
teck < malayalam

OISEAUX

alouette < gaulois
canari < espagnol
casoar < malais
cigogne < provençal
colibri < arawak
mésange < germanique
perroquet < italien

MAMMIFÈRES

antilope < anglais
coyote < nahuatl
éléphant < grec
gazelle < arabe
jaguar < tupi-guarani
macaque < bantou
mouton < gaulois

POISSONS

cabillaud < néerlandais
espadon < italien
hareng < germanique
lotte < gaulois
mérou < espagnol
sprat < anglais
turbot < scandinave

INSECTES

cigale < provençal
hanneton < germanique
mite < néerlandais
moustique < espagnol
phalène < grec
termite < anglais
tsé-tsé < bantou

BOISSONS

alcool < arabe
brandy < néerlandais
café < arabe, par le turc et le vénitien
thé < chinois, par le malais et l'anglais
tisane < grec
vodka < russe
whisky < gaélique

FRUITS

ananas < tupi-guarani, par le portugais
banane < bantou
brugnon < provençal
groseille < germanique
kiwi < maori
pêche < persan
quetsche < alsacien

LÉGUMES

artichaut < arabe
aubergine < persan
carotte < grec
cresson < germanique
radis < italien
rutabaga < suédois
tomate < nahuatl

COIFFURES

béret < béarnais
bonnet < germanique
capeline < italien
casque < espagnol
chéchia < arabe
schako < hongrois
turban < persan

VÊTEMENTS

casaque < persan
jupe < arabe
kimono < japonais
pantalon < italien
pyjama < persan
redingote < anglais
robe < germanique

CHAUSSURES

babouches < persan
boots < anglais
bottes < germanique
brodequins < néerlandais
mocassins < algonquin
pantoufles < italien
savates < turc

AMEUBLEMENT

chaise < grec
fauteuil < germanique
hamac < arawak
matelas < arabe
rocking-chair < anglais
sofa < turc
tabouret < persan

DANSES	INSTRUMENTS DE MUSIQUE
boléro < espagnol	*balalaïka* < russe
fox-trot < anglais	*balafon* < malinké
gavotte < provençal	*flûte* < provençal
mazurka < polonais	*harmonica* < allemand
samba < tupi, par le portugais	*harpe* < germanique
sardane < catalan	*luth* < arabe
valse < allemand	*mandoline* < italien

EMBARCATIONS

bateau < anglais
canot < arawak, par l'espagnol
caravelle < portugais
catamaran < tamoul, par l'anglais
drakkar < scandinave
gondole < vénitien
péniche < espagnol

Des hésitations dans la prononciation des mots anglais

Parmi les emprunts du français à l'anglais, il existe un grand nombre de noms en *-er*, comme dans *poker* ou *blazer*. Mais, curieusement en français, cette terminaison anglaise *-er* ne se prononce pas de la même manière dans tous les mots.

Une remarque préliminaire : en anglais standard (britannique), la consonne finale *-r* ne se prononce pas. On peut donc penser que si, en français, on se croit obligé de la prononcer, c'est en raison de sa forme écrite, ce qui conduit à prononcer la syllabe finale comme dans le mot français *fer*. Parfois même, l'orthographe du mot français s'en est trouvée modifiée, par exemple dans *partenaire*, qui vient de l'anglais *partner*, graphie que l'on trouve encore au XIXe siècle chez Balzac.

Mais s'il y a un certain nombre de noms empruntés à l'anglais où la fin du mot en *-er* est presque toujours prononcée comme *-air*, il y en a d'autres où une hésitation se manifeste entre la prononciation *-air* et la prononciation *-eur*, certains mots ayant même tendance à se fixer en *-eur*.

En l'absence d'une enquête spécifique, on peut avancer qu'en français se prononcent généralement comme *-air* :

> *bitter, charter, docker, joker, poker, reporter, starter, tender.*

À l'inverse, c'est *-eur* qui semble l'emporter dans :

> *bookmaker, dealer, flipper, freezer, globe-trotter, interviewer, leader, mixer, rocker, skipper, speaker*[278].

On a d'ailleurs pu récemment remarquer des graphies *mixeur, intervieweur* ou *rockeur* qui témoignent des progrès de cette prononciation, et qui sont aussi un signe d'une meilleure intégration en français de ces formes d'origine étrangère.

Deux langues sans frontières

Si l'anglais et le français ont bénéficié des apports venus d'autres horizons, ces langues n'en ont pas moins toutes deux montré au cours de leur longue histoire une même faculté à se répandre hors de leur lieu de naissance, car c'est dans les cinq continents que l'on peut rencontrer des communautés qui perpétuent l'usage de la langue française et de la langue anglaise.

L'expansion de l'anglais[279]

Après l'aventure américaine (**États-Unis, Canada** mais aussi **Antilles**, avec la création de créoles à base lexicale anglaise, par exemple à la **Jamaïque**), c'est pour une raison très particulière que l'anglais s'est transporté à la fin du XVIIIe siècle en **Australie** : l'exiguïté des prisons de Grande-Bretagne. L'Australie n'était donc à l'origine qu'un vaste pénitencier outre-mer, et dont les pensionnaires venaient essentiellement de Londres ou d'**Irlande**. Les immigrants

« libres » n'afflueront en grand nombre qu'au cours du XIXe siècle.

L'anglais d'**Australie** ne diffère pas beaucoup de l'anglais d'Angleterre, sinon par quelques usages particuliers, comme par exemple *frock* « robe » (plutôt que *dress*, plus usuel en Angleterre), *lolly* « bonbon » (qui se dit *sweet* en Grande-Bretagne) ou encore *picture theatre* (et plus rarement *theatre*) « cinéma »[280].

Le peuplement de la **Nouvelle-Zélande** voisine a été tout autre, avec l'arrivée au début du XIXe siècle de missionnaires chrétiens venus évangéliser les Maoris, d'où des traces de leur langue dans l'anglais de Nouvelle-Zélande, qui se distingue ainsi dans certains cas de l'anglais d'Australie (par exemple *pakeha* « personne blanche » ou encore, *bach* « maisonnette de vacances »).

De son côté, l'**Afrique du Sud** avait déjà été colonisée par les Hollandais depuis près de cent cinquante ans quand la Grande-Bretagne envahit le pays en 1806. L'anglais y devient bientôt langue officielle, langue du droit et de l'enseignement mais la majorité de la population continue à parler l'afrikaans, qui est promu langue officielle en 1925, avant de devenir, avec l'anglais, une des onze langues figurant dans la Constitution de 1993. Cependant, l'anglais continue de jouer un rôle privilégié dans tout le pays, celui de langue véhiculaire, autrement dit, une langue de communication entre peuples de langues différentes. On y remarque quelques particularités comme, par exemple, de dire *thank you* ou *thanks* au lieu de *please*. Ainsi, on dira : « *Can I have a cake, thanks*[281] ? »

Autres particularités de l'anglais d'Afrique du Sud :

   bioscope « cinéma » (anglais *movie*)
   robot « feu de la circulation » (anglais brit. *traffic light*)
   reference book « pièce d'identité » (anglais brit. *identity document*).

En **Afrique de l'Ouest**, après des apparitions sporadiques à partir de la fin du XVe siècle, c'est surtout au début du XIXe siècle, avec l'accroissement du com-

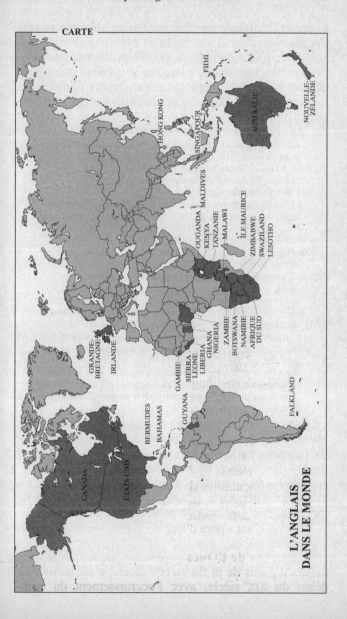

CARTE

L'ANGLAIS
DANS LE MONDE

merce et l'afflux de groupements antiesclavagistes, que
l'anglais se répand sur toute la côte. Alors prennent
naissance plusieurs pidgins et créoles dans des populations où des centaines de langues se croisent quotidien-
nement aux côtés de quelques variétés de l'anglais, et
particulièrement dans les cinq pays où l'anglais est langue officielle :

> la **Sierra Leone**, qui a d'abord servi de base
> antiesclavagiste et qui a accueilli 60 000 esclaves libérés
> dans le pays. Elle est indépendante depuis 1961 ;
> le **Ghana** : colonie britannique en 1874, le Ghana a été le
> premier pays du Commonwealth à acquérir
> l'indépendance, en 1957 ;
> la **Gambie** : le pays était fréquenté par des commerçants
> anglais dès le début du XVIIe siècle, et il devint aussi une
> base d'activités antiesclavagistes en 1816. La Gambie est
> une république depuis 1970 ;
> le **Nigeria** : colonie britannique depuis 1861, le Nigeria
> devint indépendant en 1960 ;
> le **Cameroun** : d'abord sous protectorat allemand en
> 1884, le Cameroun a ensuite été partagé en 1919 entre
> la France et l'Angleterre et il acquiert son indépendance
> en 1960. Le français et l'anglais y ont tous deux le statut
> de langue officielle ;
> enfin, le **Liberia** est le pays dont la création est la plus
> réconfortante : ce nom symbolique lui a été donné pour
> rappeler qu'après avoir été pendant longtemps la proie
> des négriers, le Liberia est devenu en 1821 pour les Noirs
> d'Amérique affranchis un lieu d'accueil et de liberté. On
> y parle un *pidgin English* particulier en plus des langues
> africaines locales.

Du fait que l'anglais y est surtout appris dans les
livres, l'une des caractéristiques les plus remarquables
de l'anglais parlé en Afrique occidentale est l'abondance des formes recherchées et d'allure savante,
comme *epistle* « épître » au lieu de *letter* « lettre », ou
purchase « acheter » (d'origine française) au lieu de
buy « acheter » (d'origine germanique) [282].

NOUVEAUX NOMS DE PAYS
EN AFRIQUE ANGLOPHONE

Faites les appariements nécessaires entre nouveaux et anciens noms de ces pays :

NOUVEAUX NOMS	ANCIENS NOMS
1. **Ghana**	A. **Côte-de-l'Or**
2. **Malawi**	B. **Nyasaland**
3. **Tanzanie**	C. **Rhodésie du Nord**
4. **Zambie**	D. **Rhodésie du Sud**
5. **Zimbabwe**	E. **Zanzibar** et **Tanganyika** réunis

RÉPONSE : 1.A • 2.B • 3.E • 4.C • 5.D.

En **Afrique de l'Est**, six pays avaient tout d'abord choisi de donner à l'anglais le statut de langue officielle :

> le **Kenya** (mais le swahili a remplacé l'anglais en 1974) ;
> la **Tanzanie**, formée par l'union du Tanganyika et de Zanzibar ;
> l'**Ouganda**, bien que le swahili y soit la principale langue véhiculaire ;
> le **Malawi**, où l'anglais partage le statut de langue officielle avec une langue locale, le chewa
> et la **Zambie**.

Il faut ajouter que des circonstances historiques particulièrement favorables aux Européens ont permis à un grand nombre de Britanniques de s'installer définitivement en Afrique de l'Est, ce qui explique que la variété d'anglais de cette région soit plus proche de celles de l'Afrique du Sud ou de l'Australie que de celles de l'Afrique de l'Ouest.

Cela n'est pas le cas du **sous-continent indien**, où l'anglais est parlé par quelque 40 millions d'individus, et selon de nombreuses variétés, qui vont d'un *pidgin* rudimentaire à la forme la plus sophistiquée de l'anglais, proche de celle qu'on peut entendre chez les gens cultivés de Grande-Bretagne. Cette langue anglaise venue de Grande-Bretagne avait pénétré dans la région au début du XVIIe siècle, avec les premiers représentants de la Compagnie des Indes Orientales de Grande-Bretagne, cette même compagnie qui devait avoir raison de sa concurrente française au cours du XVIIIe siècle. Depuis l'indépendance du pays en 1947, l'anglais est devenu le véhicule privilégié de l'administration et l'enseignement.

Bien que certaines particularités de prononciation soient similaires de l'un à l'autre des six principaux pays du sous-continent indien (**Pakistan, Inde, Népal, Bangladesh, Bhutan** et **Sri Lanka**), on peut remarquer par exemple au **Pakistan** l'emploi de *boots* pour des « chaussures basses », et même des « tennis », de *eartops* « boucles d'oreilles » (*earrings* en anglais britannique), d'*opticals* pour « lunettes » (*glasses* en anglais britannique) ou encore celui de *hotel* employé aussi bien dans le sens de « hôtel » que dans celui de « restaurant ». À signaler enfin l'expression *cent percent* « 100 % », apparemment influencée par le français alors qu'en anglais britannique on dirait *a hundred percent*[283].

Enfin, l'anglais parlé dans le Sud-Est asiatique (**Hong Kong, Malaisie, Singapour, Philippines**) et les **îles du Pacifique Sud** montre un mélange d'influences de l'anglais britannique et de l'anglais d'Amérique.

En résumé, on peut dire que l'anglais a réussi le tour de force de devenir, sinon la langue la plus parlée au monde, du moins une langue présente et bien vivante sous toutes les latitudes.

Le français dans le monde[284]

Si le français n'atteint pas, sur le plan du nombre de ses locuteurs, les sommets de l'anglais, de l'espagnol ou du portugais, il partage avec l'anglais le privilège d'être présent, en tant que langue parlée ou enseignée, vraiment aux quatre coins du monde, dans les cinq continents.

Il faut toutefois ajouter que la situation du français n'est plus ce qu'elle était il y a deux siècles, et les francophones ne peuvent manquer de songer avec un serrement de cœur aux paroles prophétiques du philosophe écossais David Hume en 1767 : « Laissez les Français tirer vanité de l'expansion actuelle de leur langue. Nos établissements d'Amérique [...] promettent à la langue anglaise une stabilité et une durée supérieures[285] ».

On comprendra mieux ce que les mots de Hume avaient de visionnaire si l'on se rappelle qu'au milieu du XVIIIe siècle le français était sans conteste la plus prestigieuse des langues de l'Europe : déjà langue de la diplomatie, ce qu'elle restera jusqu'à la Première Guerre mondiale, elle avait été celle de toutes les cours princières d'Europe — on sait par exemple qu'à cette époque le tsar Nicolas II écrivait à la tsarine en français. Elle avait aussi été celle du « siècle des Lumières » avant d'être la langue dans laquelle allaient être proclamés les Droits de l'Homme.

Mais David Hume avait vraiment vu juste puisqu'à l'aube du XXIe siècle ce n'est pas le français, mais l'anglais, et en particulier celui de la science et des techniques développées en Amérique, qui est devenu l'outil indispensable pour toutes les communications internationales.

Le français dans les institutions internationales

Pourtant, et bien que sur le plan de la diplomatie un grand coup ait été porté au français lorsque Clemenceau accepta la rédaction du traité de Versailles de 1919 en deux langues, à la fois en français et en anglais, il ne faudrait pas oublier que le français reste aujourd'hui l'une des langues officielles et l'une des langues de travail dans les grands organismes internationaux : à l'ONU (Organisation des Nations Unies) dont le siège est à New York, à l'OTAN (Organisation du Traité de l'Atlantique Nord) qui siège à Bruxelles et au Luxembourg, ou encore à l'UNESCO (United Nations Educational, Scientific and Cultural Organization), à Paris.

Rappelons aussi qu'à la fin du XIXe siècle, c'est le français qui est adopté comme langue officielle des Jeux Olympiques, qui avaient connu un renouveau en 1896 grâce à l'initiative d'un Français, le baron Pierre de Coubertin. Cette place privilégiée, il ne l'a pas perdue, et on a pu remarquer, aux derniers Jeux Olympiques d'Atlanta en 1996, aux Jeux Olympiques d'hiver de Nagano en 1997, et aux Jeux Olympiques de Sydney que le français était constamment présent aux côtés de l'anglais dans les annonces et commentaires de toutes les épreuves et manifestations, en application de l'article 27 de la Charte Olympique qui stipule que les deux langues des Jeux Olympiques sont le français et l'anglais. Il faut ajouter que les Jeux Olympiques sont la manifestation internationale la plus relayée par les médias dans tous les pays.

Le français hors de France

Toujours en bonne place dans les institutions officielles internationales, la langue française y a toutefois perdu du terrain au profit de l'anglais comme langue de travail, mais elle reste la langue officielle, nationale ou régionale, dans de nombreux pays des cinq continents, quoique sa présence s'y manifeste à des degrés divers.

Et tout d'abord en Europe : en France, à Monaco, en Belgique, au Luxembourg, en Suisse, au Val d'Aoste (Italie) et dans les îles Anglo-Normandes (Grande-Bretagne), où elle se trouve cependant, par exemple en Belgique ou en Suisse, en concurrence avec d'autres langues tout aussi officielles. Il faut encore remarquer que malgré ce statut de langue officielle, il est souvent difficile de dénombrer les « vrais » francophones dans certains pays où leur nombre s'amenuise de façon inquiétante : par exemple dans le Val d'Aoste, où la pression exercée par l'italien est une menace constante pour la survie du français, ou encore dans les îles

Anglo-Normandes, où la langue française ne se manifeste vraiment de nos jours que dans les noms de lieux ou dans ceux des habitants, dont la langue d'usage est l'anglais.

Né sur le continent européen, tout comme l'anglais, le français est une langue qui a su s'exporter.

Le français hors d'Europe

Si le français a pu au début du XVIIe siècle s'implanter très loin de son lieu de naissance, c'est que les populations qui parlaient cette langue avaient non seulement éprouvé la nécessité de partir à la découverte de terres lointaines, mais qu'elles avaient eu le désir de s'y installer et d'y faire souche. L'histoire du français hors d'Europe se confond dès lors en partie avec celle des migrations successives, une première fois sous Louis XIII et sous Louis XIV, avec la conquête de terres en Amérique et aux Antilles, mais aussi plus tard au Sénégal et dans l'océan Indien. Dans cette expansion de la langue française, les missions religieuses ont généralement joué un rôle important.

Sous la IIIe République, l'action des missions religieuses s'est encore renforcée à la fois dans l'Empire ottoman, en Chine et dans les nouvelles colonies, en exerçant par la suite une action culturelle prolongée dès 1883 par la création de l'*Alliance française*[286].

Au XXe siècle, l'accent a été mis en particulier sur les domaines techniques et scientifiques. L'une des manifestations les plus visibles de cette orientation de coopération culturelle, technique et scientifique a été la construction de la « Francophonie » en 1986, dont la mission était de réunir dans une communauté dite « francophone » un groupe de chefs d'État et de gouvernement de pays « ayant le français en partage ». Malheureusement, les termes *francophone* et *francophonie*[287] présentent à l'heure actuelle un flou sémantique que n'ont pas ceux *d'anglophone* ou *d'hispanophone*.

FRANCOPHONIE ET FRANCOPHONIE

Depuis la création en 1986 des Sommets de la Francophonie, qui réunissent les chefs d'État et de gouvernement de pays ayant en commun l'usage du français, une réelle confusion règne quant à la signification à accorder à ces termes.

En fait, la **francophonie** (avec un f minuscule) correspond à l'ensemble des populations dont la langue est le français, tandis que la **Francophonie** (avec un F majuscule) désigne tous les pays qui, dans leurs échanges avec les autres pays de la Francophonie, ont le « français en partage », mais dans lesquels la langue française ne jouit pas toujours d'un statut particulier. C'est que la Francophonie a une vocation plus générale, qui se traduit par une coopération culturelle, scientifique et technique concertée.

L'espace francophone, enfin, est un lieu un peu flou, dans lequel se reconnaissent ceux qui, quelle que soit leur origine, adhèrent plus ou moins à la culture francophone et aux valeurs traditionnellement véhiculées par la langue française. Depuis quelques années, on constate que l'espace francophone n'est plus constitué de cercles concentriques ayant la France pour centre, mais de plusieurs pôles d'attraction dans les divers pays faisant partie de la Francophonie[288].

Francophones et francophonie

Avant d'examiner la situation de la langue française dans le reste du monde, il est nécessaire de s'arrêter à nouveau (cf. encadré FRANCOPHONIE ET FRANCOPHONIE, ci-dessus) sur ces termes *francophone* et *francophonie*, qui prêtent souvent à confusion car la cinquantaine d'États dits *francophones*, en fait, ne le sont pas forcément, en ce sens que leurs habitants ne parlent pas tous le français et que la langue française n'y jouit pas toujours d'un traitement préférentiel.

Ainsi par exemple, l'île Maurice, le Liban, le Laos ou le Viêtnam font partie des États de la Francophonie mais n'accordent aucun statut particulier au français sur le plan institutionnel dans le pays[289].

Et paradoxalement, l'Algérie, qui ne fait pas partie des États dits francophones, garde un nombre important de locuteurs de français (30 % de francophones « réels » et 30 % de francophones « occasionnels »). Dans ce pays, l'apprentissage du français est obligatoire dès le CM2 (7-8 ans) et l'épreuve de français y est à nouveau obligatoire pour toutes les sections du baccalauréat.

LE FRANÇAIS LANGUE OFFICIELLE

EUROPE

Belgique*, France, îles Anglo-Normandes* (G-B), Luxembourg*, Monaco, Suisse*, Val d'Aoste* (Italie).

AFRIQUE

Bénin, Burkina Faso, Burundi, Cameroun*, Centrafrique, Congo, Côte d'Ivoire, Djibouti*, Gabon, Guinée, Guinée équatoriale*, Mali, Mauritanie*, Niger, Rwanda, Sénégal, Tchad*, Togo, Zaïre.

AMÉRIQUE

Canada (provinces du Québec* et du Nouveau-Brunswick*), Louisiane* (E-U), Haïti, Guadeloupe (DOM), Guyane (DOM), Martinique (DOM), Saint-Pierre-et-Miquelon (DOM).

OCÉAN INDIEN

Comores*, Madagascar*, Mayotte (TOM), Réunion (DOM), Seychelles*.

OCÉANIE

Nouvelle-Calédonie (TOM), Vanuatu*, Wallis-et-Futuna (TOM), Polynésie (TOM).

*Sont marqués d'un astérisque les pays ayant d'autres langues officielles en dehors du français.

La situation du français en Afrique

La situation en Afrique illustre de façon saisissante l'ambiguïté qui obscurcit aujourd'hui le terme *francophone* : on y trouve dix-neuf pays où le français est langue officielle, mais, enseigné partout, il n'y est réellement parlé que par une minorité de la population. Il faudrait cependant signaler qu'il existe aussi un petit nombre d'Africains qui n'ont parlé que le français depuis leur naissance[290].

Par ailleurs, et paradoxalement, dans les trois pays du Maghreb, où la seule langue officielle est l'arabe, le français est parlé par plus de 30 % de la population.

La situation en Amérique

Comme on l'a vu précédemment (cf. chapitre LE FRANÇAIS PREND LE LARGE, p. 251), le français, installé depuis le XVIIᵉ siècle au Canada, est largement majoritaire au Québec tandis qu'il est faiblement représenté par quelques îlots isolés dans les provinces de l'Ouest, mais qu'il reste très vivant en Ontario, chez les Acadiens des Provinces Maritimes, avec un attachement sans concessions dans le Nouveau-Brunswick et la Nouvelle-Écosse (quoique de façon plus modeste dans cette dernière).

Le français est beaucoup moins vivant en Louisiane, où une partie des Acadiens chassés du Canada par les Anglais en 1755 avaient trouvé refuge après ce qu'ils ont nommé « le Grand Dérangement ». On les appelle les *Cajuns*, nom qui vient de la prononciation approximative de la forme abrégée de *Acadien*.

Enfin, les îles des Antilles comme la Martinique ou la Guadeloupe (DOM), mais aussi Haïti, ont été, du fait de leur mode de peuplement, le lieu où se sont créés et développés des créoles à base lexicale française, dont la vitalité dans ces régions est remarquable.

La situation en Asie et en Océanie

Dans l'océan Indien, le français est langue officielle aux Comores, à Madagascar et aux Seychelles, où il partage ce statut avec d'autres langues, tandis qu'à la Réunion (DOM) et à Mayotte (TOM) il reste la seule langue officielle.

Enfin, le français est aussi présent en Océanie : en Nouvelle-Calédonie (TOM), aux îles Wallis-et-Futuna (TOM) ainsi qu'en Polynésie française (TOM) et au Vanuatu (cf. carte LE FRANÇAIS DANS LE MONDE (LANGUE OFFICIELLE), p. 304).

RÉCRÉATION

UN PEU DE FRANÇAIS DES QUATRE COINS DU MONDE[291]

Où peut-on entendre les mots français et les expressions françaises qui suivent ?

Vous avez le choix entre :

1. *il pleut tafait* « il pleut beaucoup et fort »   A. Antilles françaises

2. *fariner* « pleuvoir en gouttes très fines »   B. Burkina Faso

3. *être crabe* « être timide »   C. Côte d'Ivoire

4. *blocus* « embouteillage de la circulation »   D. Haïti

5. *marée noire* « nuit sans lune »   E. Tahiti

6. *berceuse* « nounou, bonne d'enfants »   F. Réunion

7. *virguler* « bifurquer »   G. île Maurice

8. *avoir la bouche sucrée* « être un beau parleur »   H. Tchad

9. *carte-vue* « carte postale »   I. Suisse

10. *se mettre à la chotte* « se mettre à l'abri »   J. Belgique

11. *blé d'Inde* « maïs »   K. Canada

RÉPONSE : 1.E • 2.F • 3.A • 4.D • 5.G • 6.B • 7.H • 8.C • 9.J • 10.I • 11.K

De l'anglais un peu partout...

À observer l'expansion du français et de l'anglais dans les différentes parties du monde, on ne peut qu'être impressionné par la place de choix que l'anglais y a conquise, ce qui met cette langue au premier rang des langues de grande diffusion géographique. Et c'est cette même première place que l'anglais tient aujourd'hui dans le domaine de la technologie et de la science.

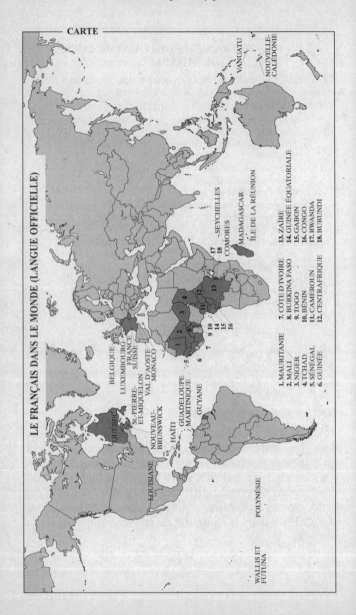

CARTE

LE FRANÇAIS DANS LE MONDE (LANGUE OFFICIELLE)

BELGIQUE
LUXEMBOURG
FRANCE
SUISSE
VAL D'AOSTE
MONACO

ST-PIERRE-ET-MIQUELON

QUÉBEC
NOUVEAU-BRUNSWICK
HAÏTI
GUADELOUPE
MARTINIQUE
GUYANE

LOUISIANE

POLYNÉSIE

WALLIS ET
FUTUNA

VANUATU
NOUVELLE-CALÉDONIE

SEYCHELLES
COMORES
MADAGASCAR
ÎLE DE LA RÉUNION

1. MAURITANIE
2. MALI
3. NIGER
4. TCHAD
5. SÉNÉGAL
6. GUINÉE

7. CÔTE D'IVOIRE
8. BURKINA FASO
9. TOGO
10. BÉNIN
11. CAMEROUN
12. CENTRAFRIQUE

13. ZAÏRE
14. GUINÉE ÉQUATORIALE
15. GABON
16. CONGO
17. RWANDA
18. BURUNDI

... *mais la science n'a pas toujours parlé anglais*

L'histoire des langues de la science en Occident[292] mérite donc qu'on s'y attarde maintenant un peu longuement.

Le développement historique qui suit, et qui remonte loin dans le temps, pourrait toutefois donner l'impression d'une digression injustifiée si, au bout du chemin, on ne retrouvait pas justement à la fois le français et l'anglais.

LES LANGUES DE LA SCIENCE
☞ *Après le grec, l'arabe, le latin, le français...
l'hégémonie de l'anglais*

L'emprise que la langue anglaise exerce de nos jours dans les communications scientifiques est une évidence. Pourtant, d'autres langues avaient joué ce rôle dans le passé, et en particulier le grec, l'arabe, le latin et le français.

SUCCESSION DES LANGUES DE LA SCIENCE EN OCCIDENT	
vers 500 av. J.-C.	Domination du **grec** (après le **sumérien**, le **babylonien**, l'**akkadien** et l'**égyptien**, en Orient)
du IXᵉ au XIIIᵉ s.	Domination de l'**arabe**
du XVIᵉ au XVIᵉ s.	Domination du **latin**
à partir du XVIᵉ s.	Domination du **latin** et émergence des **langues nationales**
XVIIᵉ s.	Naissance de la presse scientifique en France
XVIIIᵉ s.	Le « siècle des Lumières » met le **français** à l'honneur
XIXᵉ s.	Avancée spectaculaire de l'**anglais**
XXᵉ s.	Domination de l'**anglais**

Le grec, langue de la science

Les premières connaissances de type scientifique, qui avaient été acquises auprès des mages babyloniens et des prêtres d'Égypte, c'est grâce au génie grec qu'elles allaient s'épanouir en Europe.

Vers 600 avant notre ère, la Grèce s'étendait des rives de l'Asie Mineure jusqu'en Italie du Sud et en Sicile, et les Grecs, qui étaient des commerçants entreprenants et de grands voyageurs, rapportaient d'Orient, non seulement des bois précieux, des étoffes chatoyantes et des épices odorantes, mais aussi de nouveaux modes de vie et un nouveau savoir. Ils allaient mettre à profit les connaissances acquises au contact des peuples qu'ils avaient soumis, mais en les dépouillant de leur fondement magique et en développant la recherche de la connaissance désintéressée.

C'est en Ionie, et en particulier à Milet vers – 650 que l'on trouve la première école philosophique, avec Thalès, dont les méthodes ouvrent la voie à une vision positive et rationnelle de l'univers. Plus tard, vers le milieu du VIe siècle avant J.-C., les pythagoriciens fonderont dans le sud de l'Italie, à Crotone, une nouvelle école tentant d'expliquer l'univers par l'arithmétique. Encore un peu plus tard, les Grecs mettront au point la table de multiplication, celle-là même que les enfants apprennent encore de nos jours, et ils opéreront le rattachement de l'arithmétique à la géométrie. De grandes discussions naîtront au sujet des nombres irrationnels et de problèmes qui se révéleront parfois insolubles, comme celui de la quadrature du cercle (comment construire un carré ayant la même surface qu'un cercle donné).

C'est encore en Grèce, au IVe siècle avant J.-C., que se précise, pour la première fois peut-être, la nécessité de s'appuyer sur l'expérience et de se soumettre à la rigueur du raisonnement. À cette époque, on préfère même souvent accorder la prédominance à ce dernier. Si Hippocrate, père de la médecine, est le premier à préconiser l'observation minutieuse de tout le corps ainsi que celle des crachats, des urines, etc., à la même époque, Platon et son *Académie*, tout en réservant une place de choix à la science, repoussent observations et expériences et se fondent uniquement sur le raisonnement.

Élève de Platon, Aristote créera de son côté une école rivale, le *Lycée*, où la science commence à se séparer de la philosophie. Aristote voulait faire de son *Lycée* une véritable université, c'est-à-dire y enseigner « tout », et son œuvre correspond effectivement à une sorte d'encyclopédie allant de la logique pure à la zoologie, en passant par la physique, l'astronomie et la métrologie, ou science de la mesure. Mais Aristote nie encore la nécessité des expériences, qu'il ne mettra en œuvre qu'à la fin de sa vie, dans ses livres d'histoire naturelle.

À cette époque (IVe siècle avant J.-C.), Alexandrie, colonie grecque, était devenue la capitale de la science et possédait une bibliothèque de 600 000 volumes. C'est alors que s'accentue la séparation entre la science et la philosophie.

Le IIIe siècle avant J.-C. marque une date particulièrement importante, car c'est l'époque où Euclide fait connaître son traité de géométrie, les *Éléments*, qui a été, après la Bible, le livre le plus répandu dans le monde savant de l'Antiquité. Il avait en effet eu le mérite de réussir à systématiser de façon magistrale toute la science de son temps.

Mais Euclide était surtout un théoricien, tandis qu'un demi-siècle plus tard, Archimède sera un remarquable innovateur. On considère souvent ce dernier comme le plus grand génie de l'Antiquité : grand mathématicien et géomètre intuitif, il était en avance de 2 000 ans sur son époque[293].

Il était également un physicien exceptionnel, dont la théorie sur l'équilibre des corps reste un modèle. Il était aussi un grand original et la légende bien connue raconte qu'il était sorti de son bain et avait parcouru tout nu les rues de Syracuse en criant *eurêka* « j'ai trouvé ». Il avait découvert ce que nous appelons encore aujourd'hui le principe d'Archimède : « Tout corps plongé dans un liquide reçoit, de bas en haut, une poussée verticale égale au poids du liquide déplacé. »

Tous ces savants, c'était en grec qu'ils avaient transmis leurs connaissances : pendant plus d'un demi-millénaire, le grec avait donc été le véhicule essentiel du savoir humain en Occident.

Les savants arabes

Malheureusement, la science devait connaître une éclipse à l'époque de l'Empire romain, dont les élites étaient plus intéressées par la technique et par les conquêtes que par l'avancement des connaissances théoriques, et les invasions qui ont suivi son effondrement n'ont pas favorisé les recherches scientifiques.

Il faut en fait attendre le VIIIᵉ siècle après J.-C. pour que se produise un renouveau avec les Arabes, qui avaient occupé toute la Méditerranée méridionale et qui avaient commencé en 711 à envahir l'Espagne, d'où ils ne seront chassés qu'en 1492.

Déjà sous le règne de Harun al-Rachid (fin du VIIᵉ siècle) avait été publiée la première traduction des *Éléments* d'Euclide, à partir d'une version syriaque[294] et le calife Al-Mansour avait encouragé la traduction en arabe de tous les textes grecs. Il avait en particulier obtenu de l'empereur byzantin une version grecque des *Éléments* d'Euclide. Un peu plus tard, le calife Al-Mamoun (IXᵉ siècle) avait été jusqu'à exiger de l'empereur d'Orient, qu'il venait de vaincre, qu'il lui remette un exemplaire de tous les livres grecs en sa possession. La première traduction en arabe des *Éléments* d'Euclide, à partir cette fois du texte grec, date de 813 et celle de l'*Almageste*, traité d'astronomie de Ptolémée, de 827.

La façon dont nous sont parvenues toutes ces traductions de textes grecs ressemble souvent à des aventures romanesques. Par exemple, la traduction du grec en latin de l'*Almageste* de Ptolémée, faite par Boèce au VIᵉ siècle, a été perdue et nous n'en avons connaissance aujourd'hui que grâce à une traduction arabe de l'original grec faite à Bagdad au IXᵉ siècle, qui fut elle-même retraduite en latin au XIIIᵉ siècle[295].

Mais les Arabes n'ont pas été uniquement les introducteurs de la science grecque en Occident. Ils ont aussi été de grands savants. Citons par exemple Albucasis[296] au Xe et Avicenne au XIe siècle, qui étaient des médecins de grande réputation. Averroès (1120-1198), de son côté, avait fait connaître Aristote aux peuples chrétiens. À la même époque, le philosophe et médecin juif Maimonide avait écrit dix-huit traités de médecine, dont trois seulement nous sont parvenus.

Du grec à l'arabe et au latin

Dès le XIe siècle, l'Espagne arabe était devenue un centre culturel qui attirait les savants de toute l'Europe, à Séville, à Tolède ou à Cordoue, où l'on enseignait tout l'héritage des penseurs grecs dans des traductions arabes, qui seront à leur tour traduites en latin. Les traductions étaient surtout l'œuvre de lettrés juifs car les chrétiens ne connaissaient généralement pas l'arabe. Parmi les traducteurs les plus importants, il faut citer Gérard de Crémone, qui, à partir des versions arabes, traduisit plus de quatre-vingts ouvrages grecs, parmi lesquels les *Éléments* d'Euclide et l'*Almageste* de Ptolémée. Un autre grand nom est celui d'Adélard de Bath, un savant anglais qui, lui aussi, avait traduit les *Éléments* d'Euclide et l'*Arithmétique* du mathématicien arabe Al-Khwarizmi au XIIe siècle. (C'est du nom de ce dernier que vient le terme *algorithme*.)

Un autre centre de diffusion s'était développé au XIIIe siècle, sous l'impulsion de Frédéric II Hohenstaufen en Sicile, où la médecine et la science arabes tenaient une place de premier rang[297].

Du latin aux langues nationales

D'abord connus par l'intermédiaire de l'arabe et du latin, les textes grecs referont surface à l'époque de la Renaissance, où l'on étudiera alors le grec avec passion afin de pouvoir lire les philosophes dans le texte. Tandis que le latin continue à être la langue prédominante de la science, certains s'enhardissent déjà à cette époque jusqu'à écrire des ouvrages scientifiques dans leurs langues nationales.

Au XVIe siècle, au Collège de France tout nouvellement créé, Ambroise Paré donnera ses cours de médecine en français. Au XVIIe siècle, c'est en anglais que Francis Bacon écrira *Of Proficience and Advancement of Learning* en 1605 (traduit en latin en 1623) et c'est en italien que Galilée rédigera son *Dialogo sopra i due massimi sistemi del mondo* (1632). Toutefois, c'est en latin que ce dernier avait écrit, en 1610, son *Sidereus nuntius* « Le messager du ciel ». Et si Descartes écrit en français le *Discours de la méthode* (1637), c'est, dit-il, « pour que tout le monde comprenne, depuis les plus subtils jusqu'aux femmes ». Mais, quatre ans plus tard, c'est en latin qu'il publiera les *Méditations*. De même, le mathématicien Pierre Fermat, dont la langue est le français, publie ses ouvrages en latin.

Le français, langue de la science

La presse scientifique naît dans la première moitié du XVIIe siècle : en 1631 *La Gazette de France* est créée par Théophraste Renaudot, bientôt suivie en 1665 par *Le Journal des savants*. L'idée est reprise en Italie, en Suisse et en Hollande, où la plupart des périodiques sont rédigés en français, et pendant près d'un siècle le français restera la langue scientifique par excellence, au même titre que le latin[298].

À l'Académie de Berlin, par exemple, qui avait été créée en 1744, les *Mémoires* étaient rédigés en français, et les écrits de Leibniz, cartésien convaincu, étaient présentés en français.

Le français restera donc à l'honneur au siècle des Lumières, où la science devient à la mode et pénètre dans les salons. L'*Encyclopédie* de Diderot et de d'Alembert, terminée vers 1773 (cf. § DE LA *CYCLOPAEDIA* DE CHAMBERS À LA « GRANDE » *ENCYCLOPÉDIE*, p. 276), remportera un énorme succès aussi bien en France qu'à l'étranger. Un des plus brillants foyers philosophiques en Europe était berlin, où Frédéric II de Prusse attirait les plus grands esprits du temps, surtout des Français, parmi lesquels Voltaire.

Ce même engouement pour le français, on le retrouve en Russie, où l'impératrice Catherine pouvait converser et correspondre en français avec les beaux esprits de l'époque : Voltaire, d'Alembert ou Diderot.

Pourtant, la langue latine n'avait pas encore perdu tous ses droits, et le Suédois Linné avait publié en latin son *Systema naturae* (1735, 10e éd. 1758), qui est encore regardé de nos jours comme l'ouvrage de base des sciences naturelles. Mais en France, le *Genera plantarum* d'Antoine-Laurent Jussieu sera en 1789 le dernier livre scientifique écrit en latin par un savant français[299], car c'est en français que Buffon (1749-1804) publiera quelques années plus tard son *Histoire naturelle*.

À la fin du XVIIIe siècle, alors que l'usage du latin décline, la langue française est donc toujours prédominante, mais après 1815, l'influence française va s'effondrer. L'ère de l'anglais va commencer.

RÉCRÉATION

MOTS SAVANTS CRÉÉS PAR DES SAVANTS

Les six noms scientifiques ci-dessous ont été inventés par des savants, soit de langue anglaise, soit de langue française.

Rendez à chaque mot la langue de son auteur.

1. **aluminium** • 2. **azote** • 3. **ion** • 4. **microbe** • 5. **neutron** • 6. **radium**

RÉPONSE : l'**anglais** : 1. (Humphry Davy) • 3. (Michael Faraday) • 5. (Ernest Rutherford).
Le **français** : 2. (Antoine de Lavoisier) • 4. (Charles Sédillot) • 6. (Marie et Pierre Curie).

L'émergence et l'hégémonie de l'anglais

On a vu que l'anglais avait déjà fait une apparition un peu timide au XVIIe siècle avec Francis Bacon, mais Newton écrit encore en latin une partie de son œuvre et c'est aussi le cas, un peu plus tard, de Edmund Halley, l'astronome qui a précisé la période de révolution de la comète à laquelle son nom est resté attaché. Mais, dès le XVIIIe siècle et surtout au XIXe siècle, en raison de l'avancée spectaculaire des savants, l'anglais va renforcer sa position, non seulement dans son pays d'origine, mais aussi dans l'ensemble du monde scientifique. Pour se tenir au courant des derniers progrès de la science, il a fallu au XXe siècle apprendre à lire l'anglais, puis à l'écrire et enfin à le parler afin de pouvoir communiquer ses propres découvertes à une communauté désormais dominée par les équipes de chercheurs d'outre-Atlantique.

L'anglais, seul véhicule de la science ?

Que l'anglais soit dominant dans les communications scientifiques contemporaines, personne ne songerait à le nier, mais avant d'exclure les autres langues du monde de la science, il nous faut examiner de plus près les composantes linguistiques des nomenclatures d'un certain nombre de domaines, ceux, par exemple, de la botanique, de la zoologie, de la cosmétologie, de la physique ou de la chimie, où l'anglais s'efface en partie devant le latin. On sera aussi peut-être surpris des résultats obtenus à l'issue de l'analyse du vocabulaire anglais dans des domaines où il est prépondérant, par exemple celui de l'informatique.

Les composantes linguistiques du langage des sciences

S'il est incontestable que la communication entre savants tend à se faire de plus en plus en anglais, encore faut-il distinguer entre la langue dans laquelle les faits scientifiques sont exposés et les éléments constitutifs de cette langue dans chacune des sciences, c'est-à-dire le vocabulaire de base à partir duquel tous les spécialistes d'une même science peuvent se comprendre. Or, ce qui apparaît très nettement dès que l'on examine la nomenclature d'un certain nombre de disciplines scientifiques, c'est l'omniprésence des langues qui ont été sans conteste les langues de la science depuis plus de deux millénaires : le grec, et surtout le latin.

Pérennité du latin : botanique, zoologie et cosmétologie

Les cas les plus représentatifs sont ceux de la botanique et de la zoologie, dont les classifications, établies par Linné[300] au XVIIIe siècle, reposaient sur des termes latins et qui se sont maintenus en latin jusqu'à nos jours.

Plus remarquable encore paraît être la situation actuelle de la cosmétologie, qui a depuis quelques années pris un tournant inattendu. Très liée à la botanique, elle connaît, depuis juillet 1995, dans ses laboratoires de recherche, l'utilisation d'une nouvelle nomenclature ou *INCI (International Nomenclature Cosmetic Ingredients)* pour indiquer la composition des produits mis en vente dans l'Union européenne : une sorte de latin modernisé, mieux adapté aux nouveaux besoins, y refait surface de façon spectaculaire et supplante l'ancien nom anglais. En voici quelques exemples, tirés d'une liste[301].

ANCIEN TERME	NOUVEAU TERME
beeswax	*cera alba*
water	*aqua*
milk	*lac*
fish extract	*pisces*
egg	*ovum*
shark liver oil	*squali iecur*
tar oil	*pix*
sea salt	*maris sal*
vinegar	*acetum*
oyster shell extract	*ostrea*
silk worm extract	*bombyx*
apple extract	*pyrus malus*
artichoke extract	*cynara scolymus*
blackcurrant extract	*ribes nigrum*
lime extract	*citrus aurantifolia*

Les éléments et les symboles chimiques

De son côté, la chimie, dégagée de l'alchimie, avait mis au point, à la fin du XVIIIe siècle, une nomenclature devenue internationale à la suite des travaux de Lavoisier et de Guyton de Morveau. L'examen des 105 noms d'éléments chimiques reconnus internationalement fait apparaître des termes grecs ou latins pour la moitié d'entre eux, l'autre moitié se partageant entre des noms auxquels on ajoute le plus souvent la terminaison latine *-ium*, soit à partir de toponymes (*berkelium* sur Berkeley, *ytterbium* sur Ytterby), soit à partir des noms de personnages imaginaires ou réels (*prométhéum* sur Prométhée, *gadolinium* sur le nom du chimiste finlandais Gadolin, *einsteinium*, sur celui d'Einstein), etc.

Les savants se sont généralement entendus sur une commune dénomination des éléments chimiques, avec pourtant quelques exceptions, par exemple pour l'élément dont le symbole est *N* : il correspond à *nitrogen* en anglais, mot formé par le chimiste anglais Rutherford en 1772 sur le grec *nitron* « salpêtre » et *genos* « qui produit ». Mais quelques années plus tard (1787), le chimiste français Lavoisier lui a donné le nom d'*azote*, formé sur le grec *a + zôê* « impropre à la vie »[302]. Le symbole correspondant *Az* a résisté quelques décennies mais aujourd'hui toute la communauté scientifique a adopté le symbole *N*.

RÉCRÉATION

UN HOMMAGE EN LATIN AU COQ GAULOIS

Il existe un élément chimique proche de l'aluminium, mais très rare, utilisé de nos jours pour la fabrication des semi-conducteurs, dont le nom, inventé par des savants anglais, est à la fois un hommage au savant français **Lecoq de Boisbaudran**, qui l'avait découvert, et un clin d'œil à son patronyme.

Quel est le nom de cet élément chimique (le titre de cette récréation devrait vous mettre sur la voie) ?

RÉPONSE : le **gallium**, formé sur le latin **gallus** « coq ».

Les symboles internationaux, comme *N, Na, K, Hg, Sb, Sn*, perpétuent souvent l'ancien nom grec ou latin, ce qui permet de dissiper le mystère de *N* pour l'azote (du grec *nitron* « nitre, salpêtre »), de *Na* pour le sodium (latin *natrium*), de *K* pour le potassium (latin *kalium*), de *Hg* pour le mercure (latin *hydrargyrum* « argent liquide »), de *Sb* pour l'antimoine (latin *stibium*) ou de *Sn* pour l'étain (latin *stunnum*). De plus, si le tungstène a pour symbole *W*, c'est pour rappeler que ce métal a été découvert par le Suédois Wolfram.

Comme on le voit dans les exemples ci-dessus, seul le symbole de l'élément est international, mais chaque pays maintient l'ancienne dénomination nationale : pour l'argent, le symbole est *Ag* pour les savants de tous les pays, mais nous continuons à dire *argent* en français, *plata* en espagnol ou *silver* en anglais. De même, si *Fe* apparaît à un Français ou à un Italien comme un symbole tout à fait logique pour désigner le *fer*, les Allemands conservent l'appellation *Eisen* et les anglophones, *iron*, tout en adoptant le symbole *Fe* dans les formules chimiques.

Les noms des unités dans les sciences physiques

Dans les sciences physiques, la communauté scientifique s'est mise d'accord sur une quinzaine de préfixes internationaux pour désigner les multiples et les sous-multiples de chaque unité de mesure, du plus grand, *exa-* « un milliard de milliards » (10^{18}), au plus petit, *atto-* « un milliardième de milliardième » (10^{-18}). Ces préfixes sont en majorité formés à partir du grec : *exa-, peta-, téra-, giga-, méga-, kilo-, hecto-, déca-, micro-, nano-*. Trois préfixes viennent du latin : *déci-, centi-* et *milli-*, deux du danois : *femto-* et *atto-*, et un de l'espagnol : *pico-*.

Quant aux unités, qu'elles soient des unités géométriques, mécaniques, thermiques, électriques, optiques ou des unités de masse, de temps, de radioactivité, de quantité de matière ou d'information, leur appellation

repose, avec des variantes de graphie et de prononciation d'un pays à l'autre :

> soit sur le grec : *gramme, mètre, bar, thermie, dioptrie,
> atmosphère ;*
>
> soit sur le latin : *heure, minute, seconde, calorie, radian,
> candela, lux, lumen, mole, octet ;*
>
> soit, plus généralement, sur les noms de grands savants
> qu'on a voulu honorer pour leurs travaux : *newton, joule,
> watt, pascal, ampère, ohm, siemens, coulomb, henry,
> tesla, weber, kelvin, celsius, maxwell, hertz, gray,
> becquerel* et *sievert*, mais aussi *volt* (pour Volta) et *farad*
> (pour Faraday) (cf. aussi la récréation LES UNITÉS DE
> MESURE, p. 151).

┌─ **RÉCRÉATION** ──────────────────────────────

LONGTEMPS APRÈS QUE LES SAVANTS
ONT DISPARU...

Voici des noms d'unités du domaine des sciences exactes et
formés à partir de noms de grands savants britanniques, américains ou français.

Retrouvez leur nationalité (il y a trois Anglais, trois Français,
un Écossais et un Américain)

    1. newton   (unité de force)
    2. pascal   (unité de pression)
    3. joule   (unité d'énergie)
    4. watt   (unité de puissance)
    5. kelvin   (unité de température)
    6. henry   (unité d'inductance)
    7. becquerel   (unité de radioactivité)
    8. coulomb   (unité de quantité d'électricité)

RÉPONSE : anglais (1, 3, 5) • écossais (4) • américain (6)
• français (2, 7, 8).

└──

L'informatique et l'anglais

L'abondance des termes formés à partir du latin et du
grec dans les sciences ne doit pas nous surprendre puisque, pour la plupart d'entre elles, elles sont nées et se
sont développées à l'époque où ces langues étaient par
excellence les véhicules du savoir humain.

Mais qu'en est-il des disciplines plus récentes, et en particulier de l'informatique, un domaine où l'anglais règne en maître ?

Les mots français de l'informatique

On a tenté[303] de mesurer l'étendue de cette domination et l'importance qu'on lui accorde en analysant les données d'un dictionnaire d'informatique français[304] publié chez Larousse en 1996. Il est constitué (compte non tenu d'une centaine de noms de marques, de codes ou d'inventeurs) de 1649 entrées (en français), et il est complété par un petit lexique anglais-français, auquel font suite des extraits du *Journal officiel* [305] donnant 174 expressions et termes d'informatique français recommandés par les commissions de terminologie. Ces compléments ajoutés en annexe par les auteurs de ce dictionnaire montrent à la fois l'importance qu'ils reconnaissent à l'anglais dans ce domaine et leur souci de fournir aux intéressés un vocabulaire français adapté aux besoins de cette discipline.

Abondance des sigles anglais

Ce que l'on remarque tout d'abord dans ce dictionnaire, c'est le nombre impressionnant de sigles et d'acronymes dans les deux langues, ce qui n'est pas pour nous surprendre en ce siècle où la rapidité de la communication prend le pas sur la transparence immédiate : sauf pour des informaticiens de métier, des sigles comme *SGML (Standard Generalized Mark-up Language)*, ou *code ASCII*, prononcé [aski] *(American Standard Code for Information Interchange)*, ou encore *SSII*, prononcé [ɛsɛsdøzi] *(Société de Services et d'Ingénierie Informatique)*, ou même *CAO (Conception Assistée par Ordinateur)*, sont quasi incompréhensibles ou du moins inanalysables en leurs composantes par le commun des mortels.

Sur les 1649 termes du corpus analysé, il y a 309 sigles, dont 228 à partir de formes anglaises et seulement 81 à partir de formes françaises. La prédominance de l'anglais dans ce cas confirmerait donc très largement les prévisions pessimistes de ceux qui voient déjà l'anglais recouvrir le français aux trois quarts (74 % des sigles sont anglais).

À la recherche de l'anglais

En fait, l'analyse du reste du corpus contredit cette première impression, car on ne trouve, par ailleurs, dans la partie française, que 44 termes anglais (contre 1296 termes français), soit seulement 3,4 % de l'ensemble : un résultat pour le moins inattendu dans ce domaine que l'on estime totalement envahi par l'anglais. Mais regardons les données de plus près.

Il faut tout d'abord remarquer que la plus grande partie des entrées françaises de ce dictionnaire correspond à des formes de l'anglais reposant sur le même étymon, parfois même sous une forme graphique totalement identique, comme les mots français *code, alphabet, algorithme, commande, programme, accès, processeur, moniteur*, face à l'anglais *code, alphabet, algorithme, command, program, access, processor, monitor*, etc.

Dans d'autres cas, il s'agit de simples traductions, telles que le terme français *agrément* pour l'anglais *approval, aiguillage* pour *switch, affectation* pour *assignment, apprentissage* pour *learning, arborescence* pour *tree-structure*, ou encore *affichage* pour *display*.

De plus, les noms composés ont généralement la structure du français et, en particulier, ils ne suivent pas l'ordre des mots anglais, où le déterminant précède le déterminé. En effet, *administrateur de base de données* suit l'ordre habituel du français, face à *data base manager* ; de même *agent de transfert de message*, face à *message transfer agent ; assurance qualité logiciel*, face à *software quality insurance ; autoroute de l'information*, face à *information (super)highway*, etc. Les exemples de ce type sont très largement majoritaires, et il a fallu beaucoup chercher pour détecter les anglicismes plus souterrains, et en particulier les *calques*, c'est-à-dire les traductions serviles de structures grammaticales et sémantiques appartenant à une autre langue.

Les calques

Les calques de ce corpus sont en fait très peu nombreux, mais l'exemple de *client-serveur*, calqué sur l'anglais *client-server*, permet de voir que la forme française suit effectivement ici l'ordre anglais, avec le déterminant avant le déterminé. En effet, il s'agit bien du « serveur du client » et non pas d'un client qui serait en même temps un serveur. Citons deux autres exemples de calques : *auditeur informatique* est bien un calque sémantique de l'anglais car il ne s'agit pas du sens habituel en français de *auditeur* « celui qui entend, qui écoute » mais du sens de l'anglais *auditor* « commissaire aux comptes ». Signalons enfin la mystérieuse expression *attracteur étrange*, que l'on ne comprend que si l'on se réfère au sens de l'adjectif anglais *strange* qui signifie « étranger au domaine ».

Au total, peu d'anglais proprement dit

On ne compte finalement que 44 termes anglais ou anglicismes, dont on trouvera quelques exemples ci-dessous, avec la définition proposée par le dictionnaire (et mes propres commentaires placés entre crochets carrés).

> *AND* : mot anglais utilisé pour désigner les circuits logiques réalisant la fonction logique ET.
>
> *bit* (contraction de l'angl. *binary digit*) : unité binaire de quantité d'information.
>
> *bogue* (angl. *bug*) : erreur dans un programme [remarquons que le corpus contient aussi la forme francisée *débogage* ainsi que le verbe *déboguer*].
>
> *byte* (angl. *byte*) : mot signifiant « multiplet » employé généralement dans le sens plus restreint de « octet ».
>
> *Compact Disc* (nom anglais déposé) : disque compact à mémoire morte.
>
> *digit* (angl. *digit*) : synonyme de *chiffre*.
>
> *downsizing* (angl. *downsizing*) : miniaturisation.

framework (angl. *framework*) : infrastructure de logiciel qu'il suffit de compléter pour obtenir un programme personnalisé.

hardware (angl. *hardware*) : matériel [on dit également *matériel*, qui est l'équivalent français de *hardware* par opposition à logiciel *(software)*].

hub (angl. *hub*) : coffret contenant un dispositif de concentration dans un réseau local.

mainframe (angl. *mainframe*) : synonyme de *macro-ordinateur* [terme également présent comme entrée dans le dictionnaire].

midframe (angl. *midframe*) : ordinateur de puissance moyenne.

net : appellation familière de *Internet*.

plug and play (angl. *plug and play*) : standard de configuration dynamique des périphériques d'un micro-ordinateur.

polling (angl. *polling*) : invitation à émettre.

software (angl. *software*) : le dictionnaire renvoie à *logiciel*, c'est-à-dire à la forme française.

Pour mesurer l'impact réel de l'anglais

L'analyse de ce corpus réduit donnerait finalement à penser que l'anglais n'occupe qu'une place très réduite dans le vocabulaire de l'informatique, mais l'absence, dans ce dictionnaire, de certains termes très fréquents, comme *scanner, driver* ou encore le verbe *cliquer*, qui sont bien des formes reprises à l'anglais, montre les limites de cette analyse et la nécessité d'un corpus plus représentatif. Il faudrait maintenant mener une enquête auprès des informaticiens eux-mêmes et des utilisateurs non spécialistes.

Lorsque cette enquête auprès des usagers aura été réalisée, on pourra évaluer plus exactement les atteintes à l'intégrité du français par la langue anglaise, mais la question qui se posera alors sera celle de savoir, sur un plan plus général, à partir de quel pourcentage de mots étrangers on peut dire que le lexique d'une langue est en danger.

Pour l'instant, si l'on additionne les 228 sigles à base anglaise et les 44 formes anglaises ou anglicismes du corpus français, on trouve 272 éléments lexicaux anglais sur un total de 1 649 entrées (soit 16,5 %). À vrai dire, ce pourcentage devrait être encore réduit car les sigles ne se manifestent pas vraiment comme les mots dont ils sont l'abréviation : en effet, *CAO* (« Conception Assistée par Ordinateur ») est aussi peu représentatif du français que *ASCII* (« American Standard Code for Information Interchange ») l'est de l'anglais. En outre, il faut rappeler que le lexique savant et abstrait de l'anglais est lui-même composé à une très forte majorité de mots d'origine latine[306], la plupart du temps par l'intermédiaire du français.

Seule une enquête ultérieure auprès des usagers permettra de mieux apprécier l'importance réelle de l'anglais et son impact sur le français dans ce domaine particulier.

Il faudrait enfin regarder de plus près ce qu'il en est du vocabulaire de l'informatique **en anglais**.

Les mots anglais de l'informatique

Une analyse de trois petites brochures présentant le vocabulaire anglais de l'informatique dans des secteurs spécialisés[307] a fait apparaître un résultat tout aussi surprenant : sur l'ensemble des 490 termes anglais glosés dans ces brochures, on constate qu'il y en a 80 % d'origine latine, exactement 392, dont : 247 par l'intermédiaire du français, comme *transfer, computer, code, test, index* ou *information*, 140 venus directement du latin (par exemple *index, digit, scanner*) et 5 de l'italien, parmi lesquels *management* et *zero* (lui-même venu de l'arabe).

Le vocabulaire d'origine germanique vient très loin en deuxième position, avec seulement 75 termes (14,5 %), parmi lesquels *network, software, hardware*, ou *chip card*.

Une dernière constatation, tout aussi inattendue : les emprunts au grec sont faiblement représentés, avec 18 termes (3,5 %), par exemple *electronics, thermodynamics, telematics, analysis* ou *encryption*. Enfin, une dizaine de formes sont d'origine inconnue.

En conclusion de ce petit sondage dans ce domaine de l'informatique, où l'anglais règne sans conteste, on ne peut pas dire que ce soit sans partage, puisque surtout le latin mais aussi le français constituent l'essentiel de la base de ce vocabulaire. Devrait-on aller jusqu'à penser que l'anglais est le point de rencontre du latin et du français ?

Une poussée de l'anglais, mais quel anglais ?

Après ce long survol des langues qui ont été les principaux véhicules de la science, du grec à l'arabe, au latin et aux diverses langues nationales, et après ce bref examen du vocabulaire anglais de l'informatique, l'impression qui se dégage est donc partagée entre celle de la progression irrésistible de l'anglais depuis deux siècles et celle de la non moins réelle — mais plus souterraine — résistance du latin, qui reste toujours la référence la plus stable, celle à laquelle on recourt si l'on veut vraiment être compris. N'a-t-on pas repéré, jusque dans une poissonnerie du Mali, pays plurilingue où les noms des poissons varient d'une communauté à l'autre, une liste de noms de poissons dont certains sont en latin (filets de *bagus, hetero-branchus, distichodus*) sur une affiche comportant aussi des appellations en français (tranches *capitaine fumé*) et en langue africaine *(ntebe, wouloudjegue)* [308] ?

Cette curieuse inscription polyglotte, jointe à l'information sur les nouveaux noms latins recommandés pour indiquer la composition des produits cosmétiques dans l'Union européenne (cf. § PÉRENNITÉ DU LATIN : BOTANIQUE, ZOOLOGIE ET COSMÉTOLOGIE, p. 315), voilà qui peut surprendre à l'aube du XXIe siècle.

L'anglais, fidèle au latin

Et pourtant, ces deux informations ne sont pas totalement en contradiction avec la montée en flèche de l'anglais dans la transmission du savoir, surtout grâce aux progrès accomplis par la science et la technologie américaines. Mais si cette langue germanique a pu être adoptée sans trop de résistance par des savants parlant d'autres langues, n'est-ce pas parce qu'elle-même contenait — en grande partie grâce au français — un nombre considérable d'éléments de la langue qui, pendant des siècles, avait été la langue des sciences par excellence : le latin ? Imaginons ce qui aurait pu se produire si un autre pays, le Japon par exemple, avait réussi à prendre la première place dans la recherche scientifique. L'adoption du japonais aurait sans doute rencontré des obstacles autrement difficiles à surmonter, tandis que l'anglais était déjà porteur dans son propre lexique de toute une tradition latine que les autres pays occidentaux n'ont eu aucun mal à adopter.

On peut maintenant se demander si, grâce à l'anglais des sciences, le XXIe siècle verra un véritable renouveau de ce latin généralement considéré comme une langue morte et qu'on retrouve pourtant si bien conservé dans la langue scientifique d'aujourd'hui.

En élargissant notre champ de vision pour tenir compte des effets éventuels de la mondialisation, la même question peut se poser à propos de l'émergence d'un vocabulaire qui ne connaîtrait plus la barrière des frontières.

MONDIALISATION ET VOCABULAIRE
☞ *À la recherche des mots*
à vocation internationale

À l'heure où les problèmes économiques, écologiques
ou sociaux, prennent immanquablement une extension
planétaire, on a cherché à savoir dans quelle mesure
cette tendance à la mondialisation dans tous les domaines se reflète aussi dans les diverses langues en présence, et singulièrement dans leur lexique. Il existe sans
aucun doute un vocabulaire commun aux langues de
l'Occident, mais son étendue véritable reste difficile à
évaluer et on ne sait pas quels sont les éléments dont il
est constitué.

Autrement dit, comment identifier ces mots à vocation internationale ?

Un corpus de mots très ressemblants

Afin d'apporter un début de réponse à cette vaste
question, une étude partielle a été menée sur onze langues de l'Europe de l'Ouest[309].

Pour constituer ce corpus — qui a abouti finalement
à 1 225 mots —, avaient été considérés comme communs à ces onze langues tous les mots ayant le même
étymon, c'est-à-dire le même mot d'origine, le résultat
actuel se manifestant par une homographie presque parfaite (mais jamais totale), comme on peut le constater
dans le très bref extrait du corpus reproduit ci-dessous :

LANGUES

français	*acrobate*	*élégant*	*perle*	*critiquer*	*direct*	*nom*
italien	*acrobata*	*elegante*	*perla*	*criticare*	*diretto*	*nome*
espagnol	*acróbata*	*elegante*	*perla*	*criticar*	*directo*	*nombre*
portugais	*acrobata*	*elegante*	*perla*	*criticar*	*directo*	*nome*
anglais	*acrobat*	*elegant*	*pearl*	*criticise*	*direct*	*name*
allemand	*Akrobat*	*elegant*	*Perle*	*kritizieren*	*direkt*	*Name*

néerlandais	acrobat	elegant	parel	kritiseren	direct	naam
suédois	akrobat	elegant	pärla	kritisera	direkt	namn
danois	akrobat	elegant	perle	kritisere	direkt	navn
grec	akrovatès	kompsos	margaritari	kritikarô	ntirek	onoma
finnois	akrobaatti	elegantti	helmi	kritisòida	suora	nimi

Dans une autre partie du corpus, on peut remarquer, par exemple pour « arôme », que les différences de forme sont extrêmement faibles :

> *arôme* (français)   *aroma* (anglais, néerlandais, danois, espagnol, italien, portugais)
> *Aroma* (allemand)   *aromi* (finnois)
> *arôma* (grec)   *arom* (suédois)

La même grande similitude peut être constatée pour des mots comme *album, casino, crocodile, barbare, érotique*, ou encore, mais cette fois avec des variantes graphiques un peu plus importantes, pour :

> *banc* (français)   *bank* (néerlandais)
> *bench* (anglais)   *bœnk* (danois)
> *Bank* (allemand)   *bänk* (suédois)
> *banco* (espagnol, portugais)   *penkki* (finnois)
> *panca* (italien)   *pagkos* (grec)

Il faut bien se rendre compte qu'identité d'étymon ne signifie pas identité de forme. C'est pourquoi certaines différences de formes graphiques régulières ont été considérées comme négligeables, comme par exemple la succession *mp* du grec, qui correspond toujours à un *b* dans les autres langues, ainsi que la succession *nt* qui correspond à *d* : par exemple, au français *bloc* correspond le grec *mplok*, et à *direct* correspond le grec *ntirekt*.

Parmi les ressemblances, on peut encore apercevoir des correspondances régulières, par exemple entre les désinences des infinitifs. La consonne *r* y est présente presque partout :

> *-er* (français)   *-are* (italien)
> *-ieren* (allemand)   *-ere* (danois)
> *-ar* (espagnol, portugais)   *-era* ou *-a* (suédois),

le finnois faisant toujours exception avec la désinence *-oida*, tandis que l'anglais a le plus souvent la forme nue *(to degrade, demobilize, export, finance...)*.

Des régularités se retrouvent en outre dans des séries de mots comme ceux qui correspondent au français *académie* : on trouve le plus souvent un *y* en anglais *(academy)*, une capitale et *-ie* en allemand *(Akademie)*, *-ie* en néerlandais *(academie)*, *-i* en danois et en suédois *(akademi)*, *-ia* en espagnol et en portugais *(academia)*, en italien *(accademia)*, en finnois *(akatemia)* et en grec *(akâdemia)* . Sur le modèle de ce mot *académie*, on peut regrouper un grand nombre d'autres formes qui suivent le même schéma dans les onze langues étudiées, par exemple pour les formes qui correspondent aux mots français *batterie, biologie, catégorie, idéologie, géologie, chronologie, comédie, démocratie, épilepsie, diplomatie, galerie, harmonie, hiérarchie, leucémie, ironie...*

Des mots d'usage courant

Cette dernière liste de mots un peu rares pourrait faire penser que seuls des termes abstraits, réservés au domaine des sciences, de la technologie ou de la médecine forment l'essentiel de ce vocabulaire en voie d'internationalisation.

Pour tester cette hypothèse, la liste des 1225 mots du corpus de base a été confrontée aux entrées d'un petit dictionnaire Larousse [310] de 5400 mots, destiné aux élèves du CP et du CE, c'est-à-dire à des enfants à partir de six ans qui débutent dans l'apprentissage de la lecture et de l'écriture.

Le résultat de cet examen a clairement montré que cette hypothèse d'un vocabulaire international commun essentiellement savant et rare ne pouvait pas du tout être confirmée car sur les 1225 mots, il y en a 593, soit près de la moitié (48,5 %), qui figurent dans ce dictionnaire pour débutants : on y trouve en effet : *accent, accepter, acrobate, agent, album, amande, appétit, article, bain, banc, bébé, cabine, café, caractère, catastrophe, chat, chocolat...* qui sont des mots de notre liste.

Tous ces mots — que nous considérons comme des mots à vocation internationale — ne font toutefois pas l'unanimité des onze langues examinées, bien que ce soit le cas pour une grande partie d'entre eux, comme par exemple *acrobate, album, banc, café, catastrophe ou chocolat.*

Unanimité ou quasi-unanimité

Plus précisément, sur l'ensemble des 1225 mots de base, 457 mots ont fait l'unanimité des onze langues, soit plus du tiers de la liste (37 %) : par exemple ceux dont la forme française est *aluminium, analyse, comique, concert, culture, démocratie, dialogue, énergie, géométrie, harmonie, horizon, idée, institut, mécanique, mélodie, mètre, microbe, mousson, pianiste, propagande, sabotage, salade, tunnel...*

Lorsque pour un mot donné, une seule langue présente une divergence d'étymon, en toute logique on s'attendrait à ce que ce soit le finnois, seule langue non indo-européenne, face au grec, aux cinq langues germaniques et aux quatre langues romanes. Or, c'est le plus souvent le grec qui crée la surprise : dans 275 cas, le grec moderne présente un étymon différent, par exemple dans les mots correspondant à *documentation, émulsion, finance, général* (nm), *identique, instrument, laboratoire, adjectif, article, banque, cérémonie, collègue, copie, culturel...*

Le grec est suivi dans cette position d'exception par le finnois pour 157 mots, par exemple pour les équivalents des mots français *alphabet, détective, filtre, forme, génération, instinct, locomotive, loterie, parallèle, parasite, parc, pilote, plastique* (nm), *télégramme, talent, symptôme, thermomètre...*

Lorsque deux langues font exception, c'est à la fois le grec et le finnois que l'on trouve ensemble dans presque tous les cas (268 sur 281 cas de divergences), dans les mots correspondant au français *alarme, angoisse, aventure, brillant, conception, décoration, direct, étude, extrême, galop, garantie, gracieux...*

Au total, en additionnant

les mots faisant l'unanimité des onze langues (457),
les mots faisant l'unanimité moins une langue (419) et
ceux faisant l'unanimité moins deux langues (281),

on constate qu'à une ou deux langues près, 94,5 %
des 1225 mots font l'unanimité.

Un petit sondage complémentaire

Ces résultats semblent assez convaincants pour une
partie des langues de l'Europe, mais il était tentant de
les confronter à un petit choix de mots d'une langue
slave, le tchèque, et d'une langue non indo-européenne,
le hongrois.

	TCHÈQUE[311]	HONGROIS[312]
« acrobate »	*akrobat*	*akrobata*
« algue »	*řasa*	*alga*
« arôme »	*aróma*	*aroma*
« banc »	*lavička*	*pad*
« congrès »	*kongres*	*kongresszus*
« critiquer »	*kritizovat*	*kritizál*
« élégant »	*elegantní*	*elegáns*
« garage »	*garáž*	*garázs*
« mélodie »	*melodie*	*melódia*
« microbe »	*mikrob*	*mikroba*
« nom »	*jméno*	*név*
« perle »	*perla*	*gyöngy*

L'adjonction de ce très modeste sondage effectué sur
deux autres langues, dont l'une, le hongrois, n'appartient pas à la famille indo-européenne, ne change que
modérément le résultat précédent puisque sur 12 mots
il y en a 8 qui font encore l'unanimité (61,5 %)[313].

Bien que ces chiffres n'aient aucune valeur statistique, cette incursion hors du domaine propre du français
et de l'anglais a permis de rendre moins abstraite cette
notion de mondialisation lexicale en identifiant au
moins une partie de ces mots, proches par la forme et
le plus souvent aussi par le sens.

L'examen des rares divergences a en outre permis de constater que l'anglais, comme le français, et sans doute à cause du français qui l'a accompagné durant des siècles, ne se distingue jamais du reste du groupe majoritaire par des formes lexicales aberrantes.

RÉCRÉATION

DE QUI SONT CES PHRASES CÉLÈBRES ?

Les douze phrases ci-dessous ont été écrites ou prononcées par des personnages de langue française ou anglaise, par ordre alphabétique :

1. Boileau	7. Churchill
2. Chateaubriand	8. Edison
3. De Gaulle	9. Emerson
4. Molière	10. Ford
5. Musset	11. Richard III (Shakespeare)
6. Rabelais	12. Shakespeare

Rendez à chacun la phrase qui lui revient :

A. Il ne faut pas être plus royaliste que le roi
B. L'appétit vient en mangeant
C. *You could have any colour so long as it's black*
D. Le temps ne fait rien à l'affaire
E. *All's well that ends well*
F. La France a perdu une bataille mais la France n'a pas perdu la guerre
G. *Genius is one per cent inspiration and ninety-nine per cent perspiration*
H. Hâtez-vous lentement
I. *He had the choice between war and shame. He chose shame and he shall get war anyway*[314]
J. *A horse ! A horse ! My kingdom for a horse !*
K. Qu'importe le flacon, pourvu qu'on ait l'ivresse
L. *Hitch your wagon to a star*

RÉPONSE : A2 • B6 • C10 • D4 • E12 • F3 • G8 • H1 • I7 • J11 • K5 • L9

ÉPILOGUE
☞ *Une histoire d'amour-haine
qui n'est pas terminée*

À l'issue de ce long détour qui a conduit le lecteur à
« revisiter » l'histoire des langues de la science, puis à
s'aventurer dans le domaine encore mal défriché de
l'identification d'un vocabulaire sans frontières, c'est
en meilleure connaissance de cause qu'il peut à présent
retrouver les deux langues qui se sont côtoyées à toutes
les pages de ce livre.

Grâce à ce tour d'horizon parmi les langues qui les
entourent, on peut en effet confronter le français et
l'anglais aux langues voisines, ce qui nous conduit à
constater à quel point ces deux langues sont restées proches dans leur vocabulaire. Il apparaît par exemple que
sur les 1 225 mots à portée internationale constituant
notre corpus, il y en a le quart (exactement 292, soit
24 %) qui sont absolument identiques sur le plan de la
forme graphique en français et en anglais *(album, ballet, beige, bronze, cabaret, concert, film, horizon, lion,
microbe...)*

Si on compare cette proportion à celle que l'on
obtient avec l'italien, qui est pourtant une langue d'origine latine comme le français, on ne trouve qu'une
soixantaine de mots (soit 5 %) strictement identiques
entre l'italien et le français (par exemple *album, alcool,
beige, cabaret...*), et la même faible proportion entre
l'italien et l'anglais (par exemple *gas, manicure, sham-
poo, stereo, zebra...*).

Une mise en garde reste pourtant nécessaire car toute
liste de mots internationaux, basée uniquement sur leur
quasi-homographie et leur identité d'étymon, n'exclut
pas la présence parmi eux de « faux amis », qui risquent

toujours de se dissimuler sous des formes à la fois familières et trompeuses. (cf. p. 121).

On aura toutefois bien compris que, s'étant fréquentées sans discontinuer, et de façon très intime depuis si longtemps, la langue française et la langue anglaise ont bénéficié chacune des cadeaux lexicaux que lui faisait l'autre. C'est le sens de ce qu'écrivait au début du XXe siècle, le critique américain Henry Louis Mencken en rappelant[315] que « *a living language is like a man suffering incessantly from small haemorrhages, and what it needs above all else is constant transactions of new blood from other tongues. The day the gates go up, that day it begins to die* », c'est-à-dire « une langue vivante est semblable à une personne souffrant constamment de petites hémorragies. Ce dont elle a le plus besoin, c'est de continuelles transfusions de sang neuf apporté par d'autres langues. Le jour où les portes se ferment, ce jour-là elle commence à mourir ».

Ces paroles pleines de sagesse pourraient apporter une touche finale appropriée à cet ouvrage où les échanges réciproques entre le français et l'anglais ont constamment été au centre du paysage. Mais on éprouve peut-être besoin de se détendre un moment encore avant de refermer ce livre parfois un peu austère.

Voici donc, pour terminer, une dernière récréation mettant en scène ces deux langues aux destins parallèles, qui se sont souvent attirées et parfois repoussées mais qui n'ont jamais été indifférentes l'une à l'autre.

RÉCRÉATION

HARICOTS VERTS ET CLEF À MOLETTE :
QUEL RAPPORT ?

La langue anglaise regorge d'expressions toutes faites avec le mot *French* :

$$\text{French } f \_\_\_\_ = \text{« frites » (EU)}$$
$$\text{French } d \_\_\_ = \text{« porte-fenêtre » (EU)}$$
$$\text{French } w \_\_\_\_\_ = \text{« porte-fenêtre » (GB)}$$
$$\text{French } t \_\_\_\_ = \text{« pain perdu »}$$
$$\text{French } l \_\_\_\_ = \text{« départ discret »}$$
$$\text{French } b \_\_\_\_ = \text{« haricots verts »}$$
$$\text{French } l \_\_\_\_\_ = \text{« préservatif »}$$
$$\text{French } d _____ = \text{« vinaigrette »}$$
$$\text{French } s \_\_\_ = \text{« sorte de couture »}$$
$$\text{French } k \_\_\_\_\_ = \text{« patins » (ceux qu'on roule,}$$
$$\text{pas ceux qui roulent)}$$

De son côté, la langue française regorge d'expressions toutes faites, contenant l'adjectif *anglaise* (cet adjectif y est curieusement toujours au féminin).

$$s _____ \text{ anglaise} = \text{« qui dure seulement cinq jours »}$$
$$c \_\_\_ \text{ anglaise} = \text{« clef à molette »}$$
$$b _____ \text{ anglaise} = \text{« tissu brodé à petits trous »}$$
$$f \_\_\_\_ \text{ à l'anglaise} = \text{« opérer un départ discret »}$$
$$c \_\_\_\_ \text{ anglaise} = \text{« dessert liquide »}$$
$$c _____ \text{ anglaise} = \text{« sorte de couture »}$$
$$c \_\_\_\_\_ \text{ anglaise} = \text{« préservatif »}$$
$$a _____ \text{ anglaise} = \text{« viandes froides »}$$
$$\_\_\_ \text{ anglaises} = \text{« boucles de cheveux »}$$

Complétez, pour chaque expression, les mots laissés en blanc.

RÉPONSE :

French fries (EU)	semaine anglaise
French door (EU) ou *French window* (GB)	clef anglaise
French toast	broderie anglaise
French leave	filer à l'anglaise
French beans	crème anglaise
French letter	couture anglaise
French dressing	capote anglaise
French seam	assiette anglaise
French kisses	des anglaises

NOTES

☞ *uniquement techniques et bibliographiques,
pour en savoir (beaucoup) plus*

1   ROOM, Adrian, *Brewer's Dictionary of Names. Peoples and places and things*, Oxford, Helicon, 1993, 610 p., p. 79.

2   GUILAINE, Jean, *La France d'avant la France. Du néolithique à l'âge de fer*, Paris, Hachette, 1980, 295 p., p. 67.

3   BAUGH, Albert C. & CABLE, Thomas, *A History of the English Language*, London, Routledge (1re éd. 1951), 1991, 438 p., p. 42.

4   MOHEN, Jean-Pierre, *Vous avez tous 400 000 ans*, Paris, Lattès, 1991, 333 p., p. 248-249.

5   *Grand Larousse Universel* en 16 volumes, Paris, Larousse-Bordas, 1997, p. 9820.

6   *La Bretagne*, Guide vert, Paris, Michelin, 1950, p. 23.

7   WALTER, Henriette, *L'aventure des langues en Occident. Leur origine, leur histoire, leur géographie*, Paris, Robert Laffont, 1994, 498 p., p. 231-233.

8   ROOM, Adrian, *Brewer's Dictionary of Names* (cf. note 1).

9   MILLS, A.D., *Dictionary of English Place-Names*, Oxford, Oxford University Press, 1998, 407 p., p. 93, sous *Colne* (Lancashire).

10 WALTER, Henriette, *L'aventure des langues en Occident.* (cf. note 7), carte de l'hydronymie pré-celtique p. 228.

11 DEROY, Louis & MULON, Marianne, *Dictionnaire de noms de lieux*, Paris, éd. Le Robert, 1992, 531 p., p. 393-394, sous *Pyrénées*.

12 ROOM, Adrian, *Brewer's Dictionary of Names* (cf. note 1), p. 607, sous *York*.

13 MILLS, A.D., *A Dictionary of English Place-names*, (cf. note 9), p. XVII.

14 AYTO, John, *Dictionary of Word Origins*, New York, Little, Brown & Company, 1990, 582 p., sous *Tweed*.

15 ROOM, Adrian, *Brewer's Dictionary of Names* (cf. note 1), p. 553, sous *Trent*.

16 ROOM, Adrian, *Brewer's Dictionary of Names* (cf. note 1), p. 540, sous *Thames*.

17 MILLS, A.D., *A Dictionary of English Place-names*, (cf. note 9), p. 208.

18 MILLS, A.D., *A Dictionary of English Place-names*, (cf. note 9), p. 108.

19 MILLS, A.D., *A Dictionary of English Place-names*, (cf. note 9), p. 73 et 221.

20 GAUR, Albertine, *A History of Writing*, London, The British Library (1984), 1987, 224 p., p. 129.

21 COHEN, Marcel, *La grande invention de l'écriture*, Paris, Klincksieck, 1958, 1. Texte 471 p. p. 198-199,

FÉVRIER, James, *Histoire de l'écriture*, Paris, Payot (1re éd. 1948), 1995, 615 p., p. 520-524,

AGUIRRÉ, Manuel, *La escritura en el mundo*, Madrid, Reliex, 1961, 514 p., p. 408-409,

PRICE, Glanville, *The Languages of Britain*, Londres, Edward Arnold (41 Belford sq., London WC1B 3DQ) (1re éd. 1984), 1985, 245 p., p. 28-30.

22 PARTRIDGE, Eric, *Origins, an Etymological Dictionary of Modern English*, Londres, Routledge, (1958), 1991, 972 p., sous *ogam, ogham*.

23 PRICE, Glanville, *The Languages of Britain*, (cf. note 21), p. 28-34.

24 WALTER, Henriette, *L'aventure des langues en Occident*. (cf. note 7), p. 66-71.

25 VIAL, Éric, *Les noms de villes et de villages*, Paris, Belin, 1983, 319 p., p. 43.

26 MARTINET, André, *Des steppes aux océans. L'indo-européen et les « Indo-Européens »*, Paris, Payot, 1986, 274 p., p. 94-95 et 115.

27 BACQUET, Paul, *Le vocabulaire anglais*, Paris, PUF, « Que sais-je ? » n° 1574 (1re éd. 1974), 1982, 127 p., p. 27.

28 ERNOUT, A. & MEILLET, Antoine, *Dictionnaire étymologique de la langue latine. Histoire des mots*, Paris, Klincksieck (1ʳᵉ éd. 1932), 1967, 827 p.

29 FLOBERT, Pierre, « L'apport lexical du gaulois au français : questions de méthode », *Nomina Rerum*, Hommage à Jacqueline Manessy-Guitton, LAMA (Centre de Recherches comparatives sur les langues de la Méditerranée ancienne), 13, 1994, p. 201-208.

30 LAMBERT, Pierre-Yves, *La langue gauloise*, Paris, Errance, 1994, 239 p., p. 192, sous *coudrier*.

31 LAMBERT, Pierre-Yves, *La langue gauloise*, (cf. note 30), qui en dénombre près de deux cents. Cf. aussi :

FLOBERT, Pierre, « L'apport lexical du gaulois au français : questions de méthode », *Nomina Rerum*, (cf. note 29), p. 201-208.

WALTER, Henriette & WALTER, Gérard, *Dictionnaire des mots d'origine étrangère*, Paris, Larousse (1991), 2ᵉ édition revue et augmentée, 1998, 427 p., notamment p., p. 312-315, ainsi que

WALTER, Henriette, *L'aventure des mots français venus d'ailleurs*, Paris, Robert Laffont, 1997, 344 p., p. 37-49.

32 ERNOUT, A & MEILLET, Antoine, *Dictionnaire étymologique de la langue latine*, (cf. note 28), sous *carrus, aratrum* et *onus*.

33 CORTELAZZO, Manlio & ZOLLI, Paolo, *Dizionario etimologico della lingua italiana*, Bologna, Zanichelli, 1979, 5 tomes, 1470 p., sous *caricare*, p. 206.

34 *Oxford Paperback Encyclopedia*, Oxford-New York, Oxford University Press, 1998, 1496 p., p. 1164, sous *Roman roads* et p. 1419, sous *Watling Street*.

35 MCCRUM, Robert, CRAN, William & MACNEIL, Robert, *The Story of English*, London, Nouv. éd. Penguin Book, 1993, 394 p., p. 44.

36 PEZZINI, Domenico, *Storia della lingua inglese*, vol. 1, Brescia, La Scuola, 1981, 217 p., p. 16-17.

37 ROOM, Adrian, *Brewer's Dictionary of Names*, (cf. note 1), p. 603, sous *Greenwich*.

38 *Oxford Paperback Encyclopedia*, (cf. note 34), sous *Magna Carta* et sous *Habeas Corpus*.

39 CORRÊA DA COSTA, Sergio, *Mots sans frontières*, Paris, éd. du Rocher, 1999, 890 p., p. 58 et p. 365-464.

40 Cité par WOODROW, Alain, *Tout ce que vous avez toujours voulu savoir sur les Anglais...*, Paris, éd. du Félin, 1997, 386 p., p. 189.

41 CORRÊA DA COSTA, Sergio, *Mots sans frontières*, (cf. note 39), p. 374-375.

42 PARTRIDGE, Eric, *Origins, an Etymological Dictionary of Modern English*, (cf. note 22), sous *camp* section 1 (pour l'anglais), ainsi que *Le Petit Robert* 1993, sous *campus* (pour le français).

43 KNOWLES, Gerry, *A Cultural History of the English Language*, London, Arnold, 1997, 180 p., p. 22.

44 MARTINET, André, *Des steppes aux océans.* (cf. note 26), notamment p. 86-94.
    WALTER, Henriette, *Le français dans tous les sens*, Paris, Robert Laffont, 1988, 384 p., notamment ch. Le temps des barbares, p. 45-49, ainsi que
    WALTER, Henriette, *L'aventure des langues en Occident* (cf. note 7), notamment ch. Les langues germaniques, p. 277-416.

45 CHEVILLET, François, *Histoire de la langue anglaise*, Paris, PUF, « Que sais-je ? » n° 1265, 1994, 127 p., p. 20.

46 ATTAI, Jean-Pierre, *Faut-il donc simplifier l'anglais ?*, Perros-Guirec, La Tilv, 1993, 483 p., p. 36.

47 *Oxford Paperback Encyclopedia*, (cf. note 34), p. 144, sous *Bède*.

48 WALTER, Henriette, *Le français dans tous les sens*, (cf. note 44), p. 60-73.

49 CHANTRAINE, Pierre, *Dictionnaire étymologique de la langue grecque*, Paris, Klincksieck, 1990, 2 tomes, 1368 p., sous *barbaros*.

50 WALTER, Henriette, *L'aventure des mots français venus d'ailleurs*, (cf. note 31), notamment ch. L'héritage germanique, p. 83-98.
    WALTER, Henriette & WALTER, Gérard, *Dictionnaire des mots d'origine étrangère*, (cf. note 31), notamment ch. Les apports germaniques anciens, p. 318-326.

51 REY, Alain (sous la dir.), *Dictionnaire historique de la langue française*, Paris, Le Robert, 1992, 2 tomes, 2 383 p., sous *trop*.

52 WALTER, Henriette, « *Il est trop*, ou le transfert de classe grammaticale », *Praxis* (Praxis des Neusprachlichen Unterrichts), Dortmund, Lensing, 1993/3, p. 306-308.

53 WALTER, Henriette, *Le français dans tous les sens*, (cf. note 44), p. 97-99.

   WALTER, Henriette, *L'aventure des langues en Occident.* (cf. note 7), p. 66-71.

   WALTER, Henriette, *L'aventure des mots français venus d'ailleurs*, (cf. note 31), p. 52-56.

   WALTER, Henriette & WALTER, Gérard, *Dictionnaire des mots d'origine étrangère*, (cf. note 31), p. 316-318.

   WALTER, Henriette, « Le français, langue d'accueil : chronologie, typologie et dynamique », *Current Issues in Language and Society*, vol. 6, n°s 3/4, 1999, p. 170 + trad. (par Sue WRIGHT) « French — an Accommodating Language : the Chronology, Typology and Dynamics of Borrowing », p. 195-220.

54 MARTINET, André, *Des steppes aux océans.* (cf. note 26), p. 90-91 ainsi que

   WALTER, Henriette, *L'aventure des langues en Occident.* (cf. note 7), p. 288-290.

55 CRYSTAL, David, *Encyclopedia of the English Language*, Cambridge University Press, 1995, Paperback printed with corrections, 1999, 489 p., p. 9.

56 ALAMICHEL, Marie-Françoise (sous la dir.), *Lecture d'une œuvre, Beowulf. Symbolisme et interprétations*, Paris, Éd. du Temps, 1998, 125 p.

57 KNOWLES, Gerry, *A Cultural History of the English Language*, (cf. note 43), p. 35.

58 KNOWLES, Gerry, *A Cultural History of the English Language*, (cf. note 43), p. 39-40.

59 BAUGH, Albert C. & CABLE, Thomas, *A History of the English Language*, (cf. note 3), p. 93.

60 BAUGH, Albert C. & CABLE, Thomas, *A History of the English Language*, (cf. note 3), p. 97.

61 MILLS, A.D., *Dictionary of English Place-Names*, (cf. note 9), sous *Oxborough, Oxenhope, Oxford, Oxted* et *Oxwick*.

62 MCCRUM, Robert, CRAN, William & MACNEIL, Robert, *The Story of English*, (cf. note 35), p. 54-55.

63 BAUGH, Albert C. & CABLE, Thomas, *A History of the English Language*, (cf. note 3), p. 99.

64 JESPERSEN, Otto, *Growth and Structure of the English Language*, Oxford, Blackwell, 1967, 244 p., p. 60.

65 MOSSÉ, Fernand, *Manuel de l'anglais du Moyen Âge, vieil anglais*, tome 1, Paris, Aubier, 355 p., p. 51, §2a.

66 AYTO, John, *Dictionary of Word Origins*, (cf. note 14), sous *loan*.

67 BAUGH, Albert C. & CABLE, Thomas, *A History of the English Language*, (cf. note 3), p. 96-97.

68 AYTO, John, *Dictionary of Word Origins*, (cf. note 14), sous *dream*.

69 AYTO, John, *Dictionary of Word Origins*, (cf. note 14), sous *loft*.

70 REY, Alain (sous la dir.), *Dictionnaire historique*, (cf. note 51), sous *loft*.

71 AYTO, John, *Dictionary of Word Origins*, (cf. note 14), sous *skull*.

72 AYTO, John, *Dictionary of Word Origins*, (cf. note 14), sous *window*.

73 BACQUET, Paul, *Le vocabulaire anglais*, (cf. note 27), p. 44.

74 BAUGH, Albert C. & CABLE, Thomas, *A History of the English Language*, (cf. note 3), p. 96-97 et p. 59.

75 Cette liste a été établie avec l'aide des ouvrages suivants :

ATTAL, Jean-Pierre, *Faut-il donc simplifier l'anglais ?*, Perros-Guirec, La Tilv, 1993, 483 p., p. 104

BACQUET, Paul, *L'étymologie anglaise*, Paris, PUF, « Que sais-je ? » n° 1652, 1976, 125 p., p. 29-30

BACQUET, Paul, *Le vocabulaire anglais*, (cf. note 27), ch. III, p. 36-43

BLAKE, Norman (sous la dir.), *The Cambridge History of the English Language*, vol. 2, 1066-1476, Cambridge University Press, 1992, 703 p., p. 421

CHEVILLET, François, *Histoire de la langue anglaise*, (cf. note 45), 127 p.

CRÉPIN, André, *Deux mille ans de langue anglaise*, Paris, Nathan, 1994, 191 p., p. 163-164

BAUGH, Albert C. & CABLE, Thomas, *A History of the English Language*, (cf. note 3), p. 96-103

JESPERSEN, Otto, *Growth and Structure of the English Language*, (cf. note 64), p. 59-76

KNOWLES, Gerry, *A Cultural History of the English Language*, (cf. note 43), p. 37-45

McCRUM, Robert, CRAN, William & MacNEIL, Robert, *The Story of English*, (cf. note 35), p. 55

PEZZINI, Domenico, *Storia della lingua inglese*, (cf. note 36), p. 193

TOURNIER, Jean, *Précis de lexicologie anglaise*, Paris, Nathan, 1993, 207 p., p. 145

BOURCIER, Georges, *Histoire de la langue anglaise du Moyen Âge à nos jours*, Paris, Bordas, 1978, 304 p., p. 278-280.

76 PERNOUD, Régine, *Aliénor d'Aquitaine*, Paris, Albin Michel, 1965, 298 p., p. 165.

77 MUSSET, Lucien, « Essai sur le peuplement de la Normandie (VIᵉ-XIIᵉ siècle) », dans *Nordica et Normannica, Société des Études nordiques*, Paris, 1997, 494 p., p. 394.

78 WALTER, Henriette, *L'aventure des mots français venus d'ailleurs*, (cf. note 50), p. 95, et FELLOWS-JENSEN, Gillian, « Les noms de lieux d'origine scandinave et la colonisation viking en Normandie », *Proxima Thulé, Revue d'études nordiques*, Paris, vol. 1, automne 1994, p. 67.

79 WALTER, Henriette, *Le français dans tous les sens*, (cf. note 44), p. 74-79 et note n° 61.

80 LEPELLEY, René, *La Normandie dialectale*, Presses Universitaires de Caen, 1999, 175 p., p. 111.

81 BAYLON, Christian & FABRE, Paul, *Les noms de lieux et de personnes*, Paris, Nathan, 1982, 276 p., p. 134.

82 Tous les toponymes de ce paragraphe ainsi que ceux de la Récréation « Méfions-nous des toponymes d'origine scandinave » ont été vérifiés essentiellement dans

LEPELLEY, René, *Dictionnaire étymologique des noms de communes de Normandie*, Caen, Presses Universitaires, 1995, 278 p., ainsi que dans

NÈGRE, Ernest, *Toponymie générale de la France*, Genève, Droz, 1990, 3 tomes, tome 2, p. 1014.

83 WOODROW, Alain, *Tout ce que vous avez toujours voulu savoir sur les Anglais...*, (cf. note 40), p. 33-34.

84 MUSSET, Lucien, « Essai sur le peuplement... », dans *Nordica et Normannica*, (cf. note 77), p. 393 et 400 ainsi que p. 148-149.

85 MUSSET, Lucien, « Essai sur le peuplement... », dans *Nordica et Normannica*, (cf. note 77), p. 150-151.

86 ATTAL, Jean-Pierre, *Faut-il donc simplifier l'anglais ?*, (cf. note 45), p. 127, ainsi que

PERNOUD, Régine, *Aliénor d'Aquitaine*, (cf. note 76), p. 277-278 et p. 282.

87 Tout ce développement sur le dialecte normand s'appuie sur LEPELLEY, René, *La Normandie dialectale*, (cf. note 80).

88 LEPELLEY, René, *La Normandie dialectale*, (cf. note 80), p. 48-52.

89 Cette carte est une adaptation de celles de LEPELLEY, René, *La Normandie dialectale*, (cf. note 80), p. 46 et 4ᵉ de couverture.

90 LEPELLEY, René, *La Normandie dialectale*, (cf. note 80), p. 116.

91 Cette carte est inspirée de celle de LEPELLEY, René, *La Normandie dialectale*, (cf. note 80), p. 62, mais le tracé de la ligne Joret y a été simplifié en prenant la moyenne des isoglosses.

92 AYTO, John, *Dictionary of Word Origins*, (cf. note 14), sous chacune des entrées citées dans le texte.

93 BAUGH, Albert C. & CABLE, Thomas, *A History of the English Language*, (cf. note 3), p. 115.

94 *Grand Larousse universel* en 16 volumes, Paris, Larousse-Bordas, 1997, tableaux des Capétiens p. 1752-1754, des Plantagenêts p. 8190-8193 et des Valois p. 10616-10619.

95 FISHER, John H., *The Emergence of Standard English*, The University Press of Kentucky, Lexington (USA), 208 p., p. 18.

96 MCCRUM, Robert, CRAN, William & MACNEIL, Robert, (cf. note 35), p. 67

97 PERNOUD, Régine, *Aliénor d'Aquitaine*, (cf. note 76), p. 111.

98 CATACH, Nina (sous la dir.), *Dictionnaire historique de l'orthographe française*, Paris, CNRS, 1995, 1327 p., p. 1158, § 97.

99 *Journal officiel*, Documents administratifs n° 100 du 06/12/1990 (19 pages). Ces rectifications ont été intégrées dans le tome 1 du *Dictionnaire de l'Académie* (1992).

100 CATACH, Nina (sous la dir.), *Dictionnaire historique de l'orthographe française*, (cf. note 98), p. 1127, § 46.

101 AYTO, John, *Dictionary of Word Origins*, (cf. note 14), p. 152, sous *custard*.

102 REY, Alain (sous la dir.), *Dictionnaire historique de la langue française*, (cf. note 51), sous *babouin*.

103 Par exemple, AYTO, John, *Dictionary of Word Origins*, (cf. note 14), ainsi que

PARTRIDGE, Eric, *Origins, an Etymological Dictionary of Modern English*, (cf. note 22), ou encore le *Concise Oxford Dictionary*, qui indique également les étymologies.

104 Les étymologies de tous ces exemples ont été vérifiées, pour l'anglais, dans

AYTO, John, *Dictionary of Word Origins*, (cf. note 14), ainsi que dans

HOAD, T.F., (sous la dir.), *The Concise Oxford Dictionary of English Etymology*, Oxford, Clarendon Press, 1986. 552 p.

PARTRIDGE, Eric, *Origins*, (cf. note 22), et pour l'ancien français, dans

GREIMAS, Algirdas Julien & KEANE, Teresa Mary, *Diction-naire du moyen français. La Renaissance*, Paris, Larousse, 1992, 668 p. et

GODEFROY, Frédéric, *Lexique de l'ancien français*, Paris, Champion, 1965, 544 p.

105 GODEFROY, Frédéric, *Lexique de l'ancien français*, (cf. note 104), sous *mariage*.

106 ERNOUT, A. & MEILLET, Antoine, *Dictionnaire étymologi-que de la langue latine*. (cf. note 28), p. 412.

107 GREIMAS, Algirdas Julien, *Dictionnaire de l'ancien fran-çais, Le moyen-âge*, Paris, Larousse, 1994, 630 p. sous *coussin*.

108 AYTO, John, *Dictionary of Word Origins*, (cf. note 14), sous *towel*.

109 WALTER, Henriette, *Le français d'ici, de là, de là-bas*, Paris, J.-C. Lattès, 1998, 416 p., p. 253.

110 GREIMAS, Algirdas Julien, *Dictionnaire de l'ancien fran-çais*, (cf. note 107), sous *claré, claret*.

111 Ce petit guide s'appuie sur plusieurs ouvrages pédagogi-ques d'enseignement de l'anglais :

BALLARD, Michel, *Les faux amis*, Paris, Ellipses, 1999, 284 p.

BERTRAND, Claude-Jean & LEVY, Claude, *L'anglais de base*, Paris, Éd. du Temps, 1999, 413 p.

BOUSCAREN, Christian & DAVOUST, André, *Les mots anglais qu'on croit connaître. Les mots-sosies*, Paris, Hachette, 1977, 256 p.

CROWE, Ann & WESOLOWSKI, Maureen, *Dictionary of French Faux Pas*, Lincolnwood, Illinois (USA), National Textbook Company, 1994, 249 p.

DEROCQUIGNY, Jules & KOESSLER, Maxime, *Les faux amis ou les pièges du vocabulaire anglais*, Paris, Vuibert, (1928), 1964.

KIRK-GREENE, C.W.E. *Dictionary of Faux Amis*, Lincoln-wood, Illinois (USA), National Textbook Company, 1990, 197 p.

PATEAU, Anne-Marie & BARRIE, William B., *Les faux amis en anglais*, Paris, Livre de Poche, 1998, 118 p.

Petton, André, *Les faux amis anglais en contexte*, Rennes, Presses Universitaires de Rennes, 1995, 361 p.

Van Roey, Jacques, Granger, Sylviane & Swallow, Helen, *Dictionnaire des faux amis-Dictionary of faux amis*, Louvain-la-Neuve, Duculot, 1995, 794 p. + LXIV p.

112 *Robert & Collins Senior*, Glasgow, Harper Collins Publishers, 1995, 962 p., sous *jolly*.

113 Walter, Henriette, *Le français d'ici, de là, de là-bas*, (cf. note 109), p. 227.

114 Une recherche récente a permis de recenser 4197 homographes franco-anglais parfaits à partir du *Robert & Collins Senior*, du *Concise Oxford Dictionary* et du *Nouveau Petit Robert*. Sur ce total, 273 sont des faux amis sur toute la ligne, 702 le sont à moitié et 3222 peuvent être considérés comme de bons amis. Cf. Walter, Henriette, « Langues en contact, « faux amis » et « bons amis », à paraître dans les *Actes* du XXIVe Colloque de la Société Internationale de Linguistique Fonctionnelle, Toronto, juin 2000, ainsi que « Les faux amis anglais et l'autre côté du miroir », *La linguistique*, vol. 37, Paris, PUF, 2001-2002, p. 101-112.

115 Cf. liste citée à la note 111.

116 Cette liste a été établie en prenant pour point de départ une liste d'homographes élaborée par Jean Camion, qui a généreusement mis à ma disposition son ouvrage, non publié, *English French Homographs — Homographes français anglais*, Phonergie, 43 rue Carnot, Nogent/Marne, 1998, 300 p. Cette liste de départ a ensuite été modifiée en ne retenant que les formes faisant l'objet d'une entrée dans un dictionnaire bilingue et seulement celles ayant le même sens dans les deux langues. En cours de recherche, d'autres homographes parfaits ont été incorporés dans la liste définitive.

117 Walter, Henriette, « Tendances actuelles du vocabulaire international », XXIIe Colloque international de linguistique fonctionnelle (Evora, Portugal, mai 1998) à paraître dans les *Actes*.

118 Corrêa Da Costa, Sergio, *Les mots sans frontières*, (cf. note 39), 890 p.

119 *Larousse mini-débutants*, Paris, Larousse, 1990, 512 p.

120 JESPERSEN, Otto, *Growth and Structure,* (cf. note 64), ch. V, § 81-100 et en particulier le § 95, p. 86-87.

121 BAUGH, Albert C. & CABLE, Thomas, *A History of the English Language*, (cf. note 59), p. 147-149.

122 KNOWLES, Gerry, *A Cultural History of the English Language*, (cf. note 57), p. 51.

123 DES GRANGES, *Morceaux choisis des auteurs français*, Paris, Hatier, 1914, 1409 p., p. 110-114.

124 MILTON, Roger, *The English Ceremonial Book*, David & Charles, Newton Abbot, 1972, 215 p., p. 131-159.

125 Cf. la carte du monde exposée au Centre Jeanne d'Arc, à Orléans.

126 MARCHELLO-NIZIA, Christiane, *Histoire de la langue française aux XIVe et XVe siècles*, Paris, Bordas, 1979, 378 p., notamment p. 19.

127 PEYRONNET, Georges, « Dans quelle langue les Anglais parlaient-ils à Jeanne d'Arc ? », *Association des amis du Centre Jeanne d'Arc*, Orléans, 1992, *Bulletin* n° 16, p. 9-27.

128 Le texte français en est reproduit dans BAILLY, Auguste, *La guerre de Cent Ans*, Paris, Fayard, 1943, 294 p., p. 200-201.

129 Cette forme existait déjà en ancien français, cf. GODEFROY, Frédéric, *Lexique de l'ancien français*, (cf. note 104), sous *godon*.

130 Cette hypothèse, qui m'a été suggérée il y a quelques années par Robert LAFFONT, n'a pas abouti à l'ouvrage qu'il souhaitait publier sur ce sujet, mais je lui suis très reconnaissante d'avoir réveillé en moi le vieux rêve d'un livre sur les liens séculaires qui unissent la langue anglaise à la langue française.

131 CHAURAND, Jacques (sous la dir.), *Nouvelle histoire de la langue française*, Paris, Le Seuil, 1999, 808 p., p. 36.

132 CERQUIGLINI, Bernard, *La naissance du français*, Paris, PUF, « Que sais-je ? » n° 2576, 1991, 127 p., p. 118.

133 CONDEESCU, N.N., *Traité d'histoire de la langue française*, Bucarest, Editura didactica si pedagogica, 1975, 454 p., p. 169.

134 MCCRUM, Robert, CRAN, William & MACNEIL, Robert, (cf. note 62), p. 62.

135 GUIBILLON, G., *La littérature anglaise par les textes*, Paris, Hatier, 1939, 791 p., p. 18.

136 CHAUCER, *Canterbury Tales. The Prologue*, London, Macmillan, 1941, p. 15, vers 419-422.

137 MOSSÉ, Fernand, *Manuel de l'anglais du Moyen Âge*, Paris, Aubier, 1950, tome 1, p. 64.

138 BOURCIER, Georges, *Histoire de la langue anglaise* (cf. note 75), p. 172.

139 CESTRE, Charles & DUBOIS, Marguerite-Marie, *Grammaire complète de la langue anglaise*, Paris, Larousse, 1949, 591 p., p. 132 §d et §f.

140 Cf. *Les Contes de Cantorbéry*, « The Nonne Preestes Tale of the Cock and the Hen » (« Le conte du coq et de la poule » raconté par la Prieure), reproduit dans GUIBILLON, *La littérature anglaise par les textes*, Paris, Hatier, 1939, 791 p., p. 24-31.

141 JESPERSEN, Otto, *Growth and Structure,* (cf. note 64), cité par BRYSON, Bill, *Mother Tongue. The English Language*, London, Penguin Books, 1990, 269 p., p. 56.

142 PRINS, A.A., *French Influence in English Phrasing*, Leiden, Leiden University Press, 1952, cité par KNOWLES, Gerry, *A Cultural History* (cf. note 43), p. 57.

143 MCCRUM, Robert, CRAN, William & MACNEIL, Robert, *The Story of English*, (cf. note 62), p. 66.

144 BRYSON, Bill, *Mother Tongue*. (cf. note 141), p. 198.

145 BRYSON, Bill, *Mother Tongue*. (cf. note 141), p. 198.

146 MCCRUM, Robert, CRAN, William & MACNEIL, Robert, *The Story of English*, (cf. note 62), p. 67.

147 CRYSTAL, David, *Encyclopedia of the English Language*, (cf. note 55), p. 56.

148 BRYSON, Bill, *Mother Tongue*, (cf. note 141), p. 108-125, ainsi que

BOURCIER, Georges, *L'orthographe de l'anglais*, Paris, PUF, 1978.

149 BOURCIER, Georges, *L'orthographe de l'anglais*, (cf. note 148), p. 82.

150 BOURCIER, Georges, *L'orthographe de l'anglais*, (cf. note 148), p. 87-88.

151 Les quelques pages qui suivent reprennent, en l'adaptant aux visées du présent ouvrage, un article d'Henriette WALTER intitulé « Les complexités de l'orthographe anglaise », *Variations sur l'orthographe et les systèmes d'écritures. Mélanges en hommage à Nina CATACH*, Paris, Honoré Champion, 2001, p. 159-169.

152 CRÉPIN, André, *Deux mille ans de langue anglaise*, Paris, Nathan, 1994, 191 p., p. 65.

153 CRYSTAL, David, *Encyclopedia of the English Language*, (cf. note 55), p. 9.

154 BAUGH, Albert C. & CABLE, Thomas, *A History of the English Language*, (cf. note 3), p. 81-83.

155 CRYSTAL, David, *Encyclopedia of the English Language*, (cf. note 55), p. 17.

156 BIEDERMANN-PASQUES, Liselotte, *Les grands courants orthographiques au XVII*e *siècle et la formation de l'orthographe moderne*, Tübingen, Niemeyer, 1992, 514 p., p. 46.

157 CRYSTAL, David, *Encyclopedia of the English Language*, (cf. note 55), p. 262 et 264.

158 BOURCIER, Georges, *Histoire de la langue anglaise* (cf. note 138), p. 145.

159 CRYSTAL, David, *Encyclopedia of the English Language*, (cf. note 55), p. 59.

160 MULCASTER, Richard, *Elementarie*, 1582.

161 AYTO, John, *Dictionary of Word Origins*, (cf. note 14), sous *island*.

162 CATACH, Nina, *Les délires de l'orthographe*, Paris, Plon, 1989, Préface de Philippe de Saint-Robert, 349 p., p. 60.

163 MULCASTER, Richard, *Elementarie*, 1582.

164 CRYSTAL, David, *Encyclopedia of the English Language*, (cf. note 55), p. 276 et suiv.

165 WEBSTER, *English College Dictionary*, London, Longman, 1984, 1876 p.

166 BAUGH, Albert C. & CABLE, Thomas, *A History of the English Language* (cf. note 3), p. 361-363, ainsi que

WALTER, Henriette, *L'aventure des langues en Occident*. (cf. note 7), p. 407.

167 BAUGH, Albert C. & CABLE, Thomas, *A History of the English Language* (cf. note 3), p. 326.

168 CRYSTAL, David, *Encyclopedia of the English Language*, (cf. note 55), p. 277.

169 KELLER, Monika, *La réforme de l'orthographe. Un siècle de débats et de querelles*, Paris, Conseil international de la langue française, 1999, 195. p., p. 160-178, ainsi que

MULLER, Charles, *Monsieur Duquesne et l'orthographe. Petite chronique française (1988-1998)*, Paris, Conseil international de la langue française, 1999, 198 p., ch. 28 « Ça bouge à Matignon », p. 78-80.

CATACH, Nina, *L'orthographe*, Paris, PUF, « Que sais-je ? » n° 685 (1ʳᵉ éd. 1978), 1982, 126 p., p. 87-95.

170 BOURCIER, Georges, *L'orthographe de l'anglais*, (cf. note 148), p. 125.

171 MACCRUM, Robert, CRAN, William & MACNEIL, Robert, (cf. note 62), p. 62.

172 WALTER, Henriette, *L'aventure des mots français venus d'ailleurs*, (cf. note 50) ainsi que

WALTER, Henriette & WALTER, Gérard, *Dictionnaire des mots d'origine étrangère*, (cf. note 31), 427 p.

173 WALTER, Henriette, *Le français dans tous les sens*, (cf. note 44), p. 97-99.

WALTER, Henriette, *L'aventure des langues en Occident*. (cf. note 7), p. 66-71.

WALTER, Henriette, *L'aventure des mots français venus d'ailleurs*, (cf. note 50), p. 52-56.

WALTER, Henriette & WALTER, Gérard, *Dictionnaire des mots d'origine étrangère*, (cf. note 31), p. 316-318.

174 ESTIENNE Henri, *Dialogues du nouveau langage françois italianizé et autrement desguisé, principalement entre les courtisans de ce temps. De plusieurs nouveaultez qui ont accompagné ceste nouveauté de langage. De quelques courtisanismes modernes, et de quelques singularitez courtisanesques*, 1578, p. 35-36.

175 CLERICO, Geneviève, « Le français au XVIᵉ siècle », dans CHAURAND, Jacques (sous la dir.), *Nouvelle histoire de*

la langue française, Paris, Le Seuil, 1999, 808 p., p. 145-224, notamment p. 226.

176 CONDEESCU, N.N., *Traité d'histoire de la langue française*, Bucarest, (cf. note 133), p. 174.

177 NICOT, Jean, *Thresor de la langue françoise tant ancienne que moderne, Proverbes, Nomenclator, index*, Paris, David Douceur, éd. de 1621. Réédition Paris, Picard, 1960, 674 p. + annexes.

178 QUÉMADA, Bernard, *Les dictionnaires du français moderne (1563-1863)*, Paris, Didier, 1968, 683 p.

179 QUÉMADA, Bernard, « La lexicographie du français au XVIIe siècle », dans QUÉMADA, Bernard (sous la dir.), *Le Dictionnaire de l'Académie française et la lexicographie institutionnelle européenne*, Paris, Champion, 1998, 534 p., p. 41-68, notamment p. 45.

180 NENCIONI, Giovanni, « Allocation de l'ouverture du colloque », dans QUÉMADA, Bernard (sous la dir.), *Le Dictionnaire de l'Académie française et la lexicographie institutionnelle européenne*, Paris, Champion, 1998, 534 p., p. 17-21.

181 Préface de la première édition de 1694, dans QUÉMADA, Bernard (sous la dir.), *Les Préfaces du Dictionnaire de l'Académie française 1694-1992*, Paris, Champion, 1997, 564 p., p. 28-29.

182 GEMMINGEN, Barbara von, « Le Dictionnaire à part de l'Académie française : Le dictionnaire des Arts et des Sciences de Thomas Corneille (1694) », dans QUÉMADA, Bernard (sous la dir.), *Le Dictionnaire de l'Académie française…* (cf. note 179), p. 153-164.

183 VAUGELAS, Claude FAVRE de, *Remarques sur la langue française utiles à ceux qui veulent bien parler et bien écrire* (1re éd. Paris, 1647), Paris, édit. du Champ libre, 1981, 363 p.

184 CATACH, Nina, *L'orthographe*, (cf. note 169), 126 p.
CATACH, Nina, *Langue française*, n° 20, déc. 1973, p. 3
CATACH, Nina, *Les délires de l'orthographe*, (cf. note 162)
MULLER, Charles, *Monsieur Duquesne et l'orthographe*, (cf. note 169).

BLANCHE-BENVENISTE, Claire & CHERVEL, André, *L'orthographe*, Paris, Maspero, 1969, 236 p., rééd. augmentée, 1978, 260 p.

185 HONVAULT, Renée, *L'orthographe ? C'est pas ma faute*, Paris, Corlet, 1999, 183 p., p. 39-42, ainsi que Équipe de l'Association pour l'information et la Recherche sur les Orthographes et les systèmes d'Écriture (AIROÉ, 4 Passage Imberdis, 94700 Maisons-Alfort), *Le petit livre de l'orthographe actuelle*, Paris, 2000, 23 p.

186 Cité par CAPUT, Jean-Pol, *L'Académie française*, Paris, PUF, « Que sais-je ? » n° 2322, 1986, 126 p., p. 54.

187 CAPUT, Jean-Pol, *L'Académie française*, (cf. note 186), p. 54.

188 BIERBACH, « Le dictionnaire de l'Académie française », dans QUÉMADA, Bernard (sous la dir.), *Le Dictionnaire de l'Académie française...* (cf. note 179), p. 139-151 et notamment p. 146.

189 BAUGH, Albert C. & CABLE, Thomas, *A History of the English Language*, (cf. note 3), p. 214 et 222-223.

190 BACQUET, Paul, *Le vocabulaire anglais*, (cf. note 27), p. 67.

191 BACQUET, Paul, *Le vocabulaire anglais*, (cf. note 27), p. 55.

192 BRYSON, Bill, *Mother Tongue*. (cf. note 141), p. 113-114.

193 BAUGH, Albert C. & CABLE, Thomas, *A History of the English Language* (cf. note 3), p. 226-227.

194 Anagramme proposée par Martin MANSER, *The Guinness Book of Words*, Pullisbury, Guinness (éd. 1988), 1991, 192 p., p. 127.

195 D'ORMESSON, Jean, *La douane de mer*, Paris, Gallimard, 1993, 552 p., p. 450.

196 LAROQUE, François, MORVAN, Alain & REGARD, Frédéric, *Histoire de la Littérature anglaise*, Paris, PUF, 1997, 828 p., p. 109.

197 Cf. *Japan Times* du 28 novembre 1999, où est recensé l'ouvrage de HODEN Anthony, *William Shakespeare*, Little Brown, 348 p.

198 CRYSTAL, David, *Encyclopedia of the English Language*, (cf. note 55), p. 149.

199 BRYSON, Bill, *Mother Tongue*. (cf. note 141), p. 70 ainsi que

BRYSON, Bill, *Made in America*, Reading (Berkshire, G-B), Cox & Wyman, 1994, 478 p.

200 BACQUET, Paul, *Le vocabulaire anglais*, (cf. note 27), p. 81.

201 Les citations qui suivent ont été réunies par Bernard LEVIN, comme le précisent MACCRUM, Robert, CRAN, William & MACNEIL, Robert, *The Story of English*, (cf. note 62), p. 81-82.

202 Ces quatre dernières citations ont été relevées par BRYSON, Bill, *Mother Tongue*. (cf. note 141), p. 57.

203 BACQUET, Paul, *Le vocabulaire anglais*, (cf. note 27), p. 83, ainsi que

ATTAL, Jean-Pierre, *Faut-il donc simplifier l'anglais ?*, (cf. note 45), p. 208.

204 Mots de Daniel DEFOE, cités par James ARNOLD-BAKER, directeur de l'Oxford University Press et éditeur actuel du célèbre *Oxford English Dictionary*, dans QUÉMADA, Bernard (sous la dir.), *Le Dictionnaire de l'Académie française…* (cf. note 179), p. 33.

205 BRYSON, Bill, *Made in America*, (cf. note 199), p. 7.

206 Établis grâce aux données du *Grand Larousse universel*, Paris, Larousse, 1997, 10 vol. et de

HOMBERGER, Éric, *Atlas historique de l'Amérique du Nord*, Paris, Éd. Autrement, 144 p., p. 40-45, ainsi que

BOUCHARD, Gérard & TREMBLAY, Marc, « Le peuplement francophone au Canada », dans GAUTHIER, Pierre & LAVOIE, Thomas (sous la dir.), *Français de France et français du Canada, Les parlers de l'Ouest de la France, du Québec et de l'Acadie*, Lyon, Université Jean Moulin, 1995, 439 p., p. 309-343, et

LAVOIE, Thomas, « Le français québécois », dans GAUTHIER, Pierre & LAVOIE, Thomas (sous la dir.) *Français de France et français du Canada, Les parlers de l'Ouest de la France, du Québec et de l'Acadie*, Lyon, Université Jean Moulin, 1995, 439 p., p. 345-398, notamment p. 346-351.

207 AMIS, Kingsley, *The King's English, A Guide of Modern Usage*, Londres, Harper Collins, 1997, 270 p., sous *received pronunciation*, p. 183.

208 CRYSTAL, David, *Encyclopedia of the English Language*, (cf. note 55), p. 92-93 et p. 365.

209 BRYSON, Bill, *Made in America*, (cf. note 199), p. 147.

210 Informations recueillies dans BAUGH, Albert C. & CABLE, Thomas, *A History of the English Language*, (cf. note 3), p. 353-354 et vérifiées dans ONIONS, C. T. (sous la dir.), avec la collaboration de FRIEDERICHSEN, G.W.S. & BURCHFIELD, R.W., *The Oxford Dictionary of English Etymology*, Oxford, Clarendon Press (1re éd. 1966), 1985, 1024 p. ; pour le Canada, dans POIRIER, Claude (sous la dir.), *Dictionnaire du français Plus à l'usage des francophones d'Amérique*, Montréal, Centre éducatif et culturel, 1988, 1856 p., ainsi que dans CÔTÉ, Louise, TARDIVEL, Louis & VAUGEOIS, Denis, *L'Indien généreux. Ce que le monde doit aux Amériques*, Paris, Boréal-Seuil, 1995, 287 p.

211 Les étymologies ont été vérifiées dans GANNET, Henry, *The Origin of Certain Place Names in the United States* (1re éd., Washington, 1902), reprint, Bowie, Maryland, Heritage Books, 1996, 280 p., ainsi que dans DEROY, Louis & MULON, Marianne, *Dictionnaire de noms de lieux*, (cf. note 11), sous les noms des différents États, et dans CRYSTAL, David, *Encyclopedia of the English Language*, (cf. note 55), p. 145.

212 Un doute subsiste pour cette étymologie, qui serait plutôt « foyer de tous les Indiens », pour GANNET, Henry, *The Origin of Certain Place Names in the United States*, (cf. note 211), p. 196.

213 Je remercie Danyèle GARNIER pour la documentation qu'elle m'a fournie sur Philadelphie et sur William PENN.

214 CRYSTAL, David, *Encyclopedia of the English Language*, (cf. note 55), p. 146.

215 MOAK, Jefferson M., *Philadelphia Street Name Change*, Genealogical Series, Philadelphia, 1996 (Introduction), ainsi que

FOSTER, Genevieve, *The World of William Penn*, Philadelphia, 1973, p. 9 et suiv.

216 BRYSON, Bill, *Mother Tongue*, (cf. note 141), p. 135.

217 DEROY, Louis & MULON, Marianne, *Dictionnaire de noms de lieux*, (cf. note 11), sous *Californie*.

218 WELLS, J.C., *Pronunciation Dictionary*, Harlow, Longman, 1990, 802 p., sous *Chicago* et *Cheyenne*.

219 Étymologies empruntées à DEROY, Louis & MULON, Marianne, *Dictionnaire de noms de lieux*, (cf. note 11), ainsi qu'à BRYSON, Bill, *Made in America*, (cf. note 199), p. 127-128.

220 DAUZAT, Albert, *Les noms de famille de France*, Paris (1re éd. 1949), réimpression Paris, Guénégaud, 1988, 471 p., p. 132.

221 DEROY, Louis & MULON, Marianne, *Dictionnaire de noms de lieux*, (cf. note 11), sous *Des Moines*.

222 BRYSON, Bill, *Made in America*, (cf. note 199), p. 129.

223 DEROY, Louis & MULON, Marianne, *Dictionnaire de noms de lieux*, (cf. note 11), sous *Cheyenne*.

224 GANNET, Henry, *The Origin of Certain Place Names in the United States* (Washington, 1902), reprint, Bowie (Maryland), Heritage, 1996, 280 p., sous *Cheyenne*.

225 POIRIER, Claude (sous la dir.), *Dictionnaire du français Plus à l'usage des francophones d'Amérique*, (cf. note 210), sous *portage*.

226 BRYSON, Bill, *Made in America*, (cf. note 199), p. 167-168.

227 BRYSON, Bill, *Made in America*, (cf. note 199), p. 168 et AYTO, John, *Dictionary of Word Origins*, (cf. note 14), sous *dope*.

228 BRYSON, Bill, *Made in America*, (cf. note 199), p. 159.

229 BRYSON, Bill, *Made in America*, (cf. note 199), p. 228-229.

230 *Grand Larousse Universel*, 1985, sous *rouge-gorge* et *merle*.

231 Informations vérifiées dans CRYSTAL, David, *Encyclopedia of the English Language*, (cf. note 55), p. 309.

232 BOURHIS, Richard & LEPICQ, Dominique, « Aménagement linguistique, statut et usage du français au Québec », *Présence francophone*, n° 33, 1988, p. 13.

233 DUBY, Georges (sous la dir.), *Atlas historique*, Paris, Larousse, 1978, 326 p., p. 242.

234 ROOM, Adrian, *Brewer's Dictionary of Names*, (cf. note 1), sous *Toronto*.

235 DEROY, Louis & MULON, Marianne, *Dictionnaire de noms de lieux*, (cf. note 11), sous *Nouvelle-Écosse, Prince-Edward, Saskatchewan, Manitoba, Ontario* et *Québec*.

236 Toponymes cités par FOREST, Jean, *Chronologie du québécois*, Montréal, Triptyque, 1998, 378 p., p. 197-198.

237 Toutes les informations qui suivent proviennent de LAPIERRE, André, *Toponymie française en Ontario*, Montréal-Paris, Études vivantes, 1981, 120 p.

238 DEROY, Louis & MULON, Marianne, *Dictionnaire de noms de lieux*, (cf. note 11), sous *Niagara* et *Érié*.

239 POIRIER, Claude (sous la dir.), *Dictionnaire du français Plus*, (cf. note 210), sous *portage*.

240 LAPIERRE, André, *Toponymie française en Ontario*, (cf. note 237), p. 68.

241 LAVOIE, Thomas, « Le français québécois », dans GAUTHIER et LAVOIE, *Français de France et français du Canada*, (cf. note 206), p. 345.

242 Ces formes lexicales ont été vérifiées dans CORMIER, Yves, *Dictionnaire du français acadien*, Québec, Fidès, 1999, 440 p., et dans NAUD, Chantal, *Dictionnaire des régionalismes du français parlé des îles de la Madeleine*, L'Étang-du-Nord (Canada), Vignaud, 1998, 310 p.

243 LEPELLEY, René, *Dictionnaire du français régional de Normandie*, Paris, Bonneton, 1993, 157 p., sous *vadrouille*.

244 LAVOIE, Thomas, « Le français québécois », dans GAUTHIER et LAVOIE, *Français de France et français du Canada*. (cf. note 206), p. 373.

245 LAVOIE, Thomas, « Le français québécois », dans

GAUTHIER et LAVOIE, *Français de France et français du Canada*. (cf. note 206), p. 349-350.

246 PHILLIPS, Hosea, « Le français parlé de la Louisiane », VALDMAN, Albert (sous la dir.), *Le français hors de France*, Paris, Champion, 1979, 688 p., p. 93-110, ainsi que

SMITH-THIBODEAUX, John, *Les francophones de Louisiane*, Paris, Entente, 1977, p. 48-51 ;

GRIOLET, Patrick, *Cadjins et créoles de Louisiane*, Paris, Payot, 1986 ;

WADDELL, Éric, « La Louisiane : un poste outre-frontière de l'Amérique française ou un autre pays et une autre culture », *Du continent perdu à l'archipel retrouvé* sous la dir. de Dean R. LOUDER, Christian MORISSONNEAU et Éric WADDELL, Québec, Presses univ. Laval, 1983, p. 196-211 ;

BRETON, Roland J.L. & LOUDER, Dean R., « La géographie linguistique de l'Acadiana, 1970 », VERNEX, Jean-Claude, « Espace et appartenance : l'exemple des Acadiens du Nouveau-Brunswick », *Du continent perdu à l'archipel retrouvé* sous la dir. de Dean R. LOUDER, Christian MORISSONNEAU et Éric WADDELL, Québec, Presses univ. Laval, 1983, p. 214-234.

SMITH-THIBODEAUX, John, *Les francophones de Louisiane*, Paris, Enntente, 1977, 134 p., p. 48.

247 PICONE, Michael D., « Code Switching and Loss of Inflection in Louisiana French », *Language Variety in the South Revisited*, Tuscaloosa and London, The University of Alabama Press, 1997, p. 152-162.

248 BOUCHARD, Gérard & TREMBLAY, Marc, « Le peuplement francophone au Canada ; survol historique et géographique (XVIIe-XXe siècle) », *Français de France et français du Canada, Les parlers de l'Ouest de la France, du Québec et de l'Acadie*, Lyon, Université Jean Moulin, 1995, 439 p., p. 321-322.

249 BOUCHARD, Gérard & TREMBLAY, Marc, « Le peuplement francophone au Canada... , (cf. note 248), p. 331-332.

250 LAVOIE, Thomas, « Le français québécois » dans GAUTHIER, Pierre & LAVOIE, Thomas (sous la dir.), *Français de France et français du Canada*, (cf. note 206), p. 345-398, notamment p. 371-378.

251 OSTIGUY, Luc & TOUSIGNANT, Claude, *Le français québécois. Normes et usages*, Montréal (Québec), Guérin, 1993, 247 p., ch. 10, p. 125-131.

252 CORMIER, Yves, *Dictionnaire du français acadien*, (cf. note 242), ainsi que

POIRIER, Claude (sous la dir.), *Dictionnaire historique du français québécois*, Québec, Presses de l'Université Laval, 1998, 640 p.

253 PÉRONNET, Louise, « Le français acadien », *Français de France et français du Canada. Les parlers de l'Ouest de la France, du Québec et de l'Acadie*, Lyon, Université Jean Moulin, 1995, 439 p., p. 414.

254 BOUCHARD, Gérard & TREMBLAY, Marc, « Le peuplement francophone au Canada... », (cf. note 248), p. 334-335.

255 Pour le Canada, cf. VERREAULT, Carole & LAVOIE, Thomas, « Les anglicismes lexicaux dans les parlers ruraux de l'est du Canada, aspects géo-linguistiques et historiques », *Actes* du Ve colloque international de Bellême (5-7 juin 1997), Tübingen, Niemeyer, 2000.

256 WALTER, Henriette, « Variétés lexicales du français et anglicismes de part et d'autre de l'Atlantique », à paraître dans les *Actes* du VIe colloque international « français du Canada — français de France » (27-30 sept. 2000, Magog, Québec), Université de Sherbrooke, Canada.

257 FOREST, Constance & BOUDREAU, Denise, *Le Colpron, le dictionnaire des anglicismes*, Laval (Québec), Beauchemin, 1998, 381 p.

POIRIER, Claude (sous la dir.), *Dictionnaire du français* (cf. note 210), 1856 p.

CORMIER, Yves, *Dictionnaire du français acadien*, Québec, Fidès, 1999, 440 p.

VILLERS, Marie-Éva de (sous la dir.), *Multi-dictionnaire des difficultés de la langue française*, Montréal (Québec), Québec-Amérique, 1992, 1324 p.

258 LAVOIE, Thomas, « Le français québécois » dans GAUTHIER & LAVOIE, *Français de France et français du Canada*, (cf. note 206), p. 374.

259 VERREAULT, Carole, « L'enseignement du français en contexte québécois. De quelle ligne est-il question », *La norme du français*, Terminographie 91-92, sept. 1999, p. 21-40, notamment p. 29-32.

260 POIRIER, Claude (sous la dir.), *Dictionnaire du français* (cf. note 210) ainsi que

VILLERS, Marie-Éva de (sous la dir.), *Multi-dictionnaire* (cf. note 257).

261 DESSAINT, Michel, « Introduction et notes à la Préface de la 4ᵉ édition », dans QUÉMADA, Bernard (sous la dir.), *Les Préfaces du Dictionnaire de l'Académie française* (cf. note 181), note 11, p. 203.

262 DESSAINT, (cf. note 261), p. 203-204.

263 Traduction de la définition donnée par WALPOLE et citée en anglais dans AYTO, John, *Dictionary of Word Origins*, New York, Little, Brown & Company, 1990, 582 p., sous *serendipity*.

264 WELLS, Ronald A., *Dictionaries and the Authoritarian Tradition*, Paris-La Haye, Mouton, 1973, 129 p., notamment p. 13-20.

265 BAUGH, Albert C. & CABLE, Thomas, *A History of the English Language*, (cf. note 3), p. 357-365.

266 Toutes ces informations sont tirées de la traduction de la lettre de demande d'emploi que MURRAY écrivit en 1867 au British Museum, qui figure dans WINCHESTER, Simon, *Le fou et le professeur*, traduction française de *The Professor and the Madman, A Tale of Murder, Insanity and the Making of the Oxford English Dictionary*, New York, Harper Collins, 1998, par Gérard MEUDAL, Paris, Lattès, 2000, 300 p., p. 57-58.

267 PRUVOST, Jean, *Dictionnaires et nouvelles technologies*, Paris, PUF, 2000, 177 p., p. 19.

268 REY, Alain, *Encyclopédies et dictionnaires*, Paris, PUF, « Que sais-je ? », n° 2000, 1982, 127 p., p. 18-22.

269 WALTER, Henriette, *Des mots sans-culottes*, Paris, Robert Laffont, 1989, 244 p., « Déjà le franglais » p. 183-190 ainsi que dans

WALTER, Henriette, *L'aventure des mots français venus d'ailleurs*, (cf. note 50), ch. XIV, p. 177-196, et dans

WALTER, Henriette & WALTER, Gérard, *Dictionnaire des mots d'origine étrangère*, (cf. note 31), p. 379-392.

270 GUIRAUD, Pierre, *Les mots étrangers*, Paris, PUF., « Que sais-je ? » n° 1166, 1965, 123 p., p. 94.

271 BACQUET, Paul, *Le vocabulaire anglais*, (cf. note 27), p. 102-103.

272 BACQUET, Paul, *Le vocabulaire anglais*, (cf. note 27), p. 112.

273 SPENCE, Nicol, « La querelle du "franglais" vue d'outre-Manche », *La linguistique* 35, 1999/2, p. 127-139, notamment p. 128.

274 Exemples donnés par SPENCE, Nicol, « La querelle du "franglais" vue d'outre-Manche », *La linguistique* 35, 1999/2, p. 127-139, p. 128.

275 TRUDGILL, Peter & HANNAH, Jean, *International English, a Guide to Varieties of Standard English*, Londres-New York, Arnold (1re éd. 1982), 1991, 130 p., p. 76.

276 CÔTÉ, Louise, TARDIVEL, Louis & VAUGEOIS, Denis, *L'Indien généreux*. (cf. note 210), sous *tipi*.

277 WALTER, Henriette & WALTER, Gérard, *Dictionnaire des mots d'origine étrangère*, (cf. note 31)

WALTER, Henriette, *L'aventure des mots français venus d'ailleurs*, (cf. note 50)

WALTER, Henriette, « Le français, langue d'accueil. Chronologie, typologie et dynamique », et concurremment « French and Accommodating Language. The Chronology, Typology and Dynamics of Borrowings », *The Current Issues in Language and Society*, Exeter, Multilingual Matters, vol. 6, n° 3-4, 1999, publ. sous la dir. de Sue WRIGHT.

278 WALTER, Henriette & MARTINET, André, *Dictionnaire de la prononciation française dans son usage réel*, Paris, Champion-Genève, Droz, 1973, 932 p.

279 Sauf indication contraire, toutes les informations historiques qui suivent ont été puisées dans CRYSTAL, David, *English as a Global Language*, Cambridge University Press, Canto, 1998, 150 p., notamment p. 24-63.

280 TRUDGILL, Peter & HANNAH, Jean, *International English*, (cf. note 275), p. 21-24.

281 TRUDGILL, Peter & HANNAH, Jean, *International English*, (cf. note 275), p. 24.

282 TRUDGILL, Peter & HANNAH, Jean, *International English*, (cf. note 275), p. 105.

283 CRYSTAL, David, *Encyclopedia of the English Language*, (cf. note 55), p. 360.

284 Le développement qui suit reproduit, en le modifiant et en l'adaptant sur certains points, la communication

d'Henriette WALTER au colloque « Le français aux quatre coins du monde » de Valenciennes (20-21 mars
1997), dont les Actes ont été publiés dans la coll.
« Cahiers de l'Institut de Linguistique de Louvain », éd.
Peters, Louvain-Paris, 2003.

285 HUME, David, cité par BURNEY, Pierre, *Les langues internationales*, Paris, PUF., « Que sais-je ? » n° 968, 1962,
p. 66.

286 ROSSILLON, Philippe (sous la dir.), *Atlas de la langue française*, Paris, Bordas, 1995, 127 p., p. 29.

287 Une analyse détaillée des différentes situations a été
présentée par Robert CHAUDENSON, 1989, *Vers une révolution francophone ?*, Paris, L'Harmattan, 1989, 224 p.
+ 7 cartes.

288 TÉTU, Michel, *Qu'est-ce que la Francophonie ?*, Paris,
Hachette, 1997, 317 p., p. 13-22.

289 *État de la Francophonie, Rapport 1990*, Haut Conseil de la
langue française, p. 25-30.

290 Intervention de Gina MAMAVI, « Journée des dictionnaires », organisée par Jean PRUVOST à l'Université de
Cergy-Pontoise, le 19/03/97.

291 WALTER, Henriette, *Le français d'ici, de là, de là-bas*,
(cf. note 109).

292 L'exposé suivant reprend en l'aménageant et en le complé-
tant le texte d'une conférence partiellement publié en
1996, cf. « L'évolution des langues de la communauté
scientifique », *Le français et les langues scientifiques de
demain*, Colloque à l'Université du Québec à Montréal
(19-21 mars 1996), Québec, Conseil de la langue française, 1996, p. 27-39 (sans publication des annexes).

293 ROUSSEAU, Pierre, *Histoire de la Science*, Paris, Fayard,
1945, 823 p., p. 82 : « Pensez qu'Archimède est le père
de Descartes, de Newton et de Leibniz, c'est-à-dire qu'il
devance de deux mille ans ses contemporains... »

294 SERRES, Michel (sous la dir.), *Éléments d'histoire des
sciences*, Paris, Bordas, 1989, 575 p., p. 151-195, notamment p. 171.

295 *Dictionnaire des auteurs*, Paris, Laffont, 4 tomes, article
« Ptolémée », tome III, p. 801.

296 ALBUCASIS (Abu'l Qasim Halaf Ibn 'Abbas al-Zahrawi, dit), *Chirurgia Albucasis*, Vienne, Codex Vindobonensis, series nova 2641. Un fac-similé du manuscrit latin, à partir de la version originale en arabe, comprenant 68 miniatures et 200 schémas d'instruments, avec sa traduction en allemand et en français, a été publié par le Club du Livre (sous la direction éditoriale d'Hector OBALK, 22 rue Lécuyer, 93400 Saint-Ouen).

297 COULON, Alain, Préface de la traduction française de *Chirurgia Albucasis*, p. 7, cf. note sur Albucasis.

298 ROUSSEAU, Pierre, *Histoire de la Science*, (cf. note 293), p. 242.

299 ROUSSEAU, Pierre, *Histoire de la Science*, (cf. note 293), p. 367 et 394.

300 Anonyme, « LINNÉ », brochure publiée par le Muséum d'Histoire Naturelle de Toulon à l'occasion de l'exposition LINNÉ, 1990, 47 p.

301 Je remercie Marie-Christine AUZOU, qui m'a fourni toutes ces informations. Ces termes sont extraits de la « List of "trivial" INCI Names », publiée par the European Cosmetic Toiletry and Perfumery Association (COLIPA), qui rappelle d'une part l'ancien nom INCI (previously CFTA Name) et, en face, le nouveau nom, à utiliser pour l'étiquetage des cosmétiques dans l'Union Européenne, de plus de 600 éléments, où l'ancien terme anglais est remplacé par un terme à base latine, à utiliser dans tous les pays de l'Union Européenne.

302 SEGUIN, Jean-Pierre, *La langue française au XVIIIe siècle*, Paris, Bordas, 1972, p. 210 ainsi que

BRUNOT, Ferdinand, *Histoire de la langue française des origines à nos jours*, Paris, Colin, 1905-1937, rééd. 1966-1967, tome 6, 1, p. 619 et 662-663.

303 L'exposé qui suit reprend, en l'adaptant, une partie de l'article d'Henriette WALTER, « Le lexique de l'informatique et l'emprise de l'anglais », *La linguistique*, 33, 1997/2, p. 45-59.

304 MORVAN, Pierre (sous la dir.), *Dictionnaire de l'informatique*, Paris, Larousse, 1996, 351 p.

305 *Journal Officiel* du 17 janvier 1982 (54 termes), du 19 février 1984 (36 termes), du 7 mai 1987 (27 termes), du 16 septembre 1989 (15 termes) et du 7 mars 1993 (42 termes).

306 WALTER, Henriette, « L'évolution des langues de la communauté scientifique », dans *Le français et les langues scientifiques de demain* (cf. note 292), p. 27-39.

307 MICHEL, France, *Vocabulaire de l'échange de documents informatisés*, Cahiers de l'Office de la langue française du Québec, 1991, 37 p. ainsi que

VERREAULT, Carole, *Vocabulaire de la sécurité informatique*, Cahiers de l'Office de la langue française du Québec, 1992, 59 p.

VENEV, Yvan, *Dictionnaire anglais-français-russe de l'informatique et des sciences* (1499 expressions), Paris, Economica, 1984, 72 p. + XIV.

308 Une photo de cette affiche a été prise il y a quelques années par Pierre LAMARQUE (Anglet, Pyrénées-Orientales), à Mopti, petit village au bord du Niger, au Mali.

309 Cf. l'étude préliminaire sur six langues, brièvement rapportée dans WALTER, Henriette, *L'Aventure des langues en Occident*, (cf. note 7), p. 420-422. Cette première étude a été complétée par une étude ultérieure, sur cinq nouvelles langues, exposée dans la communication d'Henriette WALTER au 23e colloque international de linguistique fonctionnelle (Lugano 1999), à paraître dans les *Actes*.

Le corpus de base de cette nouvelle étude repose sur un corpus établi à partir des dictionnaires suivants :

GOURSAU, Henri & GOURSAU, Monique, *Dictionnaire européen des mots usuels, français-anglais-allemand-espagnol-italien-portugais*, Éd. Goursau, Saint-Orens-de-Granville, 1989, 764 p.

pour le *néerlandais* : BOGAARDS, P. (sous la dir), *Handwoordenboek Frans-Nederlands*, Utrecht, Van Dale, 1988, 745 p.

pour le *suédois* : NYGREN, Håkan et SWEDENBORG, Lillemore, *Lilla Franska Ordbok, Franska-svensk, Svensk-franska*, Glasgow, Norstedts-Collins, 1993, 421 p. + 369 p.

pour le *danois* : SØRENSEN, Chr., *Fransk-dansk Ordbog*, Copenhagen, Gyldendal, 1997, 495 p., et BRUEL, Sven &

NIELSEN, Niels, *Fremmedord*, Copenhagen, Gyldendal, 1991, 641 p.

pour le *grec moderne* : ROSGOVAS, T., *Nouveau dictionnaire franco-hellénique avec phonétique*, 1985, 630 p.

pour le *finnois* : SUNDELIN, Seppo, *Ranska-suomi opiskelusanakirja*, Helsinki, 1996, 820 p.

310 *Larousse mini débutants*, Paris, Larousse, 1990, 512 p.

311 Je remercie chaleureusement Zuzana et Barbara BOHAC de leur aide pour ces traductions.

312 Je remercie vivement mon collègue Ferenc FODOR, qui a eu la patience de me fournir la traduction en hongrois des 1 225 mots de la liste de notre corpus.

313 Signalons que parfois, il existe aussi une autre forme en dehors de la forme internationale. Tel est le cas en tchèque pour « arôme » et « congrès » par exemple, et en hongrois, pour « médecine » et « pôle ».

314 Je remercie Richard LANGWORTH, Editor Finest Hour, The Churchill Center, 181 Barrage Road, Hopkinton, NH 03229 USA, qui a bien voulu confirmer cette citation de Churchill.

315 Phrase citée par Martin MANSER, *The Guinness Book of Words*, Londres, Guinness Publishing Ltd. (1re éd. 1998), 2e éd. 1991, p. 25.

INDEX DES NOMS DE PERSONNES

☞ *Personnages réels, mythiques ou imaginaires — et quelques prénoms*

INDEX DES NOMS DE LIEUX, LANGUES ET PEUPLES

☞ *Les noms de lieux sont en petites capitales, Ex :* ABBEVILLE
Les noms de langues ou de peuples sont en romain, Ex : allemand, Allemands

H

I

INDEX DES FORMES CITÉES

☞ *Les formes françaises sont en caractères gras : Ex :* **achever**,
les formes anglaises en caractères italiques : Ex : to abuse,
les formes « communes » à l'anglais et au français sont en gras italique :
Ex : ***bronze****,*
les formes d'autres langues sont en romain (la langue est précisée entre
parenthèses) : Ex : accademia (italien).

INDEX DES NOTIONS

☞ *Les entrées renvoient à des exemples regroupés sous des notions linguistiques ou parfois historiques*

LISTE DES ENCADRÉS

☞ *Liste des encadrés (destinés à apporter des précisions linguistiques ou historiques sur un point particulier) à l'exception des récréations*

LISTE DES CARTES

☞ *Liste des cartes linguistiques et des cartes d'orientation*

LISTE DES RÉCRÉATIONS
☞ *Liste des encadrés récréatifs*

TABLE DES MATIÈRES

☞ *Table des chapitres et des sous-chapitres. Les encadrés sont précédés d'une puce.*

DU MÊME AUTEUR

Dictionnaire de la prononciation française dans son usage réel
En collaboration avec André MARTINET, Paris, éd. Champion &
Genève, éd. Droz, 1973, 932 p.

La dynamique des phonèmes dans le lexique français contemporain
Préface d'André MARTINET, Paris, éd. Champion & Genève, éd.
Droz, 1976, 481 p.

La phonologie du français
Paris, éd. P.U.F., 1977, 162 p.

Enquête phonologique et variétés régionales du français
Préface d'André MARTINET, Paris, éd. P.U.F., coll. « Le linguiste »,
1982, 253 p.

Cours de gallo
Centre National d'Enseignement à distance (C.N.E.D), Ministère de
l'Éducation nationale, Rennes. Cours 1er niveau : 1985-86, 130 p.
Cours 2e niveau : 1986-87, 150 p.

Le français dans tous les sens
Paris, éd. Robert Laffont, 1988, 384 p. Préface d'André MARTINET.
Grand prix de l'Académie française 1988.
   Traduction anglaise : *French inside out*, par Peter Fawcett, Lon-
   don, Routledge, 1994, 279 p. • Traduction tchèque : *Francouzs-
   tina známá i neznámá*, par Marie Dohalská et Olga Sculzová,
   Prague, Jan Kanzelsberger, 1994, 323 p. • Traduction roumaine :
   Limba franceză în timp şi spaţiu, par Maria Pavel, Iaşi, Demiurg,
   1988, 269 p.

Bibliographie d'André Martinet et comptes rendus de ses œuvres
En collaboration avec Gérard WALTER, Louvain & Paris, éd. Peeters,
1988, 114 p.

Des mots sans-culottes
Paris, éd. Robert Laffont, 1989, 248 p.

Dictionnaire des mots d'origine étrangère
En collaboration avec Gérard WALTER, Paris, éd. Larousse, 1991.
Nouvelle édition revue et augmentée 1998, 427 p.

*L'aventure des langues en Occident. Leur origine, leur histoire, leur
géographie*
Paris, Robert Laffont, 1994, 498 p. Préface d'André MARTINET.
Prix spécial du Comité de la Société des Gens de Lettres, et Grand
Prix des Lectrices de ELLE, 1995
   Traduction espagnole : *La Aventura de las lenguas en Occidente*,
   par Maria Antonia Marti, Madrid, España, 1997, 531 p. • Traduc-
   tion portugaise : *A Aventura das línguas do Ocidente*, par Manuel
   Ramos, Lisbonne, Terramar, 1996, 496 p. • Traduction brésilienne :

A Aventura das línguas no Ocidente, par Sérgio Cunha dos Santos, São Paulo, Mandarim, 1997, 427 p. • Traduction italienne : *L'aventura delle lingue in Occidente*, par Sabina de Mauro, Roma-Bari, Laterza, 1999, 506 p. • Traduction japonaise : en cours.

L'aventure des mots français venus d'ailleurs
Paris, éd. Robert Laffont, 1997, 344 p. Prix Louis Pauwels, 1998.

Le français d'ici, de là, de là-bas
Paris, éd. J.-C. Lattès, 1998, 416 p.

Dictionnaire du français régional de Haute-Bretagne
En collaboration avec Philippe BLANCHET, Paris, Bonneton, 1999, 157 p.

Le français, langue d'accueil : chronologie, typologie et dynamique / French, an accommodating language : the Chronology, Typology and Dynamics of Borrowing
Ouvrage bilingue publié sous la dir. de Sue WRIGHT, à l'occasion du colloque tenu à l'Université d'Aston (7 mai 1999), et consacré aux travaux d'Henriette Walter sur les emprunts du français à l'anglais et aux autres langues, Clevedon, England, éd. Multilingual Matters, 2000, 134 p.

Composition réalisée par NORD COMPO

IMPRIMÉ EN ESPAGNE PAR LIBERDUPLEX
(BARCELONE)
LIBRAIRIE GÉNÉRALE FRANÇAISE - 43, quai de Grenelle - 75015 Paris
- Dépôt légal Éditeur : 30910 - 03/2003

ISBN : 2-253-15444-X   ✛ 31/5440/0